INDÉCENCE MANIFESTE

"Actes noirs"

DU MÊME AUTEUR

MOI, ZLATAN IBRAHIMOVIĆ. MON HISTOIRE RACONTÉE À DAVID LAGERCRANTZ, J.-C. Lattès, 2013 ; Le Livre de poche n° 33167.
CE QUI NE ME TUE PAS, Millénium 4, Actes Sud, 2015.

Titre original :
Syndafall i Wilmslow
Éditeur original :
Albert Bonniers Förlag, Stockholm
© David Lagercrantz, 2009

© ACTES SUD, 2016
pour la traduction française
ISBN 978-2-330-06073-2

DAVID LAGERCRANTZ

Indécence manifeste

roman traduit du suédois
par Rémi Cassaigne

ACTES SUD

À Anne, Signe, Nelly et Hjalmar.

Opinion is not worth a rush;
In this altar-piece the knight,
Who grips his long spear so to push
That dragon through the fading light.

W. B. YEATS,
Michael Robartes and the Dancer.

1

Quand s'était-il décidé ?

Même lui ne le savait pas. Mais quand ses doutes s'estompèrent, réduits à de lointains appels, le poids lancinant qui accablait son corps se transforma en une inquiétude palpitante qui, au fond, lui avait manqué. Sa vie s'élargissait. Même les seaux bleus dans l'atelier de bricolage prirent un nouvel éclat chatoyant : tout ce qu'il observait contenait tout un monde, toute une chaîne d'actions et de pensées, et la seule idée de tenter de les résumer aurait été vaine, ou même malhonnête.

Il percevait une foule d'images internes et externes et, même si sa respiration était déjà douloureusement précipitée, une présence intense vibrait dans son corps, à la limite de la volupté, exactement comme si la décision de mourir lui rendait la vie. Devant lui, sur une table grise couverte de taches et de petits trous qui étaient en partie des brûlures mais aussi quelque chose d'autre, poisseux, il y avait une plaque chauffante, quelques flacons d'un liquide noir et une cuillère à café dorée qui devait jouer un certain rôle dans l'histoire. Dehors, on entendait la pluie. Elle tombait, tombait. Jamais le ciel ne s'était ainsi ouvert sur l'Angleterre un week-end de Pentecôte, et cela avait peut-être influé sur sa décision.

Peut-être avait-il surtout été influencé par des détails : son rhume des foins, ou le fait que ses voisins, Mr et Mrs Webb, aient tout juste déménagé à Styal, laissant derrière eux le sentiment que la vie s'en allait ou même qu'elle avait lieu là où il n'était pas invité. Cela ne lui ressemblait pas de s'émouvoir de ce genre de choses. En même temps, ce n'était pas sans lui ressembler.

Certes, le quotidien ne le touchait pas autant que nous autres. Il possédait une immense capacité à se ficher royalement des tracasseries qui l'entouraient. Mais il s'assombrissait aussi parfois sans aucune raison. De petites choses pouvaient avoir sur lui de grands effets. Des événements anodins pouvaient le conduire à des décisions drastiques ou à des idées étranges.

Il voulait à présent quitter le monde selon une idée trouvée dans un dessin animé pour enfants mettant en scène de drôles de nains, ce qui était bien sûr ironique. L'ironie et les paradoxes ne manquaient pas dans sa vie. Il avait raccourci une guerre et pensé plus profondément que quiconque les fondements de l'intelligence, mais avait été déclaré indigne de confiance et forcé de prendre un médicament répugnant. Voilà peu, une voyante de Blackpool l'avait terrorisé, au point qu'on n'avait pas pu lui parler une journée entière.

Que faisait-il, à présent ?

Il brancha deux câbles qui pendaient du plafond à un transformateur, sur la table, et plaça une casserole de bouillie noire sur la plaque chauffante. Ensuite il se changea en pyjama gris-bleu et prit une pomme rouge dans un plat à fruits bleu près de la bibliothèque. Il terminait souvent sa journée par une pomme. La pomme était son fruit favori, et pas seulement à cause du goût. La pomme était aussi… Peu importait. Il coupa le fruit en deux, revint à son atelier et, alors, ce fut la révélation. Il comprit avec tout son être, regardant le jardin sans le voir. N'est-ce pas étrange ? pensa-t-il, sans vraiment savoir ce qu'il voulait dire. Puis il se souvint d'Ethel.

Ethel était sa mère. Ethel allait un jour écrire un livre sur lui sans comprendre rien à rien mais, à sa décharge, on peut dire que ce n'était pas facile. La vie de cet homme était faite de beaucoup trop de chiffres et de secrets. Il était différent. En outre il était jeune, du moins aux yeux de sa mère, et, bien qu'il n'ait jamais été considéré comme une beauté, et que son physique de coureur se soit dégradé depuis une certaine décision du tribunal de Knutsford, il n'était pas mal. Depuis son plus jeune âge, quand il ne distinguait pas sa droite de sa gauche et croyait que Noël tombait un peu n'importe quand, parfois souvent, parfois rarement, comme les autres belles journées amusantes, il avait eu des pensées totalement intempestives. Il était devenu mathématicien pour s'occuper d'une chose aussi prosaïque que l'ingénierie, et un penseur anticonformiste persuadé que notre intelligence était mécanique, ou même calculable au moyen d'une longue et vertigineuse suite de chiffres.

Mais avant tout, et c'est ce que sa mère aurait le plus de mal à comprendre, en cette journée de juin, il n'avait plus le courage de vivre, aussi continua-t-il ses préparatifs qui devaient par la suite sembler étrangement tarabiscotés. Mais quelque chose troubla sa concentration. Il perçut un bruit, des pas devant la porte d'entrée, crut-il, un crissement du gravier, et une pensée absurde lui traversa l'esprit : quelqu'un apporte de bonnes nouvelles, peut-être de très loin, d'Inde, ou d'une autre époque. Il rit ou sanglota, difficile à dire, se mit en mouvement et, même si l'on n'entendait plus rien, rien d'autre que la pluie sur le toit, il buta sur cette pensée : *Quelqu'un est dehors. Un ami, qui mérite qu'on l'écoute*, puis en passant devant le bureau il pensa *à la folie, pas du tout*, comme un enfant qui arrache les pétales d'une fleur. Il percevait les moindres détails du couloir avec une exactitude tellement vibrante que cela l'aurait fasciné, un jour meilleur. D'un pas de somnambule, il gagna la chambre à coucher, vit le journal l'*Observer* sur la table de nuit et la montre avec le bracelet de cuir noir et il plaça la moitié de pomme juste à côté. Il songea à la lune qui luisait derrière l'école de Sherborne, et se coucha sur le dos dans le lit. L'air calme.

2

Il pleuvait aussi le lendemain et le long d'Adlington Road arrivait le jeune inspecteur criminel Leonard Corell. À la hauteur de Brown's Lane, il ôta son chapeau Trilby car, malgré la pluie, il avait trop chaud, il songea alors à son lit, non pas le misérable lit de son appartement, mais celui qui l'attendait chez sa tante à Knutsford et, ce faisant, il inclina la tête sur son épaule, comme sur le point de s'endormir.

Il n'aimait pas son travail. Il n'aimait pas le salaire, les va-et-vient, la paperasse, et ce maudit Wilmslow, où il ne se passait jamais rien. C'était au point que même aujourd'hui, il ne ressentait que le vide. Et pourtant, la gouvernante qui avait appelé avait parlé d'une écume blanche autour de la bouche du mort et d'une odeur de poison dans la maison : des années plus tôt, un tel coup de téléphone aurait sûrement un peu ravivé Corell. Aujourd'hui, il traînait les pieds le long des flaques et des haies. Derrière, il y avait les champs et la voie ferrée. C'était mardi 8 juin 1954, il surveillait au passage les plaques des maisons.

À l'adresse Hollymeade, il prit sur la gauche et se trouva devant un grand saule qui ressemblait à un vieux balai géant et, sans en avoir besoin, il s'arrêta pour nouer ses lacets. Une allée en briques s'avançait jusqu'au milieu de la cour pour s'y arrêter net, et il songea : mais que s'est-il passé, à la fin ? même s'il comprenait parfaitement qu'en tout état de cause cela n'avait rien à voir avec cette allée en briques. Là-bas, sur le pas de la porte de gauche, attendait une femme d'âge mûr.

"C'est vous, la gouvernante ?" demanda-t-il, et elle hocha la tête. C'était une petite bonne femme incolore aux yeux tristes et, plus tôt dans sa vie, Corell lui aurait sûrement adressé un petit sourire chaleureux en lui posant une main sur l'épaule. Là, il se contenta de la suivre en regardant ses pieds jusqu'en haut d'un escalier raide, et l'exercice n'avait rien de plaisant, ne provoquait chez lui aucune excitation, aucune curiosité policière, à peine même du désagrément, rien qu'un "Mais à quoi bon continuer ?"

Dès le vestibule, il devina une présence, une densité de l'air et, en entrant dans la chambre, il ferma les yeux ; à vrai dire, chose curieuse dans de telles circonstances, il fut traversé par quelques pensées inconvenantes de nature sexuelle qu'il n'y a au fond aucune raison de mentionner ici, sinon qu'elles lui semblèrent absurdes même pour lui. Quand il rouvrit les yeux, ces associations d'idées s'attardèrent, comme un voile surréaliste flottant sur la pièce, mais elles se dissipèrent en autre chose quand il découvrit le lit, l'étroit lit de célibataire, et, dessus, un homme mort, sur le dos.

L'homme était brun, probablement la trentaine. De la commissure de ses lèvres, une écume blanche avait coulé sur ses joues, où elle avait séché en poudre blanche. Les yeux étaient à moitié ouverts, enfoncés sous un front saillant et voûté. Le visage avait beau n'avoir rien de paisible, on devinait une certaine lassitude dans ses traits, et Corell aurait dû réagir avec sérénité. La mort ne lui était pas inconnue, et ceci n'était pas une mort horrible, mais il se sentait mal, et n'avait pas encore compris que c'était à cause de l'odeur, la puanteur d'amande amère qui flottait dans la chambre, il regarda dehors par la fenêtre qui donnait sur le jardin en essayant de revenir à ses pensées inconvenantes, mais n'y parvint pas, et remarqua alors une moitié de pomme sur la table de nuit. Corell songea, ce qui l'étonna, qu'il détestait les fruits.

Il n'avait jamais rien eu contre les pommes. Qui n'aime pas les pommes ? Il sortit son carnet de la poche de sa veste. L'homme est couché dans une position à peu près normale, écrivit-il en se demandant si la formulation était bonne, et elle ne l'était pas vraiment, mais d'un autre côté pas trop mauvaise non plus. À part son visage, l'homme aurait très bien pu être endormi et, après avoir jeté en hâte quelques autres lignes – dont il ne fut pas non plus satisfait –, il examina le corps. Le mort était maigre, en assez bonne forme physique, mais avec une poitrine d'une mollesse inhabituelle, presque féminine et, même si l'inspection de Corell n'était pas exagérément approfondie, il ne trouva aucun signe de violence, pas de griffures ni de bleus, juste un peu de couleur noire au bout des doigts et cette écume au coin des lèvres. Il la renifla et comprit alors pourquoi il se sentait si mal. La puanteur d'amande amère atteignit sa conscience et il regagna le vestibule.

Au fond du couloir, il remarqua quelque chose de bizarre. Dans un coin avec fenestron sur jardin, deux câbles pendaient du plafond et, sur une table, une casserole mijotait. Il s'approcha lentement : était-ce dangereux ? Absurde ! La pièce était une sorte de laboratoire. Il y avait un transformateur, des pinces crocodiles, et des flacons, pots de confiture et bocaux. Sûrement pas de quoi s'inquiéter. Mais la puanteur s'incrustait sous la peau, et ce n'est qu'à contrecœur qu'il se pencha sur la casserole. Une soupe répugnante bouillait au fond et, soudain, surgi de nulle part, il se rappela un train fonçant dans la nuit, très loin dans son enfance, et il dut s'appuyer au bord de la table, haletant. Puis il se dépêcha de sortir et ouvrit une fenêtre dans la pièce voisine. Il pleuvait. C'était fou ce qu'il tombait. Mais pour une fois, Corell ne lâcha pas de juron à ce sujet. Il se réjouit de voir la puanteur et les sombres souvenirs dissipés par le vent et la pluie et, une fois retrouvé un certain calme, il alla inspecter la maison.

Un air bohème flottait dans cet intérieur. De beaux meubles, mais placés au petit bonheur, sans soin, et il n'y avait visiblement pas de famille, et sûrement pas d'enfants. Corell saisit un carnet posé sur le rebord d'une fenêtre. Il contenait des équations mathématiques : jadis, il y aurait peut-être compris quelque chose. Aujourd'hui, rien, sûrement aussi en raison de l'écriture difficilement lisible et parsemée de pâtés, ça l'énerva, ou peut-être le rendit jaloux et, renfrogné, il fouilla une vitrine à droite de la fenêtre où il trouva des verres à vin, des couverts en argent, un petit oiseau en porcelaine et un flacon au contenu noir. Cela rappelait les bocaux du laboratoire, à leur différence qu'il y avait ici une étiquette collée avec l'inscription *cyanure de potassium*.

"J'aurais dû le comprendre", marmonna-t-il en se dépêchant de regagner la chambre, où il flaira la pomme. Elle puait comme le flacon et la casserole.

"Madame, appela-t-il. Madame !"

Pas de réponse. Il appela encore puis entendit alors des pas, puis une paire d'épaisses chevilles franchit le seuil. Il dévisagea le visage gris où disparaissaient de minces lèvres.

"Comment disiez-vous que s'appelait votre maître ?

— Dr Alan Turing."

Dans son carnet, Corell nota d'une part que la pomme sentait l'amande amère, et d'autre part que le nom lui disait quelque chose, ou du moins, comme bien d'autres choses dans cette maison, lui provoquait de sombres souvenirs.

"A-t-il laissé quelque chose ?

— Comment ça ?

— Une lettre, ou quelque chose qui puisse expliquer…

— Vous voulez dire qu'il…

— Je ne veux rien dire. J'ai juste posé une question", dit-il beaucoup trop sèchement et, quand la pauvre femme, apeurée, secoua la tête, il s'efforça de prendre un ton plus aimable :

"Connaissiez-vous bien le défunt ?

— Oui, ou plutôt non. Il était toujours très gentil avec moi.

— Était-il malade ?

— Ce printemps, il souffrait d'un rhume des foins.

— Saviez-vous qu'il travaillait avec des poisons ?

— Non, non, Dieu m'en garde. Mais c'était un homme de science. Est-ce qu'ils ne…

— Ça dépend, la coupa-t-il.

— Mon maître s'intéressait à beaucoup de choses.

— Alan Turing, continua-t-il, comme s'il pensait tout haut. Était-il connu pour quelque chose en particulier ?

— Il travaillait à l'université.

— Qu'y faisait-il ?

— Il a étudié les mathématiques.

— Quel genre de mathématiques ?

— Ce n'est pas à moi qu'il faut demander ce genre de choses.

— Vous m'en direz tant", marmonna-t-il en faisant demi-tour dans le couloir.

Alan Turing. Ce nom avait quelque chose, il ne savait pas quoi, à part qu'il sonnait bien à son oreille. Ce type avait probablement fait le mariole. Il y avait des chances, si c'était au boulot que Corell était tombé sur ce nom. De plus en plus nerveux, il se mit à arpenter la maison. À la fois distrait et en colère, il récolta des éléments de preuve, enfin, preuve, c'était beaucoup dire, au moins des éléments, à savoir le flacon de poison de la vitrine, les bocaux de verre du laboratoire, puis quelques carnets de comptes et enfin trois livres au titre manuscrit : *Rêves*.

Au rez-de-chaussée, il pinça les cordes d'un violon désaccordé et lut les premières lignes d'*Anna Karénine*, un des rares livres qu'il reconnaissait dans la maison, à part quelques volumes de Forster, Orville, Butler et Trollope, et, comme si souvent, ses pensées s'enfuirent dans des contrées où elles n'avaient rien à faire.

On sonna à la porte. C'était Alec Block, son collègue. Il connaissait Alec étonnamment mal, vu leur proche collaboration : l'aurait-on enjoint de le décrire, il n'aurait pas su en dire grand-chose, à part qu'il était timide et craintif, maltraité par la plupart au commissariat mais, avant tout, qu'il était roux avec des taches de rousseur, extrêmement roux.

"L'homme semble avoir fait chauffer du poison dans la casserole, là-bas, avoir trempé une pomme dans la bouillie et en avoir croqué quelques bouchées, expliqua-t-il.

— Un suicide ?

— On dirait. Je ne me sens pas bien à cause de cette foutue odeur. Tu peux voir si tu trouves une lettre d'adieu ?"

Son collègue parti, Corell songea à nouveau à ce train fonçant dans la nuit, ce qui ne le fit pas se sentir mieux. En tombant sur la gouvernante, en bas, il dit :

"Je vais bientôt avoir à m'entretenir avec vous de manière plus approfondie. Mais en attendant, je veux que vous attendiez dehors. Nous allons mettre la maison sous scellés", et dans un accès d'amabilité il attrapa un parapluie dans le vestibule et, comme elle protestait que c'était celui du Dr Turing, il ricana sous cape, c'était quand même du respect mal placé. Elle pouvait quand même emprunter un parapluie. Quand elle eut accepté et eut disparu au jardin, il refit un tour dans la maison. À l'étage, chez le mort, il trouva un exemplaire de l'*Observer* daté du 7 juin, ce qui indiquait que l'homme était encore en vie la veille, ce qu'il nota, ainsi qu'un certain nombre d'autres choses. En feuilletant un nouveau cahier couvert de calculs mathématiques, il fut pris de la curieuse envie d'y ajouter quelques chiffres pour compléter ou résoudre les équations et, comme si souvent auparavant, il ne se montra pas un policier particulièrement concentré. Bien sûr, Block s'en tirait mieux.

Il se pointa avec la mine de celui qui a fait une trouvaille du plus grand intérêt. Ce n'était pas le cas, en tout cas pas de lettre d'adieu, mais quelque chose qui semblait indiquer une autre direction : deux billets de théâtre pour la semaine suivante et une invitation à la séance de l'Académie des sciences du 24 juin, que l'homme avait acceptée, sans poster sa réponse et, même si Block savait bien que ce n'était pas là la trouvaille du siècle, il espérait visiblement avoir levé une piste nouvelle. En matière de meurtre, ils n'étaient pas vraiment gâtés, à Wilmslow, mais Corell rejeta aussitôt l'idée.

"Ça ne veut rien dire.

— Mais pourquoi ?

— Parce que nous sommes tous des types compliqués, dit Corell.

— Comment ça ?

— Même celui qui veut mourir peut planifier un avenir. Nous sommes tous tiraillés entre une chose et l'autre. Et puis il peut très bien avoir eu l'idée au dernier moment.

— Ça a l'air d'être quelqu'un de très instruit.

— Possible.

— Je n'ai jamais vu tant de livres.

— Moi, si. Mais il y a autre chose, chez lui, continua Corell.

— Quoi ?

— Je n'arrive pas à mettre le doigt dessus. Je sais seulement que quelque chose cloche. Tu as éteint la plaque, là-haut ?"

Alec Block hocha la tête. Il avait l'air de vouloir ajouter quelques mots, sans vraiment oser.

"Il n'y a pas un peu trop de poison, dans cette maison ? dit-il.

— Si", répondit Corell.

Il y en avait assez pour tuer une compagnie entière, ils en discutèrent un moment, sans parvenir à rien.

"On dirait un peu qu'il voulait jouer les alchimistes, non ? Ou au moins les orfèvres ? dit Block.

— Pourquoi tu dis ça ?"

Block l'informa qu'il avait trouvé une cuillère plaquée or dans le laboratoire.

"Un très joli travail. Mais on voit quand même que c'est bricolé. Tu peux aller la voir, là-haut.

— Vraiment ?" dit Corell, en feignant un certain enthousiasme, mais il n'écoutait presque plus.

Il était à nouveau plongé dans ses pensées.

3

Depuis les années de guerre, Corell pensait que la folie se détectait de loin, comme un air plus dense ou même une odeur, peut-être pas exactement une puanteur d'amande amère mais, en ressortant sous la pluie, il était persuadé que ce qu'il avait senti là-dedans était justement un concentré de folie. Le sentiment d'être souillé par quelque chose de malsain ne le quitta pas, même quand, à sept heures moins vingt, les infirmiers vinrent emporter le corps. Un vent plus chaud se mit alors à souffler de l'est et la pluie diminua sans pour autant céder : il regarda la gouvernante qui attendait sous son parapluie d'emprunt à la lueur d'un réverbère et paraissait étrangement petite, comme un très vieil enfant, et avec précaution, il entreprit alors de l'auditionner.

Elle se nommait Eliza Clayton et habitait Mount Pleasant Lacey Green, non loin de là. Quatre jours par semaine, elle aidait le Dr Turing, et il n'y avait jamais de problèmes, dit-elle, à part qu'il était un peu dur de savoir quoi faire de tous ces papiers et ces livres. Cet après-midi, elle était entrée avec sa propre clé. Il y avait alors de la lumière dans la chambre. Ni les bouteilles de lait ni le journal n'avaient été rentrés, et il y avait à la cuisine des restes de côtelettes d'agneau. Les chaussures de ville du Dr Turing étaient devant les toilettes, ce qu'elle avait trouvé étrange et, dans la chambre, il était couché "exactement comme vous l'avez vu, inspecteur", la couverture remontée sur la poitrine. Elle lui avait touché les mains. Elles étaient froides et, sûrement, elle avait crié. "C'était un tel choc, un choc si terrible", et comme le Dr Turing n'avait pas le téléphone, elle avait appelé de chez la voisine, Mrs Gibson. "Et vous êtes alors arrivés, c'est tout ce que je sais.

— Ce n'est pas si sûr.

— Non ?

— C'est ce qui s'est passé avant qui est intéressant", dit-il. Elle hocha alors la tête et raconta qu'Alan Turing avait reçu la visite de son ami le Dr Gandy le week-end précédent, qu'ils avaient passé "un très bon moment" et s'étaient "beaucoup amusés", puis que mardi il avait invité à dîner ses voisins Mr et Mrs Webb, qui avaient ensuite déménagé mercredi ou jeudi, et que, là aussi, ça avait été "très réussi".

"Mon maître était de bonne humeur. Il était gai. Il plaisantait avec moi."

Il ne la contredit pas et ne se soucia pas de demander ce qu'il faisait pour plaisanter. Cela commençait à ressembler davantage à un plaidoyer qu'à un témoignage, et il comprenait très bien. Un suicide était un crime, et elle devait sûrement ressentir une certaine responsabilité. Elle était gouvernante. Il ne semblait pas y avoir d'autre femme dans la maison et, à plusieurs reprises, elle mentionna Ethel, la mère.

"Mon Dieu, que vais-je lui dire ?

— Pour le moment, rien. Nous nous chargeons d'avertir les proches. Vous-même, avez-vous quelqu'un avec qui parler ?

— Je suis veuve, mais je me débrouille", dit-elle et, après encore quelques questions, il prit congé et se dirigea vers le commissariat de Green Lane en longeant les broussailles luxuriantes des jardins du quartier et, peu après, la pluie cessa.

Cette éclaircie était la bienvenue. D'aussi loin qu'il s'en souvienne, il avait plu, jour après jour, et il n'avait pas arrêté de patauger dans des flaques. D'une fenêtre lui parvint la voix de Doris Day : *So I told a friendly star the way that dreamers often do*. La chanson était restée tout le printemps en tête des ventes et il se mit à la chantonner – il avait vu le film *Calamity Jane*, d'où la chanson était tirée – mais la musique s'estompa tandis qu'il marchait et il leva les yeux au ciel. Des nuages gris s'éloignaient. Il se repassa tout ce qu'il avait vu dans la maison en se demandant ce qui, à part l'absence de lettre d'adieu, pouvait indiquer qu'il ne s'agissait pas d'un suicide. Il ne trouva pas grand-chose. D'un autre côté, il ne resta pas bien longtemps concentré. Il se mit à battre la campagne et, bientôt, ne resta plus dans ses pensées de l'affaire qu'un obscur sentiment de malaise. Alors que cette enquête aurait dû lui apporter un peu de stimulation dans son travail, elle lui glissait entre les doigts, se fondant à sa tristesse sans contours, et seules les équations mathématiques continuaient à danser dans sa conscience, comme les reflets inquiets d'un monde meilleur.

Leonard Corell avait vingt-huit ans, assez jeune pour avoir échappé à la guerre, déjà assez âgé pour avoir l'impression d'être passé à côté de sa vie. À un âge inhabituellement précoce, il avait été dispensé de l'uniforme et nommé au département criminel de Wilmslow : c'était un bond important dans la carrière d'un policier, mais ce n'était pas ce qu'il avait espéré de la vie, non pas à cause de la classe sociale dans laquelle il était né et qu'il avait perdue, mais parce qu'il était fait pour les études. Lui aussi avait été un petit garçon avec la bosse des maths.

Il était né à West End, à Londres. Mais les premiers coups fatals avaient frappé sa famille dès le krach de 1929. Son père, un intellectuel en partie lié au groupe de Bloomsbury, avait longtemps cherché à sauver les apparences, provoquant par là des dégâts doubles : non seulement il avait précipité la ruine de sa maison en faisant semblant d'ignorer la catastrophe, mais avec ses belles paroles et la façade grandiose qu'il affichait, il avait eu le temps de persuader son fils que sa famille était élue et remarquable, et que Leonard pourrait faire ce qu'il voudrait de sa vie. Mais c'étaient de fausses promesses. Le monde et les possibilités s'étaient réduits comme peau de chagrin et, à la fin, ne resta plus que le sentiment d'avoir été trompé. Parfois, Corell imaginait avoir grandi dans un pays qu'on lui aurait arraché pièce à pièce. Son enfance lui semblait un voyage extrêmement concret vers la solitude : les domestiques avaient reçu leur congé l'un après l'autre et, quand ils avaient fini par déménager à Southport, il s'était retrouvé seul avec ses parents. Mais son père et sa mère devaient disparaître eux aussi, chacun à sa façon. Tout lui avait été arraché. Certes, il serait simplificateur de n'en accuser que les circonstances extérieures. Ce serait romancer, comme il s'y laissait lui-même parfois aller en portant sur une vie qui lui avait malgré tout laissé ses chances un regard bien trop sentimental et en se réfugiant bien trop souvent dans l'apitoiement sur soi et la résignation. Mais le monde lui avait donné son lot de coups et de tragédies et il était bien vrai, il s'en rendait compte, qu'une partie de sa personnalité avait été étouffée ou s'était étiolée avec les années. Quand, de temps en temps, il considérait sa vie comme de loin, il peinait à l'accorder avec la perception qu'il avait encore de lui-même, et il lui arrivait de ne pas réussir à comprendre que cette personne qui marchait là dans les rues de Wilmslow était vraiment lui.

La hâte de l'enquête l'étonnait. Un membre de sa hiérarchie à Chester avait décidé qu'une autopsie préliminaire serait pratiquée le soir même et que Corell y assisterait. Après coup, il n'en garda qu'un souvenir diffus. Il détestait au plus haut point les autopsies et avait la plupart du temps regardé ailleurs, mais peine perdue : le bruit du scalpel, le crépuscule au-dehors et la puanteur d'amande amère qui montait aussi des intestins étaient assez nets. Ah, mon Dieu, quel horrible métier ! Quand le Dr Charles Bird avait marmonné : "Un empoisonnement, très clairement un empoisonnement", Corell avait rêvé d'une couleur, d'un beau bleu dont il aurait voulu recouvrir l'angoisse nue de ce lieu et, longtemps, il avait à peine écouté les questions du légiste. Il répondait par oui ou non sur des points qui exigeaient plus amples explications, raison sans doute pour laquelle le docteur avait demandé à voir la maison de ses propres yeux. Corell lui servirait de guide et, d'abord, Corell avait pensé non, jamais de la vie, j'ai assez vu cet endroit. Puis il changea d'avis. Il n'aimait pas Bird. Le médecin le prenait de haut. Il lui faisait aimablement la conversation mais, entre les lignes et par de petits regards, il lui signifiait sa supériorité intellectuelle et sociale. Il était répugnant. Ses pupilles étaient couvertes d'une sorte de dépôt ou de crasse. Corell aurait préféré n'importe quelle autre compagnie. D'un autre côté, il n'avait pas non plus envie de rentrer chez lui, et revoir la maison était sûrement une bonne chose, malgré tous les démons qu'elle pouvait réveiller chez lui. Voilà comment il se retrouva derechef sur l'étroit trottoir qui menait à la demeure d'Adlington Road. Le docteur n'arrêtait pas de parler, comme si autopsier un nouveau cadavre sur son temps libre l'avait ravigoté.

"Vous ai-je dit que mon fils commençait sa médecine ?

— Non.

— Vous m'avez l'air bien peu loquace aujourd'hui, inspecteur ?

— C'est possible.

— Mais les phénomènes cosmiques vous intéressent, non ? Vous devez avoir entendu dire qu'il va y avoir une éclipse totale ?

— Je crois.

— Passionnant, non ?

— Je ne sais pas trop. Ce sera sans doute de courte durée.

— L'orgasme aussi est court, mais l'humanité semble pourtant l'apprécier", dit le docteur avant de partir dans un éclat de rire affreux que Corell ignora totalement : il rentra en lui-même tandis que le légiste développait une sorte de théorie sur l'éclipse et l'œil humain, pour conclure, à propos du rationnement qui devait finir à l'été :

"On va pouvoir à nouveau se bâfrer."

La seule idée de Charles Bird en train de s'empiffrer dégoûta Corell, qui baissa les yeux en silence vers le trottoir, ou peut-être parvint-il quand même à bégayer quelque chose, à quoi le docteur répliqua par un incompréhensible : "Qui vivra verra !" On apercevait le saule au loin. Comme point de repère, il remplissait sa fonction. Sur Adlington Road, les maisons n'avaient pas de numéros, rien que leurs noms individuels et, tandis que Corell franchissait la grille devant la pancarte où "Hollymeade" avait été peint sans soin, il regarda avec curiosité l'allée inachevée en briques, comme s'il s'attendait qu'elle ait progressé vers la porte d'entrée, mais elle était toujours la même, telle une trace partie en fumée. Pensif, il ouvrit la porte avec la clé que la gouvernante lui avait donnée. Dans l'entrée, il renifla prudemment. Quelque chose avait changé. Il ne comprit pas tout de suite ce que c'était, puis devina une absence très tangible, et réalisa que la puanteur n'était plus aussi forte, bien que toujours assez nette.

"Du cyanure, sans aucun doute du cyanure", marmonna le docteur avec une fierté de connaisseur en gravissant l'escalier d'un mouvement impatient et souple.

Corell resta en bas : il n'aurait rien tant voulu que tourner les talons. La maison le mettait encore mal à l'aise, et il tenta de se réfugier dans les mêmes pensées indécentes qu'auparavant, mais rien n'y fit et il se mit à suer sous sa chemise. Pourtant il monta, évidemment, et, de fait, en entrant dans la chambre, il se détendit. La pièce semblait transformée et presque innocente dans son désordre bohème. Les draps et l'édredon étaient négligemment en boule sur le matelas, comme s'il ne s'était rien passé ici de plus grave qu'un lit laissé défait.

"Et ceci est donc la pomme que vous avez mentionnée ?"

Le médecin, penché sur le fruit, triturait du bout d'une allumette l'une des marques de morsure brunes.

"La pomme devait servir à ôter le goût amer, continua-t-il.

— Mr Turing n'était pas à la recherche d'une expérience gustative non plus, dit Corell.

— L'être humain cherche toujours à limiter sa douleur.

— Mais pourquoi une pomme ?"

Corell ne savait pas vraiment ce qu'il voulait dire, il ressentait juste une envie irrépressible d'ergoter.

"Qu'entendez-vous par là, inspecteur ?

— Que la pomme a peut-être une signification.

— Une signification symbolique, alors, n'est-ce pas ?

— Oui, pourquoi pas ?

— Quelque chose de biblique ? Une sorte de péché originel, même ?"

Corell marmonna sans vraiment savoir ce qu'il voulait dire : "*Paradise Lost*.

— Ah, vous faites allusion à Milton", s'exclama le médecin avec sa supériorité caractéristique. Corell songea : "Va te faire foutre", mais se tut.

Connaître le titre du chef-d'œuvre de Milton, pas de quoi pavoiser – le seul soupçon qu'il ait pu tenter de compenser sa position d'infériorité en étalant sa culture lui faisait honte. Sans un mot, il ressortit dans le couloir et prit à droite vers la pièce où il avait trouvé la bouteille de cyanure de potassium. Un bureau en acajou couvert de velours vert était placé près de la fenêtre. C'était un beau meuble. Les jolis bureaux l'emplissaient toujours de nostalgie, et il caressa la serrure plaquée or. Quand il saisit le bloc-notes qu'il avait examiné auparavant et suivit du doigt les équations de gauche à droite, les chiffres semblèrent lui chuchoter : "Viens nous décoder", et il se souvint de ce que lui avait jadis dit un professeur de Marlborough College :

"Tu comprends vite, Leonard. Comptes-tu seulement ?

— Non, sir, je vois."

Jadis, il voyait. Aujourd'hui, il ne parvint à déchiffrer que le premier terme de l'équation et il leva les yeux, la mine interloquée. Au fond, cela n'avait rien d'exagérément étrange mais, en cet instant, la maison tout entière lui semblait une énigme à résoudre et, même s'il savait bien qu'il y avait surtout des fausses pistes, intéressantes pour un écrivain réaliste ou un psychologue, mais sans importance pour l'enquête, quelque chose dans la vue d'ensemble captivait son attention.

Partout, des travaux semblaient en cours, expériences, notes, calculs, comme si la vie avait été interrompue en plein mouvement. Celui qui habitait ici était peut-être las de la vie mais, récemment, il s'y était profondément impliqué, ce qui en soi n'est pas si étrange, car il faut bien vivre jusqu'au jour de notre mort. Mais s'il s'agissait réellement d'un suicide, le mode opératoire en lui-même ne semblait-il pas quelque peu compliqué ? Si cet homme avait voulu se tuer, pourquoi ne pas s'être contenté d'ingurgiter le flacon de poison, et adieu ? Au lieu de quoi il avait mis en œuvre toute une procédure, une casserole en ébullition, des câbles électriques tirés du plafond, une moitié de pomme. Il n'était décidément pas impossible qu'il ait voulu dire quelque chose ! Ce maudit Bird pouvait aller au diable : piqué d'une curiosité soudaine, Corell entreprit de fouiller les tiroirs du bureau.

Cela avait beau faire partie de son travail, il n'était pas à l'aise avec ça, surtout en entendant les pas du médecin dans le couloir au moment où il venait de trouver dans le tiroir du bas quelque chose que son propriétaire semblait vouloir cacher.

C'était une médaille, une croix d'argent avec en son milieu un cercle d'émail rouge, reposant sur un écrin de satin, et accompagnée de la devise : "Pour Dieu et l'Empire". Qu'avait donc fait Mr Turing pour la mériter ? Ce n'était pas une médaille sportive, rien de ce genre. C'était plus distingué, sans doute une décoration de guerre et, un instant, Corell la soupesa en se laissant aller à imaginer que c'était à lui qu'elle avait été décernée pour quelque action d'éclat mais, alors qu'il était capable en un rien de temps de s'inventer des exploits héroïques, il n'en trouva pas de précis et, honteux, remit la médaille à sa place. Il continua à fouiller. Les tiroirs étaient pleins de documents et de bibelots, deux cailloux couleur sable, un rapporteur, des règles à calcul et un canif brun. Tout en haut, à droite, sous une enveloppe du club d'athlétisme de Walton, il trouva quelques feuilles manuscrites, une lettre adressée à un certain Robin : sans comprendre lui-même pourquoi, il la glissa en douce dans la poche de sa veste et ressortit dans l'entrée. Il trouva le Dr Bird, qui semblait à la fois malade et solennel. Il tenait un petit flacon de poison.

"Empoisonnement volontaire au cyanure. Voilà ma conclusion préliminaire, mais vous vous y attendiez certainement, dit-il.

— Je ne m'attendais à rien du tout. Je m'efforce de ne pas être si précipité dans mes conclusions, répondit Corell.

— C'est bien sûr tout à votre honneur. Mais la lenteur n'est pas toujours une vertu. Allons, partons d'ici, maintenant, je tuerais pour un verre de sherry", dit le docteur. Et ils descendirent l'escalier l'un derrière l'autre pour sortir dans la faible lueur du réverbère.

À la grille, devant les fougères et les ronces, ils se séparèrent, et Corell partit en espérant tomber sur Block, qu'il avait envoyé faire du porte-à-porte dans le voisinage. Mais il était bien trop tard. Personne n'était dehors. On n'entendait que la pluie et un chien qui geignait : il hâta le pas et, arrivé sur les hauteurs de Wilmslow Park, il se mit à courir, comme s'il ne pouvait arriver chez lui assez vite.

4

Leonard Corell ne dormait pas beaucoup. Il était habitué aux insomnies, mais il y avait des degrés dans le crime et cette nuit-là fut des pires, non qu'il ne trouvât pas le sommeil, mais parce que ses pensées devinrent mauvaises : à cinq heures du matin, il se redressa sur son séant en étouffant, comme si le cyanure se répandait dans son appartement. Mais la fenêtre était ouverte, et il n'y avait là qu'un vague parfum de pluie et de lilas.

Quand il se leva et vit qu'il faisait jour, son humeur s'allégea quelque peu, sans pour autant être bien brillante. Son intérieur était en désordre, impersonnel, sans un seul tableau aux murs, rien qu'une sombre reproduction de *Te Reriora* de Gauguin. Seuls un fauteuil en cuir brun au milieu de la pièce et une chaise Queen Anne réparée conféraient un peu de caractère à l'appartement. Sur la table de nuit, une radio neuve : une Philips Sirius Type. Il avait l'habitude d'écouter les informations de sept ou huit heures à la BBC pendant qu'il faisait bouillir l'eau du thé, et grillait toasts, tomates et boudin. Mais aujourd'hui, il fit une croix sur le petit-déjeuner et sortit aussitôt. Les trottoirs et les rues étaient couverts de flaques. Arbres et buissons semblaient alourdis par la pluie et, un long moment, il marcha dans la mauvaise direction, remontant vers la rivière Bollin jusqu'à Hollies Farm, où Gregory, le valet de ferme attardé mental, le salua de la main, et il arriva en retard au commissariat, toujours d'humeur sombre, mais avec pourtant l'impression qu'après tout, il s'en sortirait.

Le commissariat était un bâtiment de briques rouges sur Green Lane, avec une cour laide. Il avait beau être bien situé, au bord de la rue principale, l'aéroport de Manchester n'était qu'à quelques kilomètres et son vacarme les faisait tous souffrir. Corell entra, passa devant la réception, encombrée de formulaires et d'annuaires, et devant le téléphoniste assis face à son vieux standard Dover. Il salua brièvement l'inspecteur de garde et monta l'escalier jusqu'aux locaux du petit département criminel dont Sandford était le chef et où Corell et trois autres inspecteurs travaillaient. Aux murs étaient affichés quelques avis de recherche ou de disparition, ainsi que quantité d'informations inutiles sur des maladies et des parasites, entre autres une merde récente signalant un scarabée coupable de contaminer les pommes de terre. Près de son bureau était assis Kenny Anderson, en partie caché par son portemanteau et plus loin, près des archives, il aperçut Gladwin qui fumait sa pipe.

"Enfin finie, cette maudite pluie.

— J'attends de le voir pour le croire", répondit Corell en s'efforçant de couper court à la conversation.

Kenny Anderson avait environ quinze ans de plus que lui et était assez cabossé par la vie. Même s'il était le plus souvent d'une compagnie agréable, il y avait chez lui quelque chose d'irrationnel qui oppressait Corell : le matin, surtout, ce dernier avait besoin d'être tranquille dans son coin. Une lenteur, une difficulté à prendre les choses en main l'accablait depuis longtemps et, avant de parvenir à faire quoi que ce soit de valable, il restait toujours un bon moment plongé dans le *Manchester Guardian* et le *Wilmslow Express*.

Il ne trouva pas un mot sur la mort de Turing, ce qui n'était peut-être pas si étonnant : les journalistes pouvaient difficilement avoir eu l'information à temps. Mais on parlait beaucoup de la pluie, entre autres des inondations à Hammersmith et à Stapenhill, et d'un match de cricket à Leeds que l'organisateur avait dû annuler, en remboursant les quarante-deux mille tickets vendus. Sur la page d'en face, il lut un article sur cette fin du rationnement dont le légiste lui avait parlé. À partir du 4 juillet, les Anglais pourraient acheter viande et beurre en quantités illimitées, non que cela ait pour lui grande importance. Avec son salaire annuel de six cent soixante-dix livres, il ne pouvait de toute façon pas gaspiller, et, presque en colère, il feuilleta le journal jusqu'aux pages sportives. Un Australien nommé Landy avait tenté de battre le nouveau record de Bannister sur un mile hier à Stockholm, et Corell s'abandonna à la rêverie. Il n'entendit que vaguement Kenny Anderson dire quelque chose. Il fit de réels efforts pour ne pas écouter.

"Anderson appelle Corell.

— Qu'est-ce qu'il y a ?"

Il se tourna à contrecœur vers son haleine chargée d'alcool, de tabac et de menthe.

"J'ai entendu parler de la mort de cette tapette.

— Qui ça ?

— T'étais pas chez lui, hier ?

— De quoi tu parles ?

— Le type d'Adlington Road.

— Ah oui, si, j'y étais", dit Corell. Un flot de pensées et d'associations libres lui traversa l'esprit.

"Un suicide ?

— Apparemment.

— Raconte.

— Il a fait bouillir une casserole pleine de cyanure. Ça puait, terrible.

— Il n'a pas dû supporter la honte. C'était quand même une histoire assez gênante, non ?

— Oui, fit Corell, comme s'il était au courant. Assez gênante !

— Tu comprends, toi, qu'il ait juste tout reconnu ?

— Je n'ai pas encore lu les détails. Qu'est-ce que tu sais là-dessus ?" fit-il, toujours sans bien savoir de quoi parlait Kenny, mais il comprenait à présent pourquoi le nom du mort lui disait quelque chose.

L'homme était un homosexuel condamné, comme il y en avait eu relativement beaucoup ces derniers temps. Juste après la guerre, quand Corell avait débuté à la division B de Manchester, personne ne se souciait trop d'eux, et ce n'était qu'après l'affaire d'espionnage de 1951, quand Burgess, l'indécrottable pédale, et l'autre, Corell ne se rappelait pas son nom, avaient fui en Union soviétique, qu'on avait commencé à pourchasser plus systématiquement les homosexuels. C'était soudain devenu important, peut-être pour des raisons purement patriotiques.

"Pas grand-chose à en dire, répondit Kenny.

— Comment ça ?

— Un pédéraste qui a déconné, c'est tout. Une histoire assez banale. Ce type n'a pas l'air d'avoir été très futé.

— C'était un mathématicien.

— Ça, mon gars, ça veut rien dire.

— Apparemment, il a été décoré pendant la guerre.

— Presque tout le monde a eu une médaille.

— Toi aussi ?

— Laisse tomber !

— Tu connais l'histoire ?

— Pas en détail", continua Kenny un peu maussade, avec son accent des Midlands à couper au couteau. Il rapprocha pourtant son fauteuil de Corell et son visage prit alors une expression malicieuse. Ses lèvres gercées se séparèrent comme chaque fois qu'il pensait avoir quelque chose d'amusant à dire, et Corell tourna discrètement la tête pour éviter son haleine.

"Ça a commencé par un cambriolage sur Adlington Road, se lança Anderson. Un cambriolage complètement foiré. N'ont été volées que des conneries, un couteau à poisson, une bouteille entamée, ce genre de trucs. Pas de quoi en faire un plat. Mais la tapette a voulu faire valoir son droit et il est venu nous voir.

— Qui a pris sa plainte ?

— Brown, je crois, à la permanence. La pédale pensait savoir qui avait commis le cambriolage. Il soupçonnait son amant d'y être mêlé, un pauvre type qu'il avait ramassé sur Oxford Road.

— Un criminel ?

— Un aventurier qui tapinait sous le pont. Mais la tapette, c'est quoi son nom, déjà ?

— Alan Turing, glissa Corell.

— Turing a été assez con pour nous parler de ses soupçons, bien sûr sans tout nous dire. Par exemple, il n'a pas raconté que ce type et lui étaient à la colle. Il a inventé à la place une histoire tellement transparente que nos collègues de Manchester l'ont immédiatement démasqué.

— Et que s'est-il passé ?

— Les collègues ont évidemment laissé tomber le cambriolage. À la place, ils ont concentré leurs efforts pour coincer Turing, et ce crétin a aussitôt tout reconnu. Ça a dû être quand même assez rageant, dit Kenny avec un sourire en coin.

— Qu'est-ce que tu veux dire ?

— Venir nous voir en croyant qu'on l'aiderait à arrêter des voleurs et finir soi-même en prison.

— Il a fait de la prison ?

— En tout cas, son arrestation a fait jaser et, depuis, on n'a plus entendu parler de lui, jusqu'à aujourd'hui, s'entend. Il a dû aller terrer sa honte à Dean Row, continua Kenny.

— Hier, j'ai eu l'impression qu'il était fou, quelque part.

— Ça m'étonne pas. Sûrement un malade, ce type.

— C'est ce que je me demande, dit lentement Corell.

— Mais tu viens de dire qu'il était fou.

— Oui…"

Il voyait bien que ce qu'il disait pouvait sembler contradictoire. Depuis ses années à Marlborough College, toute idée d'homosexualité lui répugnait, et il aurait certainement pu lui-même utiliser le mot *malade* à propos du mort, mais il avait une si piètre opinion de Kenny Anderson que rien ne lui déplaisait autant que d'être du même avis que lui. Peut-être aussi se sentait-il offensé : pour lui, son collègue n'avait aucune prérogative pour se prononcer sur l'état mental de Turing. Kenny n'était pas allé là-bas voir le mathématicien couché sur le dos en pyjama, et n'avait pas senti l'odeur d'amande amère lui piquer le nez. En outre, il était très mauvais pour caractériser les gens : il se livrait en tout à des simplifications grossières, et on pouvait dire ce qu'on voulait du mort, ses équations dépassaient de loin les facultés intellectuelles de Kenny.

"Tu veux dire qu'un bon inspecteur de police criminelle ne doit pas avoir de jugement *a priori* ?

— Quelque chose comme ça.

— Je croyais qu'on faisait que discuter.

— Oui, bien sûr, c'est vrai, concéda Corell. Donc, ce Turing avait des contacts avec des criminels ?

— Pour un homosexuel pratiquant, c'est comme qui dirait une condition première.

— Bien sûr. Je me disais juste…

— Quoi ?

— Que ça vaudrait peut-être la peine de chercher de ce côté-là.

— Absolument. Rien ne me ferait plus plaisir que ce soit un meurtre passionnant, commandité par la pègre, mais tout ce qu'on sait avec certitude, c'est que cet homme avait des raisons de mettre fin à ses jours. Il ne devait pas y avoir une seule personne de son entourage qui ignorait ce qu'il avait fait. Les gens devaient passer leur temps à jaser dans son dos.

— Sûrement.

— Je t'ai dit que Ross voulait te parler ?

— Qu'est-ce qu'il voulait ?

— À ton avis ? Faire chier, comme toujours.

— Le con, marmonna Corell.

— Gueule de bois ?"

Corell ne répondit pas, et pas uniquement parce qu'il était las de cette conversation et de ce jargon. Il ne savait pas. Il était si fatigué qu'il ne comprenait même pas ce qui lui manquait, et mit un moment à réaliser qu'il était resté sobre la veille et, dans un semblant de volonté, il se leva pour aller chercher tout ce qu'ils avaient sur Turing. Il n'alla pas loin. Alec Block franchit sa porte, et ce n'était pas vraiment une entrée fracassante. Kenny Anderson poussa un profond soupir, pas forcément adressé à Block, mais Alec se rembrunit, vexé, ce qui donna envie à Corell de lui dire quelques mots aimables. Ils ne lui vinrent pas et, à la place, il alla droit au fait, sans même dire bonjour.

"Qu'est-ce que ça a donné, hier ?

— J'ai posé un rapport sur ton bureau. Tu n'étais pas là ce matin.

— Très bien. Je ne l'ai pas vu, c'est tout. Et que peut-on y lire ?"

Alec Block entreprit de raconter et, à ses gestes et à ses yeux, on voyait qu'il avait quelque chose qu'il trouvait passionnant. Certes, il arrivait souvent à Block de s'échauffer pour rien mais, cette fois, il piqua la curiosité de Corell, qui s'irrita d'autant plus de voir Alec commencer par tourner autour du pot, en racontant par exemple que Turing n'avait pas de contacts avec d'autres voisins que les époux Webb, dans la maison jumelle, que ceux-ci venaient de déménager et n'étaient pas joignables, et que Mr Turing semblait complètement indifférent à son apparence. Ses voisins le décrivaient comme débraillé et négligé, comme un homme qui n'aimait pas parler de la pluie et du beau temps. Quelqu'un l'avait dit capable de partir au beau milieu d'une phrase s'il trouvait la conversation ennuyeuse et voilà peu, il avait remplacé son vélomoteur par une bicyclette de dame, ce qui donna l'occasion à Alec – qui devait lui aussi avoir entendu parler des penchants du mort – de lâcher une remarque amusante sur les tantouzes, mais Corell ignora la plaisanterie, ce dont Block lui parut presque reconnaissant.

"Mr Turing travaillait à une nouvelle machine à l'université de Manchester. Mais tu dois certainement déjà être au courant ?

— Bien sûr, mentit Corell. Rien d'autre ?

— J'ai demandé s'il avait des ennemis.

— Et qu'en disent les gens ?

— Qu'il n'en avait pas à leur connaissance, même si une dame, une certaine Mrs Rendell, a fait remarquer que toutes ses histoires de machines avaient peut-être pu agacer quelqu'un.

— Qu'avait-il dit à propos de machines ?"

Alec n'était pas bien sûr. Quelque chose comme le fait qu'un jour elles pourraient penser, chose qui, selon cette dame, n'était pas chrétienne, tout comme son orientation sexuelle.

— Dans le christianisme, seuls les hommes ont une âme, précisa Alec Block.

— Donc, d'après Turing, des machines pourraient penser ?

— C'est ce que la dame a dit. Mais peut-être Mr Turing ne disait-il ça qu'au sens figuré.

— Ou alors il était vraiment fou, objecta Corell.

— C'est bien sûr possible. Mais apparemment il était professeur, et avait soutenu une thèse aux États-Unis.

— Ça n'empêche pas d'être cinglé.

— Certes, dit Alec en se tortillant sur son siège.

— Tu as l'air d'avoir autre chose."

En effet. Mais Alec ne voulait pas en faire tout un plat. Ou au contraire c'était ce qu'il voulait. Il y avait en face de chez Turing une certaine Mrs Hanna Goldman. Hanna Goldman ressemblait en fait à un épouvantail tartiné de maquillage. Elle sentait le parfum et l'alcool et tenait des propos incohérents, assura

Alec avec franchise, alors qu'indéniablement ça n'était pas dans son intérêt. Une toquée, selon les voisins, mais Block n'en était pourtant pas vraiment sûr. Mrs Goldman avait parlé très distinctement d'une visite, voilà quelques années, d'un "monsieur élégant à l'accent écossais", qui travaillait pour le gouvernement.

"Pour le gouvernement ?

— Ou quelque chose de ce genre, et cet homme voulait lui louer sa maison pour surveiller Turing.

— Mais pourquoi ?

— Si j'ai bien compris, c'était pour empêcher Turing d'avoir d'autres relations homosexuelles.

— Pourquoi le gouvernement se serait-il soucié de ça ?

— Je crois que Mr Turing était quelqu'un d'important.

— Cet homme a-t-il pu louer sa maison ?

— Non. Elle a dit qu'elle ne collaborait pas avec les autorités.

— Drôlement bavarde, pour quelqu'un qui ne collabore pas.

— Certes.

— Il y a beaucoup de *certes* dans cette histoire, Alec.

— Il m'a semblé que je devais quand même en parler.

— Bien entendu ! On ne sait jamais. Tu as réussi à joindre les proches ?"

Alec avait parlé avec un frère, un juriste de Guildford, en train d'arriver. Impossible de joindre Ethel, sa mère, en voyage en Italie. Le frère allait essayer de la prévenir, ce qui sembla à Corell une bonne nouvelle : il n'aimait pas parler avec les mères ayant perdu leurs fils. Il demanda ensuite à Alec – certes, c'était sans-gêne, car Block et lui avaient le même grade – d'aller chercher tout ce qu'ils avaient sur Turing, pour autant que le dossier ne soit pas à Manchester.

"Il faut que je passe quelques coups de fil", se justifia-t-il.

Il n'avait personne à appeler, ou du moins il n'en avait pas le courage et il se rassit en regardant ses piles de papiers. Il se souvint du bureau de son père, très loin dans son enfance, et de toutes les jolies choses qui y étaient posées, livres reliés plein cuir, cartes postales de lieux lointains, agendas en peau et les clés de fer terni des tiroirs d'acajou, avec leurs couronnes de laurier gravées. Leonard avait souvent martelé en rythme et au hasard sur la machine à écrire, comme s'il s'agissait davantage d'un instrument de musique que d'un outil de travail, et il caressait le bureau et les livres, humant le parfum de l'avenir et de tout ce qu'il allait apprendre.

Ici, au commissariat, il n'y avait rien de tout ça. Ici, tout était bon marché, triste et mal écrit, rien qui invite à la lecture. Ce n'était que de la merde, des éclats de vies malheureuses. Il y avait une affaire de décharge illégale auquel le commissaire donnait une priorité spéciale, et Corell ne comprenait pas pourquoi le département criminel devait s'occuper de ça. Quelqu'un avait jeté un tas de bouteilles vides dans la cour d'en face, une parfaite broutille, mais comme c'était à proximité du commissariat, Ross avait décrété qu'il s'agissait d'une "rébellion contre les forces de l'ordre", puis il avait tiré des conclusions à la Sherlock Holmes, à savoir que le coupable n'était pas le premier pauvre venu car, dans le tas d'ordures, se trouvaient des bouteilles de whisky Haig, celui du slogan publicitaire *"Don't be vague, ask for Haig"*, ce que le poivrot de base n'avait pas les moyens de s'offrir, selon Ross. Corell se fichait éperdument de ce tas d'ordures, que le vandale soit ou non de la haute, il n'avait pas l'intention de lever le petit doigt pour cette enquête, rien, à part retourner quelques papiers, pour la forme. Il était doué pour faire semblant de travailler tandis qu'il s'adonnait à ses jardins secrets, dont les ramifications formaient un foisonnement de mondes oniriques parallèles. Alec revint.

"On avait pas mal de choses sur Turing.

— Très bien ! Merci !"

Corell prit la documentation, d'abord irrité d'avoir été dérangé, puis curieux malgré tout : ces contacts avec des délinquants à Manchester avaient quelque chose d'émoustillant. Pourtant, il ne s'y mit pas tout de suite. Il avait besoin de s'échauffer et leva les yeux vers Alec Block, qui avait l'air très fatigué et dont les taches de rousseur semblaient avoir pâli, mais c'était probablement une illusion d'optique, un effet de la lumière crue et malsaine qui tombait sur son bureau et, par précaution, et aussi pour qu'Alec le laisse tranquille, il le remercia encore une fois.

Puis il regarda par la fenêtre vers la cour et la caserne de pompiers, et seulement alors se plongea dans la lecture. Longtemps, ses yeux papillonnèrent, dérangés par les exclamations et les idioties de Kenny Anderson mais, lentement, l'histoire le captiva. Non pas d'abord pour elle-même, mais parce qu'elle semblait pointer vers sa propre vie ; assez typiquement, il se retrouva fasciné par ce qui n'avait rien à voir avec son enquête : quelques lignes à propos d'un paradoxe qui aurait causé une crise des mathématiques, et il se plongea dans une profonde concentration.

5

Il sursauta d'effroi sur son fauteuil.

Les yeux gris fâchés du commissaire Richard Ross se promenaient sur lui et, quoi qu'ils voient, ce n'était pas à l'avantage de Corell. Richard Ross était presque chauve et bien qu'il ne soit ni grand ni fort, il tenait de l'ours. Curieux de penser que c'était un collectionneur de papillons passionné et qu'on l'avait vu quelquefois embrasser sa fille de quatorze ans avec une certaine tendresse. Au demeurant, quelque chose dans l'apparence de Ross donnait à l'observateur l'impression tenace qu'il avait subi une grande injustice, et on racontait qu'il avait tué à coups de pied un chien qui lui avait mordu le mollet : ce n'était peut-être pas tout à fait vrai, mais il était significatif que ce bruit coure. Ross aimait porter des chapeaux trop petits et était connu pour sa méchanceté.

"Où étiez-vous passé ? cracha-t-il.

— J'ai travaillé.

— Vraiment ! Travail à domicile, si je comprends bien. Il y en a qui prennent des libertés. Vous avez de la visite. Du beau monde.

— Qui ça ?

— Le surintendant Hamersley. Comme Sandford est en vacances, c'est à vous de le recevoir. Alors j'espère que vous saurez vous tenir. Il est venu jusqu'ici rien que pour vous voir.

— Comment ça se fait ?

— On peut vraiment se le demander. Mais il s'agit de ce macchabée. Apparemment l'affaire est sensible. Mon Dieu, j'espère que vous maîtrisez le dossier. Et rangez-moi ce bureau. Je ne comprends pas comment vous faites. Grouillez, nom de Dieu. Le surintendant arrive d'une seconde à l'autre.

— Oui, bien sûr. Tout de suite", répondit Corell d'un ton servile qui le blessa autant que le savon passé par Ross.

L'annonce de l'arrivée de Hamersley l'avait désarçonné : comme il aurait préféré continuer sa lecture ! Il avait trouvé un havre de paix dans cette enquête ancienne et, même s'il n'y avait pas compris grand-chose, à part que le défunt était un homosexuel décrié et un délinquant particulièrement maladroit, il avait envie de réfléchir à ces propos sur le paradoxe et la crise des mathématiques, qui semblaient certes des phrases en l'air, mais avaient éveillé son imagination et laissaient derrière eux un sentiment de quelque chose d'inexploré et d'obscur. Il n'avait aucune envie de voir Hamersley.

Charles Hamersley n'était pas seulement un supérieur. C'était une huile : un des plus grands chefs du district du Cheshire, en poste au bureau principal de Foregate Street à Chester. Corell l'avait déjà rencontré deux ou trois fois, et chaque fois s'était senti mal à l'aise. Charles Hamersley n'était pas méchant comme Ross. Il avait un joli sourire paternel et personne n'aurait été surpris de le voir prodiguer de l'amour à ses filles, mais ce qui attristait Corell était justement sa bonne volonté, qui ne flirtait ni avec la pitié ni avec le mépris, mais réduisait Corell et le rejetait en arrière. En présence de Hamersley, il redevenait un écolier, et n'arrivait jamais à sortir les mots avisés qu'il voulait dire.

"Alors, jeune homme, on va avoir l'honneur de parler au surintendant ?" dit Kenny Anderson. Corell soupira, comme si cela ne faisait que le fatiguer, mais, l'instant d'après, il se mit au garde-à-vous.

Une voix connue retentit dehors, puis Charles Hamersley entra en saluant à droite et à gauche. Il avait quelque chose de changé, Corell mit un moment à comprendre quoi. Sa barbe avait été rasée et ses lunettes étaient neuves et extravagantes, ce qui constituait une rupture de style avec l'ancien Hamersley. Le surintendant avait la soixantaine passée, grand et maigre, avec des lèvres fines et un air distingué qui semblait provenir d'un autre siècle que ses nouvelles lunettes, sûrement importées des

États-Unis. Le surintendant admirait les Américains. C'était un homme vieux jeu qui voulait être moderne, mais sur lui, la modernité avait juste un effet ridicule. L'époque nouvelle lui allait aussi mal que ses lunettes.

"Et ici, comment ça va ?

— Très bien, sir, mentit Corell. Et vous-même, sir ?

— À merveille ! Mais le temps presse. Nous avons une affaire sensible sur les bras.

— J'avais compris."

Corell pensa à Mrs Goldman et à l'ordre de la veille de procéder à une autopsie d'urgence.

"Le Dr Turing travaillait pour le ministère des Affaires étrangères, continua Hamersley.

— Dans quel domaine ?

— Sincèrement, je n'en sais rien. Ces bougres sont si secrets. Mais nous avons reçu l'ordre d'accélérer l'enquête. Des gens du ministère vont perquisitionner la maison. Ils vont sûrement vous contacter.

— Des hommes des services secrets ?

— Je ne suis pas au courant", dit Hamersley d'un air très satisfait, comme s'il savait parfaitement si ces gens étaient ou non des services secrets, et cela eut le don d'énerver Corell.

Il chercha quelque chose de subtil à dire. Ne trouva pas.

"Je suppose que vous connaissez son passé ?

— Il était homosexuel", dit Corell, sans bien savoir ce qu'il attendait, peut-être un hochement de tête, une brève constatation, ou la brusque protestation que ce n'était pas du tout à cela que Hamersley faisait allusion, mais le surintendant se fendit alors d'un large sourire. Il avança même un fauteuil et s'assit avec un mouvement souple qui, eu égard à son âge, paraissait remarquablement gracieux, presque féminin.

"Tout à fait, tout à fait", dit-il, avant de se mettre à parler, ou plutôt à prêcher et, de façon assez étonnante – comme une introduction bien trop dramatique pour une histoire assez banale –, il commença par les bombes atomiques soviétiques : la première avait explosé cinq ans plus tôt, en 1949, et pas plus tard qu'en août de l'année dernière, les Russes avaient fait sauter pire encore, leur première bombe à hydrogène. "Bien sûr, beaucoup se sont demandé comment les Russes avaient pu si vite avoir la bombe. Maintenant nous le savons, dit Charles Hamersley.

— Ah oui ?

— Mais grâce à l'espionnage ! Les Soviets ont des espions partout, chez eux, chez nous.

— Ils avaient ce Fuchs.

— Pas seulement lui. N'oubliez pas les époux Rosenberg. On pense qu'ils sont des centaines. Des centaines, Corell.

— Ça alors !

— Et dans une telle situation, il est bien sûr de la plus grande importance de savoir quel genre de personnes est capable de trahir son pays. Savez-vous sur qui se concentre toute l'attention ?

— Les communistes, tenta Corell.

— Vous avez raison, bien sûr. Les communistes constituent le plus grand danger, pas seulement les convaincus, mais aussi les compagnons de route qui flirtent avec leurs thèses ou fréquentent leurs cercles, oui, comme ce fichu Oppenheimer qui vient de se faire coincer pas plus tard que la semaine dernière. Aux États-Unis, il y a un sénateur entreprenant, vous avez certainement dû entendre parler de lui, vous aimez vous tenir au courant de l'actualité, n'est-ce pas ? Je parle bien sûr de Joseph McCarthy... oui, oui, je sais qu'il a désormais aussi ses détracteurs mais, croyez-moi, on a besoin de lui, et ce que beaucoup ignorent, vous aussi peut-être, c'est que McCarthy et ses collaborateurs ne surveillent pas seulement les communistes, mais aussi les homosexuels, surtout ceux qui travaillent dans les administrations publiques, ou qui ont accès à des secrets d'État. Savez-vous pourquoi ?"

Corell aurait préféré ne pas répondre, et pas seulement par peur de gaffer. Secrètement, et à son corps défendant, il avait été flatté par les compliments de Hamersley et voulait continuer à se montrer sous son meilleur jour. Il dit :

"En raison du risque de chantage.

— Absolument, bien entendu, vous avez encore une fois raison, vous avez les idées claires. Les homosexuels font de parfaites victimes de chantage. Ils sont pour ainsi dire prêts à tout pour que leurs penchants ne soient pas étalés au grand jour.

Nos amis du FBI ont aussi constaté que les Russes cherchent tout particulièrement à recruter des pédales. Mais ce n'est pas là toute la vérité, pas même l'explication première. Non, non, la raison décisive est que ceux qui se livrent à des actes pervers manquent de caractère. Ils n'ont pas la hauteur morale requise pour occuper des postes de responsabilité, et je ne dis pas cela à la légère : il y a des preuves à foison. Vous savez, les Américains disposent d'un nouvel organisme, très professionnel… vous en avez peut-être entendu parler, il a été créé pour éviter un nouveau Pearl Harbor, il s'appelle la CIA, et s'est intéressé de près à l'analyse des pervers, pour arriver à la conclusion qu'on ne pouvait pas leur faire confiance. Au service de l'État, ils constituent un risque pour la sécurité et au fond, entre nous, Corell, la logique en est très simple. Quand le caractère s'affaiblit, on devient vulnérable, n'est-ce pas ? Les tentations s'accumulent. Si on est tombé assez bas pour coucher avec un autre homme, alors on est prêt à d'autres turpitudes. Comme on l'a dit : qui couche avec un type peut aussi coucher avec l'ennemi.

— Je comprends, dit Corell.

— Évidemment que vous comprenez. Vous êtes un de nos meilleurs éléments, même si je me suis laissé dire que vous avez eu un passage à vide ces derniers temps. Mais on va vous en sortir. Il y a beaucoup trop de choses importantes à faire pour rester à bouder dans son coin, et avant tout nettoyer cet infâme marigot homo. Vous comprenez, ce n'est que depuis l'année dernière qu'on a saisi la gravité de la situation. Les Américains étaient en avance, là aussi, eh oui, pauvre vieille Angleterre. L'Égypte, l'Iran, l'Inde, nous perdons tout et, que sais-je, c'est peut-être parce que nous avons perdu le contrôle non seulement du monde, mais aussi de notre propre morale. Mais aux États-Unis, on regarde la vérité dans le blanc des yeux. Il y a un zoologue là-bas, Kinsey ou Kensey, je ne me souviens pas bien. Il a étudié les penchants pervers des humains et en a conclu que l'homosexualité était incroyablement ordinaire, ce sont de pures données scientifiques, on ne peut pas ignorer ces chiffres, et pourtant… beaucoup, ici, les rejettent. Pour eux, l'homosexualité est une vulgarité américaine. Mais vous et moi, Corell, nous avons tous les deux fréquenté des *private schools*, n'est-ce pas ?"

Corell hocha la tête à contrecœur : voilà longtemps qu'il n'avait pas mis en avant, ni même juste mentionné son cursus. Son passé demeurait pour lui quelque chose de pénible, un pays lointain qui luisait dans son souvenir comme une promesse trahie.

"Vous et moi sommes donc au courant de cette cochonnerie, continua Hamersley. Mais nos dirigeants avaient besoin qu'on leur tire la sonnette d'alarme. Vous savez à quoi je fais allusion, le scandale Burgess et Maclean. Inconcevable, quand même, qu'ils aient pu filer ! Ils étaient pourtant suspectés depuis longtemps. Ces salopiots sont sûrement en ce moment en train de déguster du caviar et de la vodka à Moscou, et même si les Russes s'obstinent à en faire de simples sympathisants idéologiques, il n'y a aucun doute que ce sont des traîtres de la pire espèce et nous savons assurément lequel des deux est le plus coupable !

— Vraiment ?

— Burgess, bien sûr, un affreux libertin, ivrogne, tapette indécrottable, il a certainement séduit et perverti Maclean, et c'est à cela que nous devons penser, Corell. Les homosexuels influent sur leurs proches. Ils entraînent les autres. Mais cette histoire a du bon : elle nous a ouvert les yeux, et il y a au moins une force positive au gouvernement, le ministre de l'Intérieur, sir David Maxwell Fyfe... Bon, rien à dire contre Churchill, naturellement, mais entre nous, il commence à se faire vieux, et Fyfe, en revanche... je n'ai jamais eu le plaisir de le rencontrer, mais il est énergique. Il a pris modèle sur les Américains et a mis le corps de la police à pied d'œuvre, et à vrai dire, j'y ai pris moi-même modestement ma part. Si vous regardez les statistiques, Corell, en particulier ici, dans le Cheshire, vous voyez... regardez, j'ai ici les chiffres... voyons... en 1951, l'année de la disparition de Burgess et Maclean, nous avons arrêté treize hommes pour homosexualité. Auparavant, encore moins. L'année dernière, le chiffre s'élève à cinquante-neuf. Pas mal, non ?

— Pas mal du tout !

— Nous n'avions pas pris ainsi le problème à bras-le-corps depuis l'époque d'Oscar Wilde, et ne croyez pas que les classes privilégiées soient exemptées ou protégées. Au contraire, la perversion est probablement très répandue au sein de la classe supérieure. À Cambridge ou à Oxford, il paraît que c'est une vraie

mode. Pouvez-vous imaginer ce que cela signifie pour l'Angleterre future ?"

Corell fit un geste d'impuissance.

"Cela signifie que nous devons agir avant qu'il ne soit trop
tard. Lord Montagu, ça doit vous dire quelque chose ?

— Oui, bien sûr, mentit Corell.

— Il a même été arrêté à deux reprises pour ce crime, et c'est
un signal important. Même des crimes anciens peuvent être
ressortis. Aucun homosexuel pratiquant ne doit se sentir en
sécurité. Et comme je disais, la presse elle aussi semble s'être
réveillée. Le *Sunday Pictorial*... ce n'est pas un journal que je
lis d'habitude, mais... ils ont abordé ce sujet. *Des hommes mauvais*, voilà le titre de leur série, peut-être un peu creux, mais au
moins... la question est sur le tapis. Un pasteur méthodiste a
écrit que nulle part la situation n'était pire qu'à Manchester. La
conspiration silencieuse est brisée.

— La conspiration...

— Beaucoup savaient, mais ont caché leur tête dans le sable.
Ils ont fait comme si cette cochonnerie n'existait pas. Mais ce
n'est plus possible. L'époque est périlleuse, Corell. Le monde
peut éclater en mille morceaux. Nous devons pouvoir avoir
confiance en les nôtres.

— Pense-t-on que Turing lui aussi ait collaboré avec les Russes ?"

Corell se mordit la langue, il ne voulait pas qu'on le prenne
pour un naïf.

"Je ne condamne personne *a priori*, dit Hamersley. Mais j'ai
mon flair, et au ministère des Affaires étrangères, on s'inquiète,
je l'ai entendu ce matin au téléphone. Un suicide... car il s'agit
bien de cela ?

— Tout semble l'indiquer.

— Un suicide éveille les soupçons, n'est-ce pas ? Voulait-il
échapper à quelque chose ? Y avait-il des secrets qu'il n'avait
pas le courage de porter ? Ce genre de choses ?

— Je comprends.

— Et puis il y a le reste, la pure psychologie, et la connaissance des méthodes de travail des Russes. Ils ont beau être communistes, ils ne sont pas idiots, loin de là. Ils savent que celui

qui a goûté au fruit défendu aura envie de recommencer. Ils savent sûrement très bien où porter leurs coups. Au bout du compte, ce n'est qu'une question de caractère ! Le caractère, Corell !"

Corell ne se sentait pas d'un caractère particulièrement trempé, mais il ne put s'empêcher d'être revigoré par les paroles du surintendant. Comme s'il avait pu humer les grandes affaires du monde, dont il n'était vraiment pas gâté ici et, même s'il se sentait à nouveau limité et maladroit, un zèle nouveau pointait sous son ennui.

"Mr Turing détenait-il des secrets sensibles ? demanda-t-il.

— Là, là, n'allons pas trop vite en besogne, répondit Hamersley. L'homme vient juste de quitter notre monde, et vous et moi, Corell, sommes chargés de nous occuper humblement de notre petite partie de cette histoire, mais évidemment, si on est un tant soit peu capable de raisonner, ce dont je me targue, on peut se livrer à des rapprochements : des gens des Affaires étrangères se sont manifestés, visiblement embarrassés par ce Turing, et c'était bien une sorte de scientifique, n'est-ce pas ?

— Il était mathématicien.

— Bon, bon. Personnellement, ça n'a jamais été mon fort. Je n'y ai jamais rien compris, à vrai dire. Mais les mathématiciens et les physiciens ne sont-ils pas désormais les personnes-clés de l'industrie de l'armement ? Turing a peut-être participé à la production de notre bombe ? Je n'en sais rien. Bah, j'ai peut-être tort de réfléchir à tout ça. Mais vous avez certainement raison : il détenait sûrement quelque chose. Et je n'aime pas imaginer que les secrets de Mr Turing, quels qu'ils aient été, ont traîné dans le marigot d'Oxford Road. Que n'est-on pas prêt à raconter sous le coup d'une passion honteuse ?

— Je ne vous le fais pas dire.

— D'ailleurs, Turing n'avait-il pas fait l'objet d'une forme de chantage quand il avait été arrêté, voilà quelques années ?

— Si on veut. En tout cas, ce n'était sûrement pas par hasard que sa maison avait été cambriolée.

— Non ?

— Les voleurs connaissaient ses penchants. Ils pensaient sûrement qu'il n'oserait pas porter plainte. Ils devaient supposer que, sur ce point, il était privé de ses droits", continua Corell. Hamersley ne sembla pas apprécier.

Le surintendant grimaça puis, moins fort, sur un ton plus neutre, lui demanda à quoi ressemblait la maison d'Adlington Road. Mais Hamersley n'avait pas l'air de vraiment écouter son récit, aussi Corell omit-il de mentionner la lettre qu'il avait trouvée et même la médaille. En revanche, il l'interrogea timidement au sujet de la déclaration de Mrs Goldman à Alec Block, selon laquelle quelqu'un "qui travaillait pour le gouvernement" avait surveillé Alan Turing.

"Euh... non, marmonna Hamersley. Je n'en ai pas entendu parler. Mais cela ne m'étonnerait pas, pas le moins du monde. C'est du sérieux, Corell.

— Elle n'avait pas l'air entièrement fiable.

— Ah bon ? Goldman, vous avez dit ? Une Juive, bien sûr. Oui, on ne sait jamais. Mais attendez... je me demande si ce ne sont pas nos collègues de Manchester qui sont passés la voir, ils travaillent eux aussi pour le gouvernement, pour ainsi dire. Ils étaient dans le coin, voilà quelques années.

— À quelle occasion ?

— Si je me souviens bien, le Dr Turing attendait la visite d'un homosexuel en provenance d'un pays nordique. Je suppose qu'on voulait empêcher cette rencontre.

— N'est-ce pas un peu bizarre ? tenta Corell.

— Que voulez-vous dire, inspecteur ?

— Ce n'est pourtant pas dans nos habitudes de mettre sous surveillance les gens qui risquent de rechuter dans ce genre de délit ?

— Peut-être pas, Corell. Peut-être pas. Mais on devrait. Considérez-le comme un exemple instructif. Face aux dangers de l'homosexualité, on n'est jamais trop prudent. Et puis nous sommes arrivés à la conclusion que notre mathématicien détenait des données confidentielles, n'est-ce pas ? Il était donc d'autant plus important de le garder à l'œil. Mais où en étions-nous ?

— Je ne sais plus.

— Bah, peu importe. J'attends de vous que vous meniez cette enquête avec élégance et discrétion, et que vous m'en rendiez compte directement. Vous comprenez, certains, notre ami Ross par exemple, vous trouvent trop jeune, mais moi, je vous fais confiance et, pour être franc, je suis bien content d'avoir sur ce coup un homme avec votre bagage, maintenant que le ministère des Affaires étrangères s'en mêle. Ils vont certainement prendre contact avec vous, et je n'ai bien sûr pas besoin de souligner combien il est capital que vous collaboriez de toutes les façons possibles.

— Bien entendu.

— Très bien !"

Ils se levèrent tous les deux, et Corell aurait sûrement dû avoir un mot édifiant puis saluer au garde-à-vous. Ces saluts n'étaient pas inhabituels au sein de la police, en tout cas pas devant une huile comme Hamersley. Pourtant Corell resta planté là, et il avait beau désespérément vouloir faire partir le surintendant pour pouvoir se retrouver seul avec ses pensées, il n'arriva même pas à hocher la tête. Hamersley finit par rompre le silence.

"Encore une fois, ravi de parler avec vous", dit-il, puis il disparut alors que Corell restait devant son bureau à regarder ses mains, ses longs doigts fins qui en cet instant lui parurent déplacés dans ce commissariat.

Des cellules montèrent des chocs sourds, comme si quelqu'un se cognait contre les murs, et Corell leva les yeux vers le plafond jadis blanc, depuis longtemps rendu gris ou presque noir par la fumée de cigarette. *Il détenait sûrement des secrets.* Corell n'était pas vraiment satisfait de cette visite, mais l'affaire avait indubitablement pris de l'intérêt. N'y avait-il pas là pour lui une occasion de se faire valoir ? Il le pensait et, avec une certaine énergie, il se replongea dans sa lecture du rapport sur les délits passés du mathématicien. Comme auparavant, il constata qu'il était rédigé de façon assez conventionnelle, avec cependant beaucoup de digressions et de fausses pistes qui le plaçaient un peu au-dessus de la moyenne bureaucratique : sans que Corell se trouvât pour autant dans de meilleures dispositions vis-à-vis d'Alan Turing, quelque chose s'éveillait en lui. Il se rappelait ses propres rêves d'écolier, pas seulement ceux, alors assez raisonnables, d'étudier les mathématiques à l'université, mais aussi ceux plus extravagants de faire un jour une découverte révolutionnaire qui change le monde et, pour la première fois depuis longtemps, il prit son carnet et y jeta une petite suite numérique. C'était comme revenir à quelque chose d'oublié.

6

Alan Mathison Turing était né le 23 juin 1912 à Paddington, Londres : plus âgé que ne le pensait Corell, il aurait eu quarante-deux ans dans deux semaines. Il avait étudié à King's College à Cambridge et en partie à Princeton, États-Unis, soutenu une thèse de doctorat au sujet non précisé et, après guerre, était arrivé à Manchester, où il avait participé à un important projet de machine, exactement comme l'avait dit Alec Block. D'un point de vue strictement biographique, le dossier laissait à désirer mais, d'un autre côté, ce n'était pas à cause de sa carrière qu'Alan Turing avait atterri dans les fichiers de la police.

C'était à cause d'Oxford Road, ou plus exactement du point où la rue devient Oxford Street, sous le pont de chemin de fer, non loin du centre de réfugiés avec son clocher et ses deux cinémas. Ce quartier était le lieu de rencontre des homosexuels, Corell ignorait pourquoi, mais il fallait bien qu'ils se retrouvent quelque part et, qui sait ? Turing et lui s'y étaient peut-être croisés, autrefois : pendant ses premières années de service dans la division B de la police de Manchester, Corell y avait souvent patrouillé, dans l'odeur d'urine, sous le pont aux briques rouge sombre couvertes de graffitis.

Plusieurs de ses collègues tiraient des pédales des revenus complémentaires : ce n'était sans doute pas très légal, mais c'était considéré comme légitime dans ces années d'après guerre où l'amertume gonflait dans la profession. Corell avait beau ne jamais avoir touché un shilling, autant pour des raisons morales qu'à cause d'une timidité ou d'un manque de culot dont il souffrait depuis son enfance, il ne reprochait rien à personne. Oxford

Road n'était pas un endroit pour des étudiants de Cambridge, ni pour personne, d'ailleurs. C'était un lieu où des hommes se cachaient dans une pissotière pour se livrer à d'affreuses turpitudes. Corell était malade rien que d'y penser, et apprendre qu'Alan Turing fréquentait assidûment ce quartier ne le mettait vraiment pas dans de meilleures dispositions. D'expérience, Corell savait que les enquêtes pour homosexualité ne donnaient jamais grand-chose et qu'il n'était pas aisé de trouver de quoi prononcer une inculpation. Les personnes concernées avaient toutes les raisons de se taire, et les éventuels témoins étaient rarement enclins à parler mais, dans cette affaire, étonnamment, il y avait beaucoup d'éléments. Corell lut donc qu'Alan Turing était resté regarder une affiche de cinéma sous les arcades, ou plutôt qu'il faisait semblant de la regarder tout en guettant les hommes, un après-midi de 1951. Les pédales avaient sûrement leurs trucs pour entrer en matière, se dit Corell, mais d'habitude on n'en savait rien. Ici, au contraire, sur cinq pages, on trouvait des aveux où Alan Turing parlait librement et ne semblait pas du tout considérer son homosexualité comme un problème. S'il y avait des difficultés morales ou juridiques, elles étaient sur un tout autre plan, selon lui, ce qui eut le don de scandaliser Corell. Ce gars-là ne pouvait-il pas au moins avoir la décence d'avoir honte ? Avec une précision impudente, il racontait comment, dans la foule d'Oxford Road, il avait aperçu un jeune homme dénommé Arnold Murray.

"Où allez-vous ? avait demandé Turing.

— Nulle part.

— Moi aussi."

Ils étaient allés au buffet de la gare, de l'autre côté de la rue et, comme beaucoup de ceux qui se retrouvaient à Oxford Road, ils étaient mal assortis. À Oxford Road, le haut du pavé rencontrait le bas, Corell le savait depuis longtemps. Il en allait certainement de même dans les lieux de prostitution ordinaires. Ceux qui avaient de l'argent payaient. Les autres recevaient. Alors que Turing travaillait à l'université, avait des diplômes et des titres, et peut-être aussi une médaille reçue à la guerre, Arnold Murray, dix-neuf ans, était pauvre et misérable. Son père était un maçon alcoolique. On mentionnait qu'il avait été premier de la classe dans l'école élémentaire où il avait atterri pendant la guerre mais, venant d'un tel milieu, il n'avait pas fait d'autres études : ça avait été le chômage et la criminalité. Pour Corell, il était évident que ce garçon était à la recherche de considération venue d'en haut. Il voulait se faire remarquer et semblait croire, à moins qu'il n'ait feint l'innocence ou n'ait reçu des instructions de son avocat, que l'homosexualité faisait partie des attributs du monde cultivé. "Ce n'est pas à ça qu'ils passent leur temps, à Cambridge et à Oxford ?" avait-il demandé lors de son interrogatoire.

Un homme comme Alan Turing n'avait pas dû avoir de mal à le duper, surtout qu'Arnold Murray avait lui-même jadis rêvé de science, et qu'Alan Turing avait dès le début de la conversation prétendu qu'il construisait un "cerveau électronique". *Un cerveau.* Cela ne pouvait quand même pas être vrai, même de loin ? Non, plus Corell y songeait, plus il pensait que c'était une fanfaronnade, mais ces mots avaient sûrement dû impressionner un pauvre inculte sorti de son taudis, aussi mensongers fussent-ils. Ils étaient peut-être du même acabit que ce que le mathématicien avait raconté au sujet de machines capables de penser. C'était peut-être une expression, une image, ou tout simplement un pur délire – Corell se souvenait de l'impression de folie qui émanait de la maison – mais plus probablement une vile vantardise pour séduire : et en effet, Alan Turing avait invité le garçon chez lui à Wilmslow le week-end suivant.

Arnold Murray ne s'y montra cependant pas cette fois-là. En revanche, ils se revirent le mois suivant, en janvier 1952, à nouveau à Oxford Road : Turing l'invita aussitôt et c'est alors que le délit fut commis, *indécence manifeste*, selon le terme consacré du Code pénal, section 11, supplément à la loi de 1885, un paragraphe célèbre, Corell le savait, car il avait autrefois servi à condamner Oscar Wilde. Peut-être pouvait-on dire que tout cela ressemblait à une banale histoire d'amour. Alan Turing avait fait des cadeaux à Arnold et le décrivait dans sa déposition en termes affectueux : "une brebis égarée" et "un jeune homme vif assoiffé de connaissances, avec beaucoup d'humour". Mais les aspects sordides ne manquaient pas.

Le 12 janvier, le mathématicien l'avait invité à dîner, ce qui avait visiblement marqué Arnold Murray. Turing avait une gouvernante. "Soudain, je me retrouvais avec les maîtres, et pas les domestiques", déclarait Murray dans sa déposition, et la chose semblait lui être montée à la tête : "Nous étions sur un pied d'égalité." Après le dîner, ils burent du vin sur le tapis du séjour et Arnold lui raconta alors un rêve qui, assez curieusement, figurait dans le procès-verbal de la déposition. Corell avait certes entendu que les rêves pouvaient en dire long sur la personnalité et les désirs de quelqu'un – il connaissait un peu Freud – mais il doutait que ses collègues de Manchester veuillent s'aventurer dans une telle analyse. D'un autre côté, la méticulosité était l'une de ses vertus et personne ne pouvait savoir à l'avance quels détails compteraient à l'arrivée ; quant à ce rêve, il était en tout cas assez horrible : Arnold était couché sur une surface sans le moindre repère, dans un lieu vide, hors du temps et de l'espace. Alentour, un bruit de plus en plus fort et insupportable. Interrogé par Alan Turing, Arnold fut incapable de dire ce que c'était, à part que c'était un bruit terrible qui allait l'emporter, lui, et peut-être aussi tout le reste.

Alan Turing semblait trouver ce rêve intéressant. D'après ce que Corell comprenait, le mathématicien s'intéressait aux rêves en général. N'avait-il pas lui-même noté les siens dans trois carnets ? Un climat de confiance s'était installé après cette conversation, et le délit fut à nouveau commis. Corell ne voulait pas de détails, et n'en trouva d'ailleurs pas, mais il ne put s'empêcher de songer à la poitrine un peu féminine de Turing et à ses propres doigts en train de déboutonner sa veste de pyjama, à Adlington Road. Il chassa cette idée, comme dangereuse en elle-même, et se dit que le commentaire "Nous étions sur un pied d'égalité" était sûrement caractéristique. Avant de faire quoi que ce soit, Arnold avait besoin d'un minimum de respect et de reconnaissance. Il avait besoin d'être reconnu comme personne, avant de s'avilir. Mais là, quelque chose avait cloché, ce qui ne manqua pas de fasciner Corell.

Arnold ne voulut pas de l'argent que lui proposait Turing : il n'était pas un prostitué. Il était venu en égal, invité à dîner, et ils étaient quittes. L'idée qu'il s'agissait d'un flirt ordinaire sembla plaire à Turing. La raison première qui avait poussé Arnold à se rendre à Oxford Road demeurait pourtant : il était pauvre. Il vivait dans la misère. Alors que faire ? Au lieu d'accepter l'argent, il vola le portefeuille de Turing, et ça aurait pu être la fin de l'histoire. Le vol découvert, Alan Turing envoya une lettre où il annonçait son intention de rompre tout contact.

Arnold revint pourtant quelques jours plus tard en clamant son innocence, et fut pardonné. Pas facile de dire pourquoi. Le mathématicien apparaissait comme une personne très naïve. Kenny Anderson l'avait qualifié de "pas très futé" et, même si Corell répugnait à donner raison à son collègue, le comportement d'Alan Turing était indéniablement d'une bêtise stupéfiante. Quand, après leurs retrouvailles, Arnold changea de tactique en lui demandant sans gêne de l'argent pour un costume, il l'obtint sur-le-champ. "Tiens, dit Turing. Prends ça. Ce sera sûrement très joli." Mais le mathématicien était déjà en train de tomber dans un piège. Comme ça avait dû être rageant !

Bien sûr, il n'était pas facile de savoir à quel point Arnold Murray était fourbe. Si Kenny Anderson – qui avait tendance aux jugements à l'emporte-pièce – avait lu ce dossier, il en aurait certainement conclu que ce type était un criminel caractérisé, qui ne cherchait qu'à se remplir les poches au maximum. Corell n'était pas aussi catégorique. En tout cas, Arnold Murray ne lui semblait pas complètement perverti. Il avait des remords. Il voulait apprendre et passait son temps à poser des questions à Turing. "Nous avons même discuté de la nouvelle physique." Quoi qu'il en soit… dans un milk-bar d'Oxford Street, il avait vendu la mèche à propos de la maison du mathématicien. Il était avec un ami, un certain Harry Greene. Les deux garçons se vantaient de leurs aventures et, bien sûr, Alan Turing était arrivé dans la conversation, l'homme qui prétendait construire un cerveau électronique.

Harry proposa un coup. Arnold refusa – c'était ce qu'il prétendait. Mais l'idée avait éclos. La chose est certaine. Pendant ces journées de janvier 1952 – inquiètes et agitées, selon Alan Turing –, on le vola à l'université. On ne disait pas quoi. Il se sentait "hanté et effrayé". Le 23 janvier, il participa à une sorte de programme radio, sans se trouver particulièrement satisfait de son intervention. Ce soir-là, de retour chez lui à Adlington

Road, il constata le cambriolage, avec "le sentiment obscur et funeste d'être menacé".

Du cambriolage en lui-même, il n'y avait pas de quoi faire tout un plat, comme l'avait dit Kenny Anderson. Ne manquaient que quelques couteaux à poisson, un pantalon, une chemise en tweed, une boussole et une bouteille de sherry entamée, mais savoir que quelqu'un avait fouiné chez lui le dérangeait, et cela avait suffi pour pousser Turing à commettre une erreur fatale. Il avait porté plainte. Bien sûr, les criminels eux-mêmes avaient droit à la protection de la loi. Mais pourquoi diable Alan Turing s'était-il fourré dans ce pétrin ? Corell ne le comprenait pas.

Pour une bouteille de sherry ouverte, le mathématicien mettait sa vie en jeu. Pour quelques bricoles, il mettait son cou sur le billot, et pour une fois avec conviction. D'un autre côté, il était resté aussi fuyant et faible que d'habitude : malgré toutes ses résolutions, il avait à nouveau laissé Arnold entrer chez lui le 2 février et, bien sûr, ils s'étaient disputés. Une scène terrible, apparemment : sans aucun doute, le mathématicien soupçonnait Arnold.

Mais l'orage s'était calmé. Ils avaient bu un verre, s'étaient reparlé en confiance, et finalement Arnold avait eu envie d'avouer et de se ranger du côté de Turing, comme s'il voulait à la fois se venger et redevenir ami avec lui : il dénonça alors Harry. Il lui raconta l'épisode du milk-bar et, peu après, Turing et lui consommèrent à nouveau leur délit. Mais cette nuit-là, le mathématicien ne trouva pas le sommeil. Il avait écrit dans sa déposition qu'il "aimait bien Arnold", mais qu'il "ne voulait pas être mêlé à quelque chose qui ressemblait à du chantage. Mr Murray avait menacé de me dénoncer à la police." Le mathématicien se glissa donc comme un voleur dans sa propre maison pour récupérer un verre où Arnold avait bu, dans l'espoir que ses empreintes digitales puissent être comparées avec celles des cambrioleurs.

Le lendemain, il sortit avec Arnold et le laissa sur un banc devant le commissariat tandis qu'il entrait raconter ce qu'il venait d'apprendre à l'agent Brown, un petit homme touchant, aux yeux louches et aux cheveux haut plantés, dont les rapports étaient truffés de fautes d'orthographe et de bizarre-ries. Il avait bel et bien à deux reprises écrit "elle" en se réfé-rant à Turing, mais cette faute avait la vertu de souligner ce que l'histoire avait d'étonnant.

Dans sa déposition, Alan Turing ne dit mot d'Arnold. Il souhai-tait pourtant donner une explication plausible à ses révélations nouvelles sur Harry, aussi parla-t-il d'un représentant qui fai-sait vaguement du porte-à-porte, sans doute pour vendre des brosses, assurant que ledit vendeur – dont Turing ne donnait ni le nom ni aucun signe distinctif – lui avait dit, comme en passant, qu'il savait qui l'avait cambriolé. Comment ce repré-sentant le savait n'était pas précisé. Le mensonge semblait assez grossier, et par la suite tout s'était effondré, même si les choses parurent d'abord aller dans le sens de Turing. Harry Greene était réellement un voyou. Il était détenu à Manchester pour d'autres délits et la police l'inculpa également du cambrio-lage d'Adlington Road, mais Turing aurait dû se douter que Harry avait un atout dans sa manche. Il pouvait négocier avec la police.

"Mon copain Arnold a fait des choses sales avec cet homme", déclara-t-il.

En soi, ça n'aurait pas forcément dû avoir une grande impor-tance. Combien d'horreurs et d'accusations en l'air Corell n'avait-il pas entendu des criminels proférer ? La plupart du temps, cela ne débouchait sur rien, surtout si, en face, un membre de la bonne société soutenait le contraire. Mais dans cette affaire, il s'était passé quelque chose. Deux collègues de Manchester, les inspecteurs Willis et Rimmer, avaient lu les déclarations d'Alan Turing au sujet du vendeur ambulant et avaient flairé le men-songe. Ils décidèrent de passer à l'attaque. Le 4 février 1952, ils se rendirent au domicile du mathématicien, officiellement pour parler du cambriolage, mais se montrèrent d'emblée menaçants ou du moins offensifs et, même si Corell était pour sa part scep-tique quant à l'efficacité de la confrontation immédiate, leur stratégie sembla être la bonne. Le suspect n'était pas un voyou endurci, il était même peut-être plus faible que la moyenne. Il ne se doutait probablement pas le moins du monde que la police en avait après lui. Il avait porté plainte pour un cambriolage et avait fourni de précieuses indications. Pourquoi la police n'aurait-elle pas été de son côté ?

"Nous sommes au courant de tout", dit l'inspecteur Willis sans préciser ce que ce "tout" voulait dire, et il parvint visiblement à déstabiliser Turing.

Au moment de réitérer sa déposition, il s'emmêla et, apparemment, plus on le pressait, plus il s'enferrait. Ses mots étaient vagues, et il n'arrivait toujours pas à fournir des détails convaincants. Son vendeur ambulant restait une figure pâle.

"Nous avons lieu de penser que votre description des événements est fausse", contra Willis. Quelques répliques suivirent sans doute, mais l'heure de vérité approchait. Corell imaginait Turing cherchant à tâtons une issue, une branche où se rattraper, et finissant par capituler, sûrement persuadé qu'avouer était un soulagement, une libération de tout mensonge – mais en réalité rien n'était plus faux. C'est peut-être une libération que d'avouer à des amis. Mais les policiers sont des fauves. Alors que le coupable rêve de compréhension, le policier flaire la victoire et ne veut rien d'autre que serrer le coupable au collet. Pour ses collègues, cet instant fut un triomphe, pour Alan Turing pas moins que le début de la fin. Mentir, moi ? aurait-il dû dire. *J'ai une position sociale*. Personne ne pouvait l'inculper sans ses aveux. Mais que fit-il ? Il cracha tout le morceau.

"Arnold Murray et moi avions une liaison !"

Comme si cela ne suffisait pas, il prit un stylo et rédigea sur-le-champ devant les policiers son témoignage de cinq pages, caractérisé par un stupéfiant manque de compréhension de la gravité et du sens de la situation. Il semblait ne pas se douter que le cambriolage n'avait désormais plus aucune importance, et prétendait même que les policiers auraient dû s'intéresser davantage à son cas de conscience – son refus de céder au chantage – qu'à son délit sexuel. Comme s'il estimait que la grande question morale se situait sur un tout autre plan. "Jusqu'où une personne doit-elle se protéger et dans quelle mesure doit-elle accepter certaines injustices pour ne pas nuire à autrui, voilà à bien des titres une intéressante question de philosophie morale. Combien est-il raisonnable de souffrir soi-même pour aider plus faible que soi ?" écrivait-il dans sa confession, ignorant apparemment que son propre délit pouvait lui valoir deux ans de prison, et que tout le reste n'était qu'un raisonnement de haut vol qui n'avait rien à voir avec une enquête de police.

Alan Turing ne pouvait plus faire valoir sa position ou son milieu social, cela ressortait du texte de la loi. Dès lors qu'il avait avoué, son milieu ne pouvait qu'être retourné contre lui, renforçant l'image d'un type sournois qui séduisait des jeunes gens ignorants issus de classes inférieures, mais tout ceci, le mathématicien dut mettre du temps à le comprendre. Après ses aveux, il sembla même se détendre et l'inspecteur Rimmer, qui à plusieurs reprises dérogeait à son objectivité policière, le décrivait comme un vrai converti, absolument persuadé d'avoir fait le bon choix, et il ajoutait même, dans une curieuse note marginale, "un homme d'honneur", sans pourtant qu'on sache bien ce que Rimmer avait voulu dire.

Peut-être faisait-il allusion à la sincérité de Turing. Ou à sa générosité désintéressée. Le dossier de l'enquête ne permettait pas de se faire une impression claire du mathématicien. Tantôt il paraissait inquiet, tantôt loin au-dessus du quotidien, sans soucis ni tourments. À un moment, il offrit du vin aux policiers, comme s'ils étaient ses amis, et une autre fois il tenta de leur expliquer une théorie mathématique. L'inspecteur Rimmer avait en tout cas griffonné dans son rapport ces lignes qui avaient tellement captivé Corell, ces termes curieux connus comme le *paradoxe du menteur* : "Je mens ! Si cet énoncé est vrai, il est faux puisque la personne ment, mais alors elle dit la vérité, puisqu'elle ment, etc.", avait écrit Rimmer, ajoutant que des contradictions comme celle-ci avaient provoqué une crise de la logique mathématique, qui avait à son tour conduit Alan Turing à jeter les bases d'une machine d'un genre nouveau. Des centaines d'étapes du raisonnement semblaient s'être perdues en route, mais Corell trouvait touchant que Rimmer ait pris la peine de comprendre quelque chose qui le dépassait largement et qui n'avait rien à voir avec l'enquête. Il s'en réjouit également, comme si ce genre de problèmes lui avait manqué. *Je mens.* Il goûta ces mots. *S'il est vrai que je mens, alors je dis la vérité…* La phrase était à la fois vraie et fausse, comme si elle sautait d'un pôle à l'autre en un mouvement perpétuel, et il réalisa que son père lui avait parlé de cela voilà bien long-temps. Il ne se souvenait pas bien et, quand il essaya de conti-nuer à lire, il se sentit distrait, comme si la phrase continuait à se contredire dans sa tête, et il pensa à nouveau à la pomme empoisonnée sur la table de nuit, comme si cette pomme était une partie du paradoxe.

7

Corell avait des dispositions particulières pour chercher le sens d'une pomme laissée derrière soi. Un jour, près de la voie de chemin de fer à Southport, il avait regardé fixement un gant de cuir noir gaufré et y avait lu une vie tout entière. C'était juste avant la guerre, deux ans après avoir quitté Londres.

À cette époque, ils habitaient non loin du bord de mer, dans une petite maison en pierre dont la principale caractéristique était de grandes fenêtres au rez-de-chaussée. Dans le souvenir de Corell, son père avait un beau jour cessé de parler, peut-être pas vraiment d'un coup, mais pas loin, et ce n'était pas une mince affaire. James Corell était le tapage incarné. Ses éclats de rire et ses exclamations théâtrales étaient une caractéristique fondamentale de la famille. Leonard et sa mère se rassemblaient autour de ses histoires et de ses lubies, où ils puisaient ou épuisaient leur énergie, et il ne serait pas faux d'affirmer que James Corell faisait passer les pères des autres comme des fantoches sans vie. Autour de lui, c'était la fête permanente. On l'entendait arriver car, où qu'il aille, il faisait tinter ses clés dans la poche de son pantalon et, la plupart du temps, il faisait de ses entrées quelque chose de grandiose, ne serait-ce qu'en s'exclamant : "Voilà du beau monde ! Permettez-vous à un simple mortel de se joindre à vous ?"

Il était notoire que son père avait connu une série de revers et avait perdu beaucoup d'argent. Mais tant que son père parlait, Leonard ne s'en souciait guère. Sa richesse avait disparu de son compte en banque et de son portefeuille, mais demeurait dans ses gestes et ses paroles : son père était un grand homme.

Il connaissait des célébrités. Il disait en tout cas en connaître, et il n'était pas rare qu'il balaie d'un revers de la main les gloires du moment avec un mépris royal. Mais il faut dire aussi que Leonard ne savait pas grand-chose, à l'époque. Il savait que son père avait étudié à Trinity College à Cambridge, qu'il avait écrit quelques romans et deux biographies, pas vraiment des succès, mais des œuvres indépendantes, importantes, disait-on, même si on avait pu y trouver quelques inventions romancées embarrassantes. L'une était la biographie du peintre Paul Gauguin, et l'autre celle d'un champion américain de décathlon, un Indien nommé Thorpe qui avait gagné le pentathlon et le décathlon aux Jeux olympiques de Stockholm en 1912, mais qu'on avait privé de ses médailles, probablement pour des raisons racistes dissimulées.

Son père disait qu'il luttait pour les faibles et ceux qu'on persécutait parce qu'ils déviaient de la normalité étriquée, et qu'il aimait démasquer "le pouvoir et la bourgeoisie boursouflée". On prétendait – mais cela relevait sans doute du roman familial – qu'il était craint pour ses articles dans le *Guardian*, en tout état de cause assez peu nombreux, et, parmi ses amis et dans "les cercles larges d'esprit", ses trois romans, que sa mère interdisait à Leonard de lire, étaient considérés comme "méconnus et méritant un meilleur sort". Il était grand, élancé et élégant, avec ses yeux bruns un peu torves et ses cheveux bouclés qui se refusaient à tomber ou à grisonner, et Leonard n'avait jamais vu personne parler avec plus de feu. Pourtant, une des pires injures que son père eût jamais entendues était qu'il aurait dû "écrire avec la même ferveur qu'il parlait" : il était en tout avide de compliments, sauf sur sa façon de parler. Les paroles, ça ne vaut rien, disait-il en crachant sur la seule chose qu'il savait vraiment faire, mais cela, Leonard devait le comprendre plus tard. À cette époque, il idolâtrait son père.

Sa mère, douze ans de moins, plus sévère et pas aussi tape-à-l'œil, légèrement voûtée, avait de petits yeux plissés qui mettaient les gens mal à l'aise et qui, parfois, fixaient James avec une hostilité qui resta longtemps une énigme pour Leonard. Il lui arrivait de ne pas comprendre comment ils avaient pu se trouver. Certes, il n'avait jamais été très proche de sa mère, même à la belle époque, mais, avant l'été où son père s'était tu, cela ne lui avait pas non plus été nécessaire : il avait James. Sa mère était plutôt une porte close, un visage fermé par quelque chose d'irrésolu, mais, parfois, elle sortait de sa torpeur et argumentait avec fougue et passion et, en ces moments-là, la conversation à la maison atteignait des sommets. Pas un mot sur les courses, le temps, les ragots. Tout crépitait des grandes affaires du monde et personne n'était assez célèbre ou important pour ne pas se faire traiter de dilettante ou de plaisantin. Le manque de respect était une vertu et, toute sa vie, Corell devait se sentir paralysé et maussade face aux trivialités. Je ne supporte pas la banalité, disait-il quand il lui restait encore un peu d'orgueil et avant qu'il ne se noie dans la banalité de son travail, peut-être pénalisé par son ballast idéologique. Ses parents avaient tendance à romancer les choses. Ils vénéraient les artistes et les scientifiques, ceux qui se plaçaient hors de leur époque, ce qui effrayait Leonard, car cela renforçait chez lui le sentiment de ne jamais réussir à être à la hauteur. Mais, tout aussi souvent, cela l'emprisonnait dans le sentiment d'être élu, et il rêvait qu'il avait une idée, une pensée grandiose qui révolutionnait le monde. Quoi exactement, et dans quelle discipline, cela n'était jamais bien clair – et changeait d'un jour à l'autre – mais il fantasmait la gloire qui s'ensuivrait et nourrissait en général de grandes espérances. Pas au point de croire que ses rêves se réaliseraient, mais il était convaincu qu'il deviendrait quelqu'un d'important, surtout quand il s'opposait à son père dans leurs discussions familiales, ce qui lui valait souvent d'entendre : "Mon Dieu, Leo, quel conteur tu es !" Jusqu'à ces journées d'août et de septembre 1939, alors qu'il avait treize ans et allait bientôt être envoyé à Marlborough College, une école privée connue pour sa discipline stricte, il n'était pas préparé à autre chose qu'un brillant avenir. Il y avait des nuages d'inquiétude mais, tant que son père était de bonne humeur, il ne les remarquait pas. Auprès de son père, même la raréfaction des convives à dîner, l'annulation des voyages d'été et l'impression que le temps et l'espace rétrécissaient semblaient quelque chose de naturel, un maillon dans un ordre nouveau. Même le déménagement de Londres à Southport, prétendument parce que "la côte de Sefton est la meilleure d'Angleterre", paraissait faire partie de cette nouvelle orientation : parfois, quand son père allait s'asseoir sur le rivage, un livre sur les genoux, pour regarder les échassiers, les vanneaux, les hérons et les gravelots, montrant avec enthousiasme ceux qu'attaquaient les faucons, Leonard était persuadé que leur vie s'était réellement améliorée, et que les domestiques et trop d'argent n'étaient que source d'ennuis. Bref, il ne voyait que ce qu'il désirait voir.

Un soir, dans son lit, il regarda les yeux torves de son père. On entendait dehors la mer et les mouettes, et il ne devait pas vouloir dormir. C'était le moment qu'il préférait, son père était assis à son chevet, ils venaient peut-être de lire un extrait d'un classique, en avaient discuté le contenu, ou Leonard avait raconté comment il voulait que se poursuive le livre, il avait sans doute été félicité avec une main chaude posée sur son crâne. Mais ce soir-là, les traits de son père changèrent. Une lueur nouvelle, plus brillante, s'alluma dans ses yeux.

"Tu es triste, mon garçon ?" dit-il, chose étrange.

Leonard n'était pas d'humeur maussade et il s'apprêtait à répondre : "Non, père, pas du tout", mais il sentit l'appel contenu dans cette question. Elle se tendait vers lui comme des bras ouverts et peut-être, pensa-t-il, son père avait-il vu quelque chose qui lui avait échappé. Peut-être Leonard était-il réellement triste. La question pénétra en son corps comme une douleur sourde.

"Oui, je crois que je me sens un peu triste.

— Je comprends, tu es très triste", dit son père en lui passant dans les cheveux sa main rude sillonnée de grosses veines bleues, et c'était bon, comme une infinie sollicitude.

C'était comme être vu avec une acuité nouvelle. Rien de ce qu'il avait dit ou fait auparavant n'avait touché son père si profondément. Leo était gâté de réactions positives, applaudissements, félicitations avec toute la mise en scène requise, mais jamais auparavant il n'avait rencontré une telle émotion. Son père avait les larmes aux yeux, sa grosse main se referma sur sa nuque et Leonard aurait voulu se blottir dans son chagrin, dans son chagrin joué, il se sentait heureux, heureux dans sa souffrance, sans que l'effleure l'idée que son père ne pleurait pas sur lui, mais sur sa propre vie. Ce qu'il interprétait comme de l'amour n'était rien d'autre que la propre douleur de son père car, contrairement à ce qu'il croyait à l'époque, il n'était pas vrai qu'on puisse parler de tout au sein de la famille.

Les échecs et les chagrins de son père, on n'avait pas le droit d'en parler. C'était la règle la plus importante à la maison. Mais Leonard ne l'avait pas remarqué pour la simple raison qu'il était incapable d'imaginer son père broyer du noir : ce n'est que longtemps après qu'il comprit que son père devait souffrir d'un blocage affectif, pas si rare chez les Anglais, mais étonnant chez un homme qui semblait en permanence payer de sa personne et qui, du moins en termes généraux, n'avait jamais eu de mal à débattre de tous les recoins et chagrins du cœur.

Leur maison de Southport était meublée simplement, avec peu de tableaux aux murs. Seuls quelques objets étaient venus de Londres, le grand bureau de son père avec ses couronnes de laurier gravées et trois chaises Queen Anne en noyer. Les chaises avaient des coussins blancs brodés de roses rouges : deux dans le séjour contre la table-coffre et la troisième servait à son père au dîner. Ce n'était pas là une extravagance déclarée, pas une bizarrerie dont ils auraient plaisanté. James trônait sur la chaise Queen Anne, c'était tout, et si Leonard y avait réfléchi plus tôt, il l'aurait simplement considéré comme un signe de la position de son père au sein de sa famille et dans la vie. Cependant, cet été-là, James fut souvent absent aux repas, et il se passa alors quelque chose avec la chaise : elle se chargeait d'une absence inquiétante, et une gêne nouvelle apparaissait dans la conversation. Même dans des phrases aussi triviales que "Passe-moi le sel" ou "Quel vent, en mer", on sentait une tension sous-jacente. Parfois, quand son père était là, il lui arrivait de trébucher sur des sujets plus sensibles que la montée des périls sur le continent : un mot hasardeux sur un collègue écrivain qui avait eu du succès ; une phrase au sujet de quelqu'un "qui se la coule douce chez lui avec tout son argent", et son visage se figeait alors, et il inspirait à travers ses dents serrées en produisant un sifflement désagréable.

"Père, qu'y a-t-il ?

— Rien, rien !"

Il n'y avait jamais rien, et surtout rien dont on puisse parler. Au mieux, on pouvait entrechoquer ses couverts ou rejeter sa frange en arrière en disant quelque chose comme : "C'est vraiment une belle soirée. Et dire que Richardson n'arrive jamais à surveiller ses vaches", et souvent son père se reprenait alors, en tout cas s'ils parvenaient habilement à faire comme si de rien n'était, ou il n'y arrivait pas et, en général, quittait alors la table, laissant la chaise Queen Anne se transformer en symbole de ce qu'on gardait caché. Ce que Leonard avait compris cet été-là et ce qui relevait d'une reconstruction ultérieure, il l'ignorait. Mais il y avait des signes. Ne serait-ce que la respiration de son père quand il dormait pendant la journée. Il poussait des ronflements trop lourds, trop plaintifs. "C'est le sherry, disait sa mère. Il boit trop de sherry." Et puis il y avait sa lecture. Il lisait tout le temps. Mais cet été-là, il tournait trop peu souvent les pages, comme s'il passait son temps à regarder fixement la même. Il avait l'air de marcher différemment. On devinait dans ses pas une indifférence traînante. Leur cadence presque militaire avait disparu, et ses clés tintaient à peine dans sa poche de pantalon. Et puis il y avait le courrier, qu'il avait toujours ouvert avec entrain ou inquiétude, difficile à dire : désormais, il traînait sur la table de l'entrée et ne semblait même plus lui faire peur.

Fin août, quand les touristes commencèrent à rentrer chez eux et qu'arrivèrent les premières oies et les premiers canards, il se passa quelque chose avec ses épaules : elles remontèrent en faisant disparaître le cou, sans qu'ils en sachent la cause. Ils ne surent même pas quand il quitta la maison. Le 30 août, deux cabanons brûlèrent à Southport. Ils les virent luire au loin comme des flambeaux. Le temps avait été beau et dégagé toute la journée mais, vers le soir, des nuages sombres s'accumulèrent dans le ciel, et la mer se couvrit de hautes vagues.

À dîner, ils mangèrent quelque chose à base de Yorkshire pudding, et ils durent en venir à commenter le temps qu'il faisait, car il se souvenait que sa mère avait dit : "Je crois qu'il neigera tôt, cette année." Peu après, elle fit tomber un verre par terre en lâchant un "Merde !", en français dans le texte. Ils parlèrent ensuite de Marlborough College. "Estime-toi heureux de pouvoir y aller. C'est très cher pour nous." Mais pas un mot sur l'absence du père, ou plutôt si, ils avaient dû d'une manière ou d'une autre la mentionner car, après la tisane du soir, ils sortirent à sa recherche. Le soleil s'était couché et de la mer montait une faible odeur de varech et de sel. Suivant le rivage, ils longèrent les dunes et les tourbières jusqu'à la jetée. À un moment, ils virent un écureuil rouge, et sa mère lui prit la main, mais il se sentit trop grand pour une telle proximité : il fourra les mains dans ses poches, et il fut bientôt dix, puis onze heures du soir, il commençait à faire froid. Le vent traversait son pull écossais à carreaux.

"Il est sûrement quelque part en train de boire", dit sa mère.

Peu après, il vit le contour de quelque chose qui flottait au bord du rivage, quelque chose d'allongé qui aurait pu être son père et il regarda sa mère et comme elle n'avait pas l'air de savoir, il courut vers la mer en appelant :"Papa, papa !" Mais ce n'étaient que deux caisses, avec *Dublin 731* écrit dessus. Vers minuit, ils rentrèrent à la maison.

8

Les documents du procès étaient dans une confusion incompréhensible, mais Corell ne tarda pourtant pas à se faire une idée
correcte du déroulement des faits. Alan Turing avait été placé
en détention, on avait pris sa photo et relevé ses empreintes
digitales, puis transmis le tout à Scotland Yard, ce qui signifiait
probablement, comme l'avait dit Hamersley, que toute sa vie
pouvait être déballée à la lumière des projecteurs : ça n'avait pas
dû être une partie de plaisir. Non que Corell sache quoi que ce
soit des fréquentations de Turing ou de sa psychologie, mais ses
amis et collègues devaient sans doute avoir pris leurs distances.
Un pédé démasqué est un peu traité comme un lépreux, se dit-
il, et ça vous ronge, Corell le savait d'expérience. Mais enfin,
c'était l'affaire de Turing, et il l'avait sûrement bien cherché.

Pendant son procès, d'après le rapport, le mathématicien
s'était montré "péremptoire et sans remords", ce qui n'avait
pas dû être à son avantage. Arnold Murray avait été présenté
comme un jeune homme naïf mais non sans perspectives d'avenir, détruit par Alan Turing, plus âgé et éduqué, ce qui n'avait
bien sûr pas non plus plaidé pour lui. Évidemment, le défen-
seur de Turing avait mis en avant tout ce qu'il avait trouvé sur
son client, par exemple – et Corell le nota particulièrement –
que le mathématicien avait été décoré d'un OBE, Order of the
British Empire, pour son action pendant la guerre. Il n'y avait
en revanche pas un mot sur l'endroit où le mathématicien avait
servi, mais ce n'était sûrement pas sur le front. Il n'avait pas
l'air d'un dur à cuire et, à part deux témoins de moralité qui
avaient accepté de prendre sa défense, dont un certain Hugh

Alexander – un nom que Corell reconnut vaguement –, il ne semblait pas y avoir eu de grande mobilisation pour le soutenir.

Un des réceptionnistes glissa la tête pour le prévenir qu'il avait à nouveau de la visite, ce qui le fit jurer. Il s'efforça vaillamment de mettre un peu d'ordre sur son bureau. Peine perdue. Un homme au visage rougeaud entra en trombe. Il était mû comme par une colère contenue et, un court instant, Corell s'attendit à une réprimande, ou pire une gifle mais, quand l'homme ôta son chapeau et lui tendit la main, il se demanda si c'était vraiment de la colère qu'il avait vue. L'homme avait quarante-cinq ou cinquante ans, des cheveux sombres avec une raie de côté et une petite bedaine. À en juger d'après les chaussures et le costume, c'était quelqu'un d'important, peut-être même du ministère des Affaires étrangères. Corell s'était déjà mis à rêver de recevoir des informations confidentielles en qualité d'enquêteur en chef, et son cerveau eut le temps de fantasmer quelques scénarios. Mais son visiteur avait aussi autre chose de plus indéfini. Un inquiétant air connu, comme s'ils s'étaient déjà vus dans des circonstances désagréables et, un instant, Corell resta désemparé derrière son bureau.

"Vous me cherchez ?

— Je crois bien. Vous êtes l'inspecteur Corell, n'est-ce pas ? Mon nom est John Turing. Je suis venu dès que j'ai su."

Corell avait beau avoir bien sûr aussitôt reconnu ce nom, il lui fallut un moment avant de comprendre qu'il s'agissait du frère et que l'impression de déjà-vu qu'il ressentait venait vraisemblablement de la ressemblance de l'homme avec le mort.

"Mes sincères condoléances, dit-il quand il eut remis de l'ordre dans ses idées, et il se leva en tendant la main. Vous êtes venu de Londres ?

— De Guildford." Sa réponse courte et sèche laissait présager qu'il s'en tiendrait à tout prix à sa dignité et se comporterait avec correction et sévérité.

"Voulez-vous vous asseoir ?

— Je ne préfère pas.

— Puis-je alors vous proposer d'aller faire un tour ? Le temps semble s'améliorer. Je suppose que vous souhaitez voir votre frère. Je pourrais téléphoner…

— Est-ce nécessaire ?

— Nous allons avoir besoin d'une identification certaine, j'en ai peur.

— La gouvernante n'a-t-elle pas déjà…

— On dit qu'il est bon de dire adieu.

— Je suppose qu'il vaut mieux que ce soit moi plutôt que notre mère.

— Est-elle en route ?

— Oui, mais cela devrait prendre encore un jour. Elle se trouve en Italie. Pouvez-vous me dire un peu ce que vous savez ?

— Je vais vous faire un rapport complet. Laissez-moi juste d'abord m'assurer qu'il y a quelqu'un pour nous recevoir à la morgue", dit-il, avant de fermer les yeux comme pour se blinder à l'approche d'une nouvelle épreuve.

Dehors, le soleil brillait. Il faisait presque chaud. Dans la cour traînaient encore des bouts de verre et des détritus. Plus loin, on voyait la maison de pierres blanches dont la beauté contrastait si douloureusement avec le commissariat et, dans le ciel, la trace d'un avion. Corell lui raconta la pomme, le poison, les câbles électriques, la casserole qui bouillait, et l'impression "de calme et d'abandon" sur le visage d'Alan Turing. Compte tenu de toutes ces bizarreries, le frère posa étonnamment peu de questions.

"Vous étiez proches ? demanda Corell.

— Nous étions frères.

— Tous les frères ne restent pas en contact.

— C'est vrai.

— Et vous ?

— Nous ne nous voyions pas très souvent. Vous avez donc raison. Mais quand nous étions petits…"

John Turing hésita, comme s'il se demandait si cela valait la peine de raconter quoi que ce soit.

"Oui ?

— À l'époque, nous étions très proches. Nous avons grandi en grande partie sans nos parents. Notre père était en Inde, et je suppose qu'ils ne voulaient pas nous exposer au climat de là-bas. Nous avons entre autres habité chez un vieux colonel et sa femme, à Saint Leonard's, près de la mer. Ce n'était pas toujours simple.

— Vous étiez l'aîné.

— De quatre ans. Alors je ressentais une grande responsabilité.

— Comment était-il ?

— Enfant, vous voulez dire ?

— En général."

John Turing sursauta, comme si la question était bizarre ou douloureusement intime. Il se mit pourtant à parler, sans aucun enthousiasme, absolument aucun. La plupart du temps obéissant et absent, il semblait parfois être pris par ses propres mots et oublier à qui il parlait.

"Petit, déjà, Alan trouvait les chiffres plus amusants que les lettres, et il les voyait partout, sur les lampes, les lettres, les paquets. Bien avant de savoir lire, il composait déjà des nombres à trois chiffres et, quand il a eu appris, il écrivait comme un cochon. Presque personne n'arrivait à le lire."

Aujourd'hui non plus, pensa Corell en se souvenant du carnet de Turing. Il était embarrassé d'apprendre que l'homme qui l'avait fixé de son visage figé et qui s'était avéré être un pervers avait jadis été un garçon qui, jusqu'à un âge avancé, se trompait de pied en mettant ses chaussures, et il n'aimait pas non plus entendre qu'Alan Turing avait très tôt été maladroit, à l'écart, qu'il avait du mal à se faire des amis et n'était même pas très apprécié des professeurs. L'un d'eux avait déclaré qu'il puait les mathématiques. On l'avait brocardé en vers : *Sur un terrain de foot, Turing était ravi / Les lignes étaient pour lui de la géométrie.*

"Vous êtes allés ensemble à l'école ?

— Au début. Nous sommes allés à Hazelhurst, mais ensuite je suis entré à Marlborough, et…

— À Marlborough ? le coupa Corell, qui s'apprêtait à débiter toute une harangue, avant de réaliser qu'il serait alors forcé d'expliquer comment il avait fini flic dans une petite ville, et son estime de soi risquait de ne pas le supporter.

— Moi, je trouvais ça bien, continua John Turing. J'étais plus sportif. Mais cette école avait des côtés inhumains, et j'ai compris qu'Alan s'y serait senti très mal. Alors je la lui ai fermement déconseillée.

— Alors il a coupé à Marlborough.

— À la place, il a atterri à Sherborne. Ce n'était pas non plus parfait, mais mieux.

— Sûrement", dit Corell d'une voix sourde.

Ils obliquèrent dans Grove Street, passèrent devant le pub The Zest et les maisons basses en briques, puis l'enfilade de boutiques et de salons de coiffure. Il y avait pas mal de monde dehors. Le soleil brillait encore, mais le ciel était d'un noir inquiétant et, un instant fugace, Corell se souvint d'une nuit humide et désagréable à l'école. *Alors il a coupé à Marlborough.* Il dut presque se faire violence pour se concentrer sur son compagnon de route.

"Quand vous êtes-vous vus pour la dernière fois ? demanda-t-il.

— Noël dernier, chez nous à Guildford.

— Comment était-il alors ?

— Bien, j'ai trouvé. Beaucoup mieux.

— Mieux que quoi ?

— Que pendant le procès.

— Était-il déprimé, alors ?

— On peut le dire. Ou je ne sais pas, à vrai dire. Après cette histoire, nous ne nous entendions plus très bien. Il ne s'est jamais vraiment ouvert à moi.

— Vous êtes-vous éloigné de lui ?"

John Turing s'arrêta au milieu d'un pas et regarda ses mains. On devina sur son visage une grimace, mais elle disparut rapidement.

"Non, non, dit-il. Je l'ai aidé de mon mieux, avec des conseils juridiques, tout ce que je pouvais. J'ai fait jouer mes contacts.

— Vous-même, vous êtes avocat ?

— Oui. Mais ce n'était pas facile de parler avec Alan. Ça ne l'a jamais été. Je lui ai conseillé de reconnaître les faits pendant le procès également, et de laisser tomber toutes ses fichues palabres. Mais il ne voulait ni l'un ni l'autre.

— Comment ça ?

— D'un côté, il voulait dire exactement comment les choses s'étaient passées. Les mensonges et l'hypocrisie étaient ce qu'il détestait le plus au monde, et bien sûr, c'est tout à son honneur. Mais rien n'était simple pour Alan. Il prenait tout à contrepied, ce qui était peut-être un atout dans son travail, mais dans un tribunal... mon Dieu... le drôle d'oiseau ! Il disait qu'il était aussi injuste de se déclarer coupable que de nier ce qui avait eu lieu.

— Je ne sais pas si je comprends bien.

— Il voulait dire qu'en se reconnaissant coupable, il disait certes vrai, au sens où il avait réellement eu une liaison avec cet homme, mais en même temps, il admettait avoir commis un délit et, ça, il refusait de l'accepter. Il disait n'avoir fait que suivre sa nature.

— Et sur ce point, vous n'étiez pas d'accord ?

— Non !

— De quelle façon ?

— Franchement, je n'ai pas envie de parler de ça.

— Je comprends.

— Mais si c'est ce que vous cherchez, je peux vous dire une fois pour toutes que je n'appréciais pas du tout ce que vous appelez ses penchants, cracha John Turing avec une hargne inattendue. J'ai été réellement choqué quand il m'a écrit pour me mettre au courant. Je ne me doutais de rien.

— Vous êtes-vous brouillés ?

— Est-ce un interrogatoire ?

— Pas vraiment.

— Cette phrase aurait amusé Alan."

Corell sursauta. Il était si sensible qu'il crut qu'on se moquait de lui.

"Ou alors Alan aurait pris la question avec le plus grand sérieux en se demandant quels étaient les degrés intermédiaires entre oui et non, et si « Pas vraiment » en faisait partie, ou si cette phrase n'était qu'un non-sens logique, continua le frère plus aimablement.

— Je voulais juste...

— Mais je n'ai rien contre le fait de parler, « pas vraiment ». Quelle était la question ?

— Si vous vous étiez brouillés.

— Pas plus que ça, mais il me faisait certains reproches. Comme de ne pas comprendre combien c'était dur pour les homosexuels.

— Il voulait donc dire…

— Que les gens dans son genre formaient un groupe exclu et persécuté. Il m'a fait toute une conférence mais, mon Dieu, j'avais d'autres soucis. Lui par exemple, mon frère. Mais il ne le comprenait pas. « Tu ne penses qu'à ta propre réputation », disait-il, ce qui n'était pas vrai. Je ne pensais à rien d'autre qu'à son renom à lui, et j'ai fait tout mon possible pour qu'il en souffre le moins possible, mais si seulement vous saviez… ça me rend fou.

— Quoi ?

— Qu'Alan, sorti de son monde intellectuel, ait été si terriblement naïf.

— C'est vrai qu'il a été très maladroit pendant l'enquête de police, admit Corell, sachant bien que ce n'était pas du tout son rôle d'être d'accord.

— Maladroit, vraiment.

— L'exécution de la peine ou le traitement, comment l'a-t-il pris ?

— Je ne sais pas bien. Mais il a choisi le pire, non ?

— Comment ça ?

— Forcer un homme à prendre des œstrogènes, y a-t-il plus humiliant ?" dit John Turing, tandis que Corell pensait : des œstrogènes, putain qu'est-ce que c'est ? Mais il se tut pour ne pas montrer son ignorance.

"Est-ce que cela avait un effet ? demanda-t-il plutôt.

— À court terme peut-être, mais à la longue, je crois que cela a juste été néfaste pour lui. Je soupçonne qu'il a servi de cobaye. Il existait certes des études sur le sujet, mais beaucoup de choses n'étaient pas claires – non que je m'y entende en médecine. En revanche, je sais que ces pratiques étaient récentes. C'était tout frais. Il était leur foutu rat de laboratoire, et c'est insensé que ce soit lui qui ait joué ce rôle dans la chaîne scientifique. Par la suite, j'ai même entendu que cette idée de traitement par les œstrogènes était une idée piquée aux nazis. Ces salauds faisaient le même genre d'expérimentations dans les camps de concentration. Excusez-moi, rien que d'y penser me met hors de moi. Je ne sais pas si je vais avoir le courage de le voir maintenant."

Corell ne dit rien. Ils approchaient déjà de la morgue et, un instant, il ne savait pas pourquoi, il fut sur le point de déclarer que lui aussi, il avait étudié à Marlborough. Mais il dit plutôt :

"Savez-vous où Alan était pendant la guerre ?

— Pourquoi cette question ?

— J'ai cru comprendre qu'il travaillait sur des missions sensibles.

— C'est possible. Pour ma part, je sais juste qu'il se trouvait quelque part entre Cambridge et Oxford. Lui et plein d'autres grosses têtes.

— Que voulez-vous dire ?

— Que les autorités militaires avaient rassemblé au même endroit Alan et toute une bande de gamins surdoués.

— Pour faire quoi ?

— J'ai ma petite idée. Mais comme Alan ne m'en a jamais parlé, je préfère garder le silence. En revanche, je puis vous dire qu'il y est retourné l'an dernier.

— L'a-t-on à nouveau convoqué ?

— Non, non, c'était une histoire typique d'Alan. Il devait y chercher des lingots d'argent qu'il avait cachés pendant la guerre. Vous comprenez, il avait trouvé que c'était une idée brillante d'acheter de l'argent, puis de l'enterrer dans un endroit obscur plutôt que de le confier à une bonne vieille banque.

— A-t-il retrouvé ses lingots ?

— Évidemment non, et peut-être s'en fichait-il. L'argent ne l'intéressait pas particulièrement. C'était un chercheur de trésors qui n'avait que faire des trésors.

— Voilà, c'est ici", dit Corell.

Il s'arrêta.

"Quoi ?

— La morgue."

John Turing sursauta, et sembla à la fois effrayé et étonné : en effet, ce bâtiment ne ressemblait pas à une morgue. La maison en calcaire blanc avait un toit de tôle noire et une porte bleu clair difficile à associer à la mort et à la décomposition. Il y avait également une plate-bande bien entretenue et deux cyprès, ainsi qu'un jeune houx mais, sachant ce qui se cachait derrière, Corell ne trouvait pas même les fleurs agréables. Tendu, il ouvrit la porte et, quelque peu étonné, croisa deux messieurs en costume de tweed, qui soulevèrent poliment leurs chapeaux. L'un des deux était d'une taille inhabituelle et d'une élégance sans doute elle aussi inhabituelle, du moins pour son âge, avec des traits purs et d'intenses yeux noirs. Son regard sembla sincèrement intéressé à la vue de John Turing et Corell, mais ce qu'il avait de vraiment marquant était son cou tordu, qui donnait à tout son corps un air fragile. Il lui aurait fallu une canne. L'autre homme était plus robuste, avec un physique de lutteur, malgré son âge lui aussi avancé. Il s'avança cahin-caha, joues couperosées et gros nez informe, mais de lui aussi émanait une grande autorité. Corell eut juste le temps de se demander ce que ces hommes faisaient là quand une infirmière vint les prévenir que le Dr Bird les attendait.

Charles Bird était égal à lui-même. Son teint était jaune. Il figurait la mort elle-même et, comme d'habitude, cherchait à briller avec ses connaissances. Devant John Turing, il se montra bien sûr plus respectueux et utilisa davantage de latin, évitant bien entendu avec révérence de heurter le chagrin de l'avocat, mais il finit par être trop détaillé dans ses descriptions médicales, ce qui témoignait d'un total manque de tact – qui veut entendre parler des intestins de son frère décédé ? – et John Turing le coupa brusquement.

"Ça suffit !

— Je ne voulais pas…", murmura Bird, après quoi ils restèrent tous deux silencieux, le médecin gêné, et le frère profondément hors de lui, les yeux brillants et la lèvre inférieure tremblante. C'était ce genre de situation où le quotidien de l'un rencontrait la tragédie de l'autre, ce genre de scène qui d'habitude éveillait chez Corell la mélancolie, mais qui lui apportait aujourd'hui une satisfaction, car il espérait depuis longtemps voir le légiste se faire moucher. "Allons-y", dit-il. Ils marchèrent longtemps sans un mot. La morgue n'était pas loin de la gare et, au loin, on entendait passer un train de marchandises. Sur Hawthorne Lane passa une Rolls Royce, triste salut d'un monde meilleur et plus beau, mais Corell se sentait assez content, malgré tout. Il avait froidement pris congé du légiste, ce qui l'avait réjoui. À présent, il aurait fallu qu'il se dépêche de rentrer au commissariat. Il resta pourtant irrésolu, sans bien savoir où ils allaient.

"Je me disais…, dit John Turing d'une voix qui présageait quelque chose d'important.

— Oui ?

— Vous êtes sûrs que c'était un suicide ?"

Corell regarda le viaduc rouge brun qui franchissait la rivière Bollin en se demandant s'il allait entendre une théorie de l'assassinat, ou en tout cas quelque chose du même goût que les histoires de secrets d'État de Hamersley.

"Cela ne pourrait-il pas être un accident ?

— Que voulez-vous dire ?

— Voilà des années que notre mère répète qu'il pourrait arriver quelque chose à Alan, et pas plus tard qu'à Noël dernier, à la maison, elle a continué, comme si c'était un petit garçon : « Lave-toi les mains. Frotte bien ! »

— Pour ôter quoi ?

— Les poisons et les produits chimiques. Alan touchait un peu à tout et elle était la mieux placée pour savoir combien il était maladroit et distrait. Elle savait qu'il utilisait le cyanure de potassium. Elle l'avait mille fois mis en garde.

— Que faisait-il avec ce poison ?

— Il dorait des couverts. Je crois que ça sert à séparer l'or. Non, ne me demandez pas pourquoi. Il était comme ça. Il avait toutes sortes de lubies. Il prenait la montre en or du grand-père pour dorer une petite cuillère, c'est absurde, n'est-ce pas ? Passer son temps à touiller du cyanure de potassium. Ça rendait maman folle. « Tu vas faire notre malheur », disait-elle.

— Nous avons en effet trouvé une petite cuillère dorée, dit Corell en se rappelant la trouvaille d'Alec Block.

— Vous voyez, vous voyez."

Le frère semblait excité, et Corell regretta d'avoir mentionné la cuillère.

"Mais la pomme, alors ? dit-il. Elle était imprégnée de cyanure.

— Alan a très bien pu l'enduire par erreur.

75

— J'ai bien peur que la pomme n'ait senti trop fort pour ça. Il y avait dessus plus de cyanure que s'il s'y était déposé par hasard. Il a plus ou moins fallu qu'il la plonge dans le poison", répondit Corell, sans être tout à fait sûr de son fait, ni savoir s'il faisait bien de le contredire.

Si la mère et le frère voulaient croire que c'était un accident, libre à eux – à cet instant, il eut une idée, une idée empreinte de bonté, pensait-il, et, s'il en avait cherché l'origine, il aurait dû regarder du côté de sa relation compliquée avec sa mère et de ses efforts constants et absurdes, pendant les vacances scolaires, pour lui raconter des événements affreux sous un jour meilleur. C'était l'idée du raisonnement possible du défunt, mais il n'en dit mot.

"J'apprécie vraiment que vous ayez pris le temps de me parler. Mais je dois malheureusement rentrer au commissariat, le prévint-il.

— *Qu'il la plonge dans le poison*, répéta le frère, comme s'il n'avait rien entendu.

— Pardon ?

— Cette phrase…, continua-t-il.

— Qu'y a-t-il ?

— Elle me rappelle quelque chose.

— Quoi ?

— Quelque chose qu'Alan a dit il y a longtemps, avant la guerre. Il n'y a pas une comptine là-dessus ?"

Une comptine ? Ça se pourrait. Une pomme plongée dans le poison, ça semblait un archétype, mais ça ne disait rien à Corell, que les comptines et les vers absurdes amusaient pourtant. "Pas que je sache", dit-il, puis il nota les coordonnées de John Turing en lui promettant de lui envoyer les carnets où Alan Turing notait ses rêves, qui "ne devaient surtout pas tomber entre de mauvaises mains". Ils prirent ensuite congé et, si le frère avait eu ses instants d'ouverture, il reprit alors sa façade formelle et s'éloigna. Ce n'est que lorsque son dos ne fut plus qu'un trait au loin que Corell réalisa qu'il avait oublié de l'interroger sur les travaux d'Alan Turing sur les paradoxes et les machines et, un bref instant, il fut traversé par son habituel remords de n'avoir montré qu'un pâle reflet de sa véritable personnalité. *Je suis plus que ça. Je suis plus que ça*, aurait-il voulu crier, *je n'étais que l'ombre de moi-même*, mais il se ressaisit et sourit avec une politesse forcée à deux jeunes femmes qui passaient.

Il avait beau se sentir stressé, il ne retourna pas au commissariat, mais prit Station Road en direction de la bibliothèque. La bibliothèque était un havre de paix. Désormais, il s'y rendait plus volontiers qu'au pub. Le soir, il y passait souvent des heures à lire pour s'instruire, sans but particulier, mais il n'y allait jamais, en principe jamais, pendant ses horaires de travail. Ce qu'il avait à y faire aujourd'hui était en fait d'ordre professionnel, peut-être pas directement lié à l'enquête et à vrai dire pas urgent, mais enfin pas complètement dénué d'importance, aussi ce n'est qu'avec un brin de mauvaise conscience qu'il se hâta de traverser le parc George Branwell Evens pour entrer dans le bâtiment par l'escalier courbe. On entendait un faible brouhaha et il inspira profondément pour humer l'atmosphère particulière qui, à part une faible odeur sucrée, contenait une combinaison subtile de quotidien et de sacré, comme dans une maison où l'on se sent chez soi tout en percevant la force vénérable d'une personne savante et très intelligente. *Des livres, des livres !* Peut-être était-ce de loin ce qu'il préférait au monde, comme la promesse ou le point de départ de ses rêves, et ce n'est que lentement qu'il s'approcha du comptoir d'information et de la jeune dame qu'il savait se nommer Ellen. Il demanda une encyclopédie médicale.

"Mais vous n'êtes pas malade, sir.

— Non, non", répondit-il un peu contrarié, avant de gagner sa place habituelle près de la fenêtre.

9

Le lendemain de la disparition de son père à Southport, Leonard se leva avec l'impression que tout allait malgré tout s'arranger, qu'ils avaient la veille au soir touché le fond et allaient remonter la pente. Il était si plein d'espoir qu'il se trompa au sujet de l'homme qui arrivait sur le rivage, près des cabanons rouges. Il croyait que c'était un joyeux drille du coin qui avait mis un drôle de chapeau pour venir prendre des nouvelles de son père. Mais son cerveau lui jouait un tour. Quand il arriva à la cuisine en s'attendant à entendre : "Papa a fait les quatre cents coups hier", il remarqua que sa mère portait les mêmes vêtements que la veille et que l'homme, là-bas, n'était pas un rigolo mais un policier, un agent grand et barbu dont le drôle de chapeau était en fait un casque.

"Va dans ta chambre !"

Sans se faire voir, il fit de son mieux pour écouter en cachette. Il ne parvint à entendre que des bribes et, longtemps, il regarda fixement la mer et la barque noire, là-bas, mais à la fin il n'y tint plus.

"De quoi parlez-vous ? Où est papa ? cria-t-il.

— Calme-toi, Leonard !" siffla sa mère avec une telle tension dans la voix qu'il comprit aussitôt que le pire des malheurs était entré dans la maison, et même si les détails mirent du temps à se clarifier, il ressortait qu'un homme avait été fauché par un train de marchandises en provenance de Birmingham, et que cet homme pourrait être son père. Sa mère devait donc aller voir le corps, et s'il avait jamais été le moment de faire des prières, c'était bien là mais, dans son souvenir, tout espoir avait aussitôt disparu. Je suis orphelin, je suis orphelin, marmonna-t-il comme s'il avait perdu ses deux parents, aussi le choc ne fut-il pas beaucoup plus grand quand sa mère revint de l'identification. Debout sur le seuil, la bouche étrangement peinte en rouge et ses yeux si petits et plissés qu'il semblait étonnant qu'elle puisse seulement voir, elle annonça : "Père est mort, il n'est plus", comme si cette dernière assertion était un ajout absolument nécessaire.

Il avait bien sûr dû réagir d'une façon ou d'une autre, avec des larmes ou une crise de nerfs, mais tout ce dont il se souvenait était d'avoir cassé la chaise Queen Anne et que cela lui avait procuré une certaine satisfaction, surtout parce que cela n'avait pas eu lieu dans un accès de rage, mais méthodiquement et avec calme, jusqu'à ce que trois des pieds se brisent et que le dossier se fende. Sa mère, qui sans doute n'était pas vraiment à la hauteur comme mère, eut en tout cas le bon goût de se contenter du commentaire : "De toute façon, je n'ai jamais aimé cette chaise." Pour le reste, elle commença étonnamment vite – comme si son chagrin n'avait pas besoin d'étapes – sa pétrification, ou plutôt, aurait-il dit, son théâtre qui, peut-être, pour une personne extérieure, pouvait sembler contenu ou même harmonieux, surtout quand, le soir, elle faisait une patience au son d'une musique guillerette ou quand elle peignait ses cheveux avec une sorte de soin joyeux. Mais lui, elle ne le trompa jamais et, peu à peu, il apprit à sentir à distance comment elle allait, comme si sa douleur se propageait par vibrations dans l'air.

Quand elle était au plus mal, une odeur aigre particulière suintait par les fentes de la porte de sa chambre, et il l'aurait peut-être supporté, si seulement sa mère avait exprimé un tant soit peu son désespoir, ou veillé à faire coïncider ses mots et le langage de son corps. Elle pouvait sourire en disant un mot du temps, mais avec l'air de traverser les affres et, souvent, il aurait voulu lui crier : "Mais pleure donc, nom de Dieu !", mais il n'obtint pas d'elle d'autre réaction émotionnelle qu'une fermeture toujours plus grande et, au lieu de tenter de forcer la porte, il s'évada en lui-même. Il ne parlait presque plus et allait souvent se promener sur la plage ou le long de la voie ferrée, où il avait aménagé son cimetière particulier.

Il avait mis des jours à trouver l'endroit. Personne n'était très généreux en informations, et il n'y serait probablement jamais parvenu, s'il n'avait pas un jour fait une trouvaille entre un silo rouillé et deux buissons de broussailles. Dans l'herbe, près des rails, il avait découvert le gant noir de son père, en cuir gaufré, et, même s'il ne devait par la suite ne plus avoir la moindre idée de ce qu'il avait alors pensé, il le vécut comme un grand événement. Comme s'il avait levé une piste décisive, comme si la mort de son père, au lieu de n'être qu'une catastrophe, était désormais devenue un mystère, dans lequel il serait possible de parvenir à une forme de solution, pourvu qu'il étudiât les éléments de preuve et en tirât les bonnes conclusions. Il n'eut de cesse de se demander si ce gant était tombé de la poche de son père, ou avait été jeté là dans un accès de colère, ou même encore placé près du rail comme un message secret.

Bien des années durant, Leonard devait chercher les gants noirs dans la littérature, dans l'espoir de trouver quelque sens caché, et être obsédé par les derniers pas de son père, en se demandant s'il était vrai, comme il l'avait lu, que le regard s'aiguisait pendant les dernières minutes, devenait si intense qu'il saisissait tout alentour dans le moindre détail et si la vie défilait vraiment devant les yeux et, dans ce cas, s'il était lui-même apparu dans ce flot de souvenirs et ce qu'il y faisait – s'il s'y montrait sous un bon ou un mauvais jour.

Heure après heure, jour après jour, il cherchait, mais le gant ne le menait nulle part sinon à lui-même. Il n'apprit rien d'autre cet automne-là, à part que son père avait vraiment conduit la famille au bord de la ruine. Le pauvre homme s'était enferré dans une spirale de poudre aux yeux et de mesures de sauvetage idiotes : il n'y avait vraiment plus aucun argent pour envoyer son fils à Marlborough College.

Leonard y partit cependant, avec juste un peu de retard, grâce à tante Vicky et une bourse en anglais et mathématiques. Au début, il s'en réjouit. Il y voyait une façon de partir de la maison. Mais rien n'était simple. C'était octobre 1939. Une guerre avait éclaté, il était à la gare avec ses valises marron et avait l'impression que le monde s'effondrait. Partout, des soldats. Un petit enfant criait et sa mère, qui avait une épingle brillante dans les cheveux, lui caressait la tête. De loin, ils avaient sûrement l'air parfaits, pour quelqu'un qui les aurait regardés comme il observait les autres. Sa mère, en tout cas, trouva les mots justes :

"Tout va bien se passer pour toi, Leonard. Écris-moi souvent." Mais tout ce qu'elle disait sonnait creux.

C'était comme si elle se contentait de jouer la mère aimante et, tandis qu'elle pressait ses lèvres contre sa joue, il imaginait ses yeux absents, ou même en train de chercher parmi les hommes sur le quai. Il en était arrivé à croire qu'elle ne s'animait qu'au contact d'hommes mondains qui respiraient l'argent. Même si c'était sûrement injuste, il était persuadé qu'il ne comptait plus pour elle, qu'elle s'était tournée vers un pays lointain où il n'y avait pas de place pour lui, et il voulait lui reprocher : *Pourquoi tu ne me regardes pas ? Pourquoi tu ne m'aimes plus ?*

Mais son crime était trop subtil, trop minutieux. Il n'y avait pas de pistolet fumant, rien de tangible et, bien sûr, il espérait s'être trompé, que l'amour et la présence de sa mère étaient intacts et que c'était juste le deuil de son père qui la lui avait enlevée. Mais quelque chose s'était réellement figé en elle : si sur ce quai elle lui avait donné une gifle ou un coup de poing, cela lui aurait fait moins mal que la froideur de ses encouragements : "Tu vas me rendre fière à l'école." "Tu es un garçon tellement doué." "Méfie-toi des bagarreurs !"

Quand le train partit, de sa place qui sentait le détergent et l'alcool des soldats, sa mère lui parut si petite et triste, là-bas sur le quai, qu'il regretta un instant de n'avoir pas eu de pensées plus aimables à son sujet mais, la seconde suivante, une vague de douleur déferla en lui et il nota en hâte dans son journal ce qui, dans d'autres circonstances, aurait pu être le point de départ vers une amélioration, constituer une sorte de point zéro : "Sois fort, sois fort !"

C'est juste que Marlborough College ne lui donna pas la possibilité de se reconstruire sur des bases solides. L'école confirma plutôt l'alarmant sentiment d'abandon né après la mort de son père, et il en vint à haïr cet endroit avec une passion violente. Pas seulement pour les raisons habituelles : la nourriture infâme, les professeurs sévères et sans imagination, les brimades infligées par les grands élèves conformément au désespérant système des corvées et des punitions. Pas non plus parce qu'il habitait le bâtiment A, surnommé la prison, et que tout ce qui comptait était le rugby, le cricket et l'athlétisme, autant de pensums merdiques qu'il ne supportait pas, ni que ce n'était vraiment pas un avantage d'être un premier de la classe comme lui. La véritable raison était tout autre.

10

Il avait déjà eu l'encyclopédie médicale entre les mains, pas seulement à des périodes où il s'était cru malade, mais aussi quand il avait voulu en savoir davantage sur la biologie humaine. Le livre était brun, corné, pas tout à fait à jour. Le lire lui donnait l'impression de voyager dans son propre corps et, parfois, il lui était arrivé de ressentir les symptômes des maladies consultées, comme si les mots l'avaient contaminé, ou tout simplement qu'il comprenait comment il allait réellement. Mais aujourd'hui, en feuilletant ce livre, il ne s'arrêta pas en route et trouva rapidement ce qu'il cherchait : "Œstrogène, hormone stéroïde… présente chez l'homme comme chez la femme, mais à plus haute dose chez la femme… pénètre la paroi cellulaire… influe sur les caractères sexuels secondaires, comme le développement des seins et… présumée régler le cycle menstruel… pour cette raison connue comme l'hormone sexuelle féminine."

Il ne comprenait pas. "Connue comme l'hormone sexuelle féminine" ? Pourquoi donc en avait-on administré à Alan Turing ? Il avait dû mal entendre. Manquer d'attention. Mais non, il s'était répété plusieurs fois le mot pour s'en souvenir, et son frère semblait sûr de lui : Alan avait bien dû recevoir des œstrogènes. Ça avait juste l'air si tordu, si malsain. Certes, Corell n'y connaissait pas grand-chose en médecine, mais une *hormone féminine*, c'était quand même dégoûtant – et n'aurait-il pas plutôt fallu le contraire ?

Il leva les yeux du livre et essaya d'y réfléchir à tête reposée. *Hormone féminine, féminine.* La cause de l'homosexualité, il n'en avait certes aucune idée, mais en tout cas ce n'était pas le manque de féminité ! On disait bien *tapettes*. Son père lui avait parlé d'une rue de West End à Londres où des *Mollies*, des hommes travestis en femmes, s'offraient à d'autres hommes. S'il manquait quelque chose aux homosexuels, c'était bien la virilité. Pourquoi ne pas plutôt leur administrer des hormones sexuelles masculines ? Que la barbe et les poils du torse leur poussent davantage, qu'ils soient plus masculins, tout simplement. Il ne comprenait pas. Pourquoi administrer à Turing une telle cochonnerie ? Pas juste pour lui faire les pieds. Il y avait écrit soins, soins médicaux. On ne se lance pas dans une chose pareille sans études approfondies ? Il y avait forcément une explication scientifique. Il n'avait pas une vue d'ensemble. Scepticisme, mon garçon, scepticisme, les savants ne sont jamais aussi savants qu'ils en ont l'air, avait l'habitude de dire son père, et c'était bien possible, mais les savants n'étaient quand même pas complètement fous ? Pas au point de forcer un universitaire à prendre sans raison des hormones féminines, quand même ?

Plusieurs minutes, Corell resta à regarder par la fenêtre, troublé, et vint à se souvenir du moment où il avait déboutonné le pyjama de Turing, découvrant sa poitrine un peu féminine, pour examiner le corps de ses mains. Ce souvenir avait quelque chose de menaçant, non ? Il se leva. Alla au rayon des périodiques et chercha fébrilement deux choses : la série d'articles sur l'homosexualité dans le *Sunday Pictorial*, dont Hamersley avait parlé, et tout ce qu'on disait du procès Turing. Aucune n'était aisée à trouver. Il remonta deux ans en arrière, feuilletant avec tant d'énergie qu'il déchira des pages, fut sur le point d'abandonner. Il regardait nerveusement sa montre, il aurait dû déjà être rentré, mais là... il aperçut un titre du *Sunday Pictorial* sur le traitement hormonal de l'homosexualité. L'article était grandiloquent et assez peu substantiel, mais il comprit en tout cas que les avis sur l'homosexualité étaient partagés.

Beaucoup la considéraient comme une faillite morale qui pouvait frapper ceux qui se négligent, une dégénérescence, tout simplement, conséquence d'une vie dissolue. On notait qu'elle était particulièrement fréquente chez les intellectuels, sans doute en partie à cause de la mentalité des *private schools*, et il y avait là du vrai, mais aussi qu'elle était dans l'air du temps. Remettre en cause les valeurs établies, du système politique à la morale sexuelle commune, était une mode dans les milieux artistiques, écrivait le journaliste. On mentionnait l'espion Guy Burgess et le groupe de Bloomsbury, certains groupes de King's et Trinity College à Cambridge, et on faisait le parallèle entre homosexuels et communistes. Les uns comme les autres s'organisaient en cellules clandestines et se détournaient des normes fondamentales. Il n'était donc pas étonnant de trouver beaucoup de tapettes chez les rouges et ce qu'il fallait, selon toute une série de dignitaires, c'étaient des peines plus sévères, rien d'autre, et une condamnation unanime.

D'autres, d'orientation plus "scientifique", définissaient l'homosexualité comme une maladie et préconisaient des soins, ce qui excédait les conservateurs qui y voyaient une façon de dédouaner les coupables de leur responsabilité. On avait fait des essais de lobotomie ou de castration chimique, mais sans bons résultats. Le traitement hormonal semblait une méthode plus prometteuse. Un certain Dr Glass, à Los Angeles, avait effectué diverses études et constaté que les homosexuels ont plus d'œstrogènes dans l'organisme que les autres hommes, ce qui correspondait à la supposition de Corell. En 1944, Glass avait injecté des hormones masculines à un certain nombre de tapettes, espérant apparemment beaucoup de cette expérience. Il avait été déçu. Au moins cinq des cobayes s'étaient retrouvés plus chauds lapins que jamais, ou plutôt davantage enclins à l'homosexualité, comme le formulait l'article.

Cet échec invitait à faire l'inverse. Administrer plutôt de l'œstrogène. Cela semblait une solution un peu simple, estima Corell : noir ne marche pas, alors on essaie blanc. Un médecin britannique, F. L. Golla, chef de l'institut neurologique Burden à Bristol, avait cependant été pionnier dans ce domaine et, d'après ses études, l'œstrogène s'était vraiment montré d'une grande efficacité. Tant que les doses restaient assez fortes, le désir sexuel disparaissait en un mois. Il y avait bien quelques effets secondaires, mais considérés comme négligeables : entre autres impuissance temporaire, et développement de la poitrine.

L'article ne mentionnait pas Turing, aussi Corell feuilleta-t-il le journal local de Wilmslow et le *Manchester Guardian*. Il trouva étonnamment peu de choses sur le procès, ce qui, faute de mieux, devait vouloir dire que Turing n'était pas une personne particulièrement en vue. Aucun journaliste ne semblait s'être donné la peine de fouiller dans son linge sale. Corell ne dénicha qu'un bref article. Le titre annonçait : "Un professeur d'université condamné au contrôle judiciaire et à un traitement organo-thérapeutique".

À part quelques détails sur le délit en lui-même, on lisait que le tribunal avait tenu compte du fait que Turing n'avait jamais été condamné auparavant. Les tribunaux n'étaient pas non plus aussi sévères qu'à l'époque d'Oscar Wilde, apprit-il. Seuls 176 des 746 hommes jugés en 1951 pour *indécence manifeste* étaient allés en prison, et beaucoup avaient pu, à l'instar de Turing, choisir entre la prison et les soins, entre la taule et l'hormone sexuelle féminine. Un sacré choix, pensa Corell, en se demandant s'il n'aurait pas, lui, préféré aller croupir en prison ! En détention, au moins, il aurait pu être lui-même. Et rester un homme.

Dans le *Sunday Pictorial*, on lisait que l'œstrogène pouvait peut-être – même si c'était considéré comme peu probable – influencer le système nerveux central. Des tests avaient été effectués sur des rats, dont certains avaient montré des signes de dépression. Leur queue pendait entre leurs pattes ? Idioties ! Mais prendre un cachet, une piqûre, qui entrait dans le sang et agissait de manière invisible dans l'organisme pour faire ressembler vos fesses, mais aussi votre poitrine, à celles d'une fille ! Terrible. Inconsciemment, il passa sa main sur sa propre poitrine, comme s'il s'inquiétait qu'elle se soit elle aussi ramollie. Il ressentait une angoisse inexplicable. Être arraché à son sexe, se réveiller chaque matin en cherchant de nouveaux signes de transformation ! Il n'aurait pas supporté une seule journée. Lui aussi, il serait allé au bout de ce couloir, à l'étage, tremper la pomme dans le breuvage maléfique. Si on perd sa virilité, que reste-t-il ? Sauf que… en ce qui le concernait… *Estime-toi heureux de ne jamais…* C'en était trop. Il essaya de penser à autre chose. Il tenta de s'absorber à nouveau dans ses suites de nombres, mais alors… il eut une idée qui pouvait sans doute être considérée entièrement professionnelle. L'article indiquait que le traitement devait durer seulement un an, ce qui devait signifier qu'Alan Turing avait cessé de prendre l'œstrogène en 1953, au moins un an avant sa mort, et qu'ensuite il avait repris une vie normale, non que Corell en sache beaucoup sur son compte, mais le traitement ne l'avait pas brisé à cette date. Il allait mieux, selon son frère, avait acheté des billets de théâtre, ce qui en soi ne voulait bien sûr rien dire, mais il n'était en tout cas pas impossible que sa mort ait d'autres raisons que son procès. Il était surveillé. Il avait ses secrets. On pouvait tout imaginer. D'un autre côté... Corell ne le saurait jamais, n'est-ce pas ? Alan Turing avait emporté ses raisons dans la tombe. Il ferait mieux de tout oublier. Et puis il fallait vraiment qu'il y aille. Ross était sûrement déjà en rogne. Il décida de se dépêcher et pourtant – ce qui l'étonna – il ne rentra pas directement au commissariat. Il prit sur la droite vers Alderley Road, comme si le vent d'été l'emportait ou que toutes ces histoires d'œstrogène et de suicide avaient éveillé chez lui un besoin de montrer sa virilité, et il se dirigea vers Harrington & Sons, pas pour acheter des vêtements, ça non. Sans la contribution de sa tante, il avait à peine les moyens d'acheter un mouchoir de poche dans cette boutique. Ce qu'il avait en vue était une fille.

Elle s'appelait Julie. Il ignorait son nom de famille. Elle était vendeuse dans la boutique et, quand il était allé se faire prendre les mesures pour le costume en tweed que sa tante lui avait offert pour son anniversaire, elle avait piqué des aiguilles à l'ourlet de son pantalon, mesuré ses épaules et sa taille ; il avait aimé ça, cette attention à laquelle il n'était pas habitué, et il s'était étiré, comme quelqu'un de vraiment important. Mais il avait mis du temps à la remarquer. Elle n'était ni belle ni remarquable en quoi que ce soit, plutôt réservée au point de se rendre invisible, mais un événement devait changer cela du tout au tout. Leonard Corell n'était pas un homme à femmes. Chaque fois qu'il s'étonnait de constater à quel point il s'était retrouvé seul, il était frappé du peu de femmes qu'il avait eues – surtout si on ne comptait pas ses expériences ratées avec des prostituées de Manchester – et même s'il y avait à cela beaucoup d'explications, c'était l'image qu'il se faisait de lui-même qui jouait un rôle décisif. Il aurait voulu être plus qu'aujourd'hui, une taille au-dessus, pour ainsi dire, une extension de l'inspecteur Corell, la même personne mais avec davantage de mérites et de qualités, peut-être justement la personne qu'il avait jouée tandis que Julie lui épinglait son ourlet de pantalon : et en attendant, il prenait peu d'initiatives. Il était devenu spécialiste en tergiversations et temporisations. Ce n'était pas une stratégie consciente, loin de là. Il était juste retenu par l'idée qu'il n'était pas encore prêt, non qu'il soit certain d'être un jour beaucoup plus qu'il n'était aujourd'hui, mais si un mythe continuait à vivre en lui, il ressemblait au conte du vilain petit canard : au lieu d'agir, il rêvait.

Un jour, voilà un mois environ, il avait vu un être aux lignes douces en train de vêtir un des mannequins à l'effigie de Clark Gable dans la vitrine de la boutique. En s'approchant, il avait reconnu Julie. Ses cheveux étaient attachés. Elle portait une robe stricte à carreaux verts et un chemisier d'une couleur criarde qui, avait-il appris, s'appelait céladon. Mais cette fois non plus, il ne l'avait pas trouvée particulièrement jolie, et ce n'est que lorsqu'elle avait noué un foulard rouge au cou de Clark Gable que quelque chose s'était produit. Elle se mit à resplendir et il se souvenait qu'il avait alors trouvé qu'elle rayonnait de paix et, du regard, il avait suivi les formes inquiétantes de ses hanches et de son buste, mais quand elle s'était penchée pour ajuster la jambe de pantalon du mannequin, il avait vu que des larmes lui coulaient des yeux, et il s'était alors empli d'un désir intense de la libérer de cette boutique et de cette vitrine, de tout ce qui la tourmentait.

Après ce soir-là, il était souvent passé devant la boutique et l'apercevoir en cachette suffisait à éveiller chez lui une joie mêlée d'effroi. Une fois ou deux – selon sa façon de compter – il avait reçu d'elle un regard qui l'avait accompagné pendant ses journées mornes, non pas un regard séducteur ou aguicheur, plutôt un coup d'œil timide, inhibé et plein de retenue, et il se mettait à fantasmer qu'il lui prenait la main et l'entraînait hors de la boutique, vers une vie meilleure et plus riche, où elle n'aurait plus jamais besoin de pleurer.

À présent qu'il retournait vers la boutique, il ne s'attendait à rien de particulier mais, comme si souvent, il se demandait s'il oserait entrer en faisant semblant d'être intéressé par un tissu pour un costume d'été, peut-être choisir entre l'un ou l'autre, et formuler quelque trait d'esprit à la limite de la décence, quelque chose que Harrington et son fils ne puissent pas comprendre, mais qu'elle entendrait avec un sourire secret, et ce pourrait être un commencement. Non qu'il s'empresse de l'inviter séance tenante, non, non, il serait prudent et digne, mais la glace serait brisée et, la prochaine fois qu'ils se verraient par hasard un dimanche de congé, alors commenceraient les choses sérieuses. Voilà à quoi il pensait mais, à mesure qu'il approchait, il perdait courage et, à quelques mètres de la vitrine, il constata avec soulagement qu'elle ne semblait pas être là.

Tout ce qu'il voyait étaient les mannequins Clark Gable et Harrington en personne. Mais comme surgie de nulle part elle apparut et, par un malheureux hasard, se tourna droit vers Corell. Il n'aurait pu être moins bien préparé. Il se fendit d'un sourire artificiel qu'il devait par la suite analyser comme une expression de désespoir et leva la main vers son chapeau Trilby dans ce qui ressemblait à un demi-salut, un terrible signe d'indécision – mais de fait, Julie sourit à son tour.

Leurs yeux se croisèrent, pas grand-chose, mais quand même, et il parvint à soutenir un petit instant son regard avant de baisser les yeux et de sentir son corps raidi et gêné, et alors qu'il passait son chemin – qu'aurait-il pu faire d'autre ? – il s'imagina que la rue tout entière fixait ses pas trébuchants mais, au bout d'une minute, il sentit malgré tout un certain espoir, et pensa : *Un jour, un jour*, sans bien savoir ce qu'il voulait dire par là.

11

Personne ne semblait avoir remarqué son absence et, longtemps, il resta assis à son bureau, incapable de travailler. Ensuite, il demanda à être mis en relation avec l'inspecteur Eddie Rimmer à Manchester. Eddie Rimmer décrocha aussitôt et fit savoir qu'il était toujours ravi de bavarder avec un collègue de Wilmslow, que ce soit important ou non. Il partait parfois en vrille avec son rire saccadé et perçant, et Corell ne fut pas plus avancé, mais la conversation l'amusa et ils parlèrent longtemps, plus longtemps que nécessaire. Eddie Rimmer aimait bien Turing :

"Un type sympathique, tout simplement, et pourtant il aurait dû vraiment nous en vouloir. On l'a mis KO en moins de deux. Comme ça ! (Claquement de doigts à l'autre bout du fil.) Il a craché le morceau, direct. Je n'ai même pas eu le temps de retrousser mes manches. Ha, ha. Un drôle d'oiseau, je dois dire. Il avait ses diplômes, et tout ça, mais il n'est jamais monté sur ses grands chevaux.

— Pas du tout hautain, alors ?

— Il avait ses défauts, bien sûr. Parfois, ce qu'il disait était absolument incompréhensible, et puis il était homo, indécrottable, je crois. Mais il n'avait pas un mauvais fond, pas du tout. Juste un type tordu."

Rimmer avait lui aussi compris que le ministère des Affaires étrangères s'intéressait à Turing. Ça avait à voir avec la bombe atomique, à son avis.

"La bombe atomique ? dit Corell.

— Tout ce qui touche à la bombe est sensible, dit Rimmer. Et cette machine à laquelle il travaillait, elle a été utilisée pour produire la bombe britannique. Avec, on calculait comment les atomes se faisaient la malle, ou quelque chose comme ça" – c'était du moins ce que Rimmer avait entendu. Non qu'il en soit absolument sûr, et peut-être, pensait-il, Turing avait-il travaillé dans un domaine analogue pendant la guerre, une arme secrète, quelque chose comme ça. Il avait quand même eu une médaille – rien de spécial, selon Rimmer, un OBE, c'était un grade ordinaire, mais enfin... il y avait anguille sous roche. Rimmer l'avait bien remarqué. Les ragots allaient bon train : "Mon Dieu quel branle-bas, juste parce qu'il devait recevoir la visite d'un quelconque petit ami norvégien !

— Comment ça ?

— Personne ne l'a dit franchement, mais on voyait bien que c'était un cas spécial. Il rendait nos huiles à moitié hystériques.

— Les nôtres aussi, dit Corell.

— Vous voyez. Il y a du louche là-dessous.

— Peut-il avoir été assassiné ?"

Non, non, Rimmer n'allait pas jusque-là. Il ne voulait pas non plus spéculer, disait-il, apparemment sans se rendre compte que depuis un moment, il ne faisait que ça. Corell changea de sujet et parla un peu en termes généraux de la pomme, de la casserole et des câbles électriques. Puis en vint à ce qui l'intéressait vraiment.

"Cet Arnold Murray et ce Harry qui ont commis le cambriolage, vous savez où on pourrait les trouver ?"

Rimmer ne le savait pas. Ces gars-là n'étaient pas exactement du genre à attendre près de leur téléphone, ou à habiter toujours gentiment à la même adresse. Mais bien sûr, il pouvait toujours se renseigner, envoyer quelques télex, si c'était important, et Corell ne pouvait pas vraiment lui assurer que c'était le cas, mais il lui en serait pourtant reconnaissant, puis ils parlèrent des trafics d'Oxford Road, visiblement en diminution ces derniers temps. "Sûrement que les tapettes ont trouvé d'autres terrains de chasse. Forcément. Nous ne faisons que déplacer le problème.

— C'est triste, mais bien vrai.

— Wilmslow, ça doit être un endroit tranquille et plaisant pour un inspecteur de la criminelle. Plein de riches, là-bas, non ?"

continua Rimmer. Corell répondit que sans doute, mais qu'il n'y avait pas un seul policier parmi eux, et surtout pas lui.

"Hé, hé, gloussa Rimmer.

— Il y avait autre chose que je me demandais. Ça peut sembler un peu idiot", dit Corell. Il avait beau être trop fier pour ça, il ne put s'empêcher de demander.

"J'aime bien les questions idiotes, dit Rimmer. Elles me font me sentir intelligent, pour une fois."

Corell rappela à son collègue son étrange note sur le paradoxe du menteur dans la marge du procès-verbal d'interrogatoire.

"Que vouliez-vous dire, avec ça ?"

Rimmer ne savait pas bien. Il l'avait compris sur le coup, puis ça s'était embrouillé dans sa tête : "Pas le genre de truc qu'on passe son temps à ruminer, non ?" Corell voulait quand même savoir ce dont il se souvenait, et Rimmer dit que Turing avait déclaré quelque chose dans le style : on trouve des bizarreries dans les mathématiques, pas dans des opérations particulières, mais dans tout le système sous-jacent. L'énoncé *Je mens* en était un exemple. On pouvait le transformer en équation, et ça aurait peut-être l'air simple. Mais ce n'est ni vrai ni faux.

"Ça donne le vertige, rien que d'y penser, continua Rimmer, en soulignant que ce n'était pas juste un jeu sur les mots, mais quelque chose de sérieux, quelque chose qui donnait du fil à retordre aux savants et, en essayant de tout arranger, Turing avait inventé une machine.

— Quel genre de machine ?

— En gros, le même genre que celle sur laquelle il travaillait ici, à Manchester, je crois.

— Vous en êtes sûr ?"

Sûr, Rimmer ne l'était pas. Tout ça le dépassait, mais ce que Turing avait trouvé était vraiment ingénieux.

"Le Dr Turing a dit que c'étaient les mathématiciens qui avaient gagné la guerre.

— Qu'entendait-il par là ?

— Je n'en sais rien. Il disait beaucoup de choses bizarres. Il prétendait que cette machine pourrait un jour penser comme vous et moi.

— J'ai entendu parler de ça, dit Corell. Mais ça ne peut quand même pas être vrai ?

— En tout cas, difficile d'y comprendre quoi que ce soit.

— Apparemment, ce n'était pas un mathématicien de premier plan", continua Corell sans bien savoir pourquoi.

Ça lui échappa, comme ça, mais il songeait au peu d'espace que Turing avait eu dans la presse. Peut-être aussi voulait-il montrer de l'autorité. Il n'aimait pas entendre Rimmer se gargariser de son incompréhension face aux raisonnements de Turing.

"Il m'a peut-être un peu fait marcher, dit Rimmer. Mais c'était un type sympathique. Il nous a offert du vin et a joué *Cockles and Mussels* au violon, vous savez…" Rimmer chantonna quelques notes : *la la la la.*

"Triste fin, je dois dire", ajouta-t-il.

Corell marmonna quelque chose comme : "Pas étonnant, vu les circonstances, qu'il se soit tué", à quoi son collègue aurait pu répondre tout et son contraire, mais il répliqua en lui parlant d'une dame d'Alton Road à Wilmslow, une certaine Eliza, et demanda si Corell la connaissait. C'était une sacrée bonne femme, un peu sur le retour, peut-être, mais un beau morceau, "avec de ces fesses, qui font plaisir à voir". Rimmer songeait à lui faire signe, il pensait avoir un ticket avec elle, mais Corell dit : "Désolé, je ne la connais pas. En revanche, merci pour cette précieuse conversation.

— Bonne chance pour votre enquête", répondit Rimmer, visiblement dépité par cette fin abrupte – il venait pourtant juste de commencer à parler de choses essentielles comme les fesses d'Eliza – mais Corell n'avait pas le courage d'en écouter davantage, des pensées tout autres occupaient son esprit.

C'était comme s'il était emporté vers une région secrète mais toujours fuyante et, inconsciemment, il enfonça ses ongles dans ses paumes. Alan Turing pouvait-il tout simplement avoir travaillé sur la bombe, d'où l'hystérie autour de lui ? Les mathématiciens ont gagné la guerre, avait dit Turing à Rimmer. Que voulait-il dire, sinon que lui et ses semblables avaient calculé comment faire exploser cette effroyable saloperie ? "Les autorités militaires avaient rassemblé au même endroit Alan et toute une bande de gamins surdoués."

Il revit le visage du frère. "J'ai ma petite idée. Mais comme Alan ne m'en a jamais dit un mot, je préfère garder le silence." Corell décida de laisser tomber. Que faire d'autre ?

Dans la cour, des pigeons picoraient et, un peu plus loin, Alec Block était assis, penché sur quelques papiers. C'était un triste spectacle. Tout, chez Block, exprimait la tristesse et le manque de confiance en soi. Corell songea, non sans se référer consciemment à lui-même, que son collègue aurait pu rayonner tout autrement si les circonstances avaient été différentes. Et il aurait voulu lui demander : "Tu as des soucis ?" ou même "Peux-tu comprendre qu'une personne s'ôte la vie ?", mais il se retint.

"Tu as du neuf ?" dit-il.

Block en avait, pas beaucoup, mais encore quelque chose indiquant que Turing continuait comme d'habitude à organiser sa vie – quelle qu'en soit la valeur. Alan Turing avait réservé un créneau de machine à l'université pour aujourd'hui, mercredi.

"Un créneau de machine ?" demanda Corell.

Oui, c'était nécessaire pour accéder à l'appareil, expliqua Block. Il y avait la queue.

"Quel genre de machine ?

— Une sorte de machine mathématique. Capable de faire des calculs très vite.

— Est-ce qu'on l'appelle cerveau électronique ?"

Block parut interloqué.

"Je ne crois pas, dit-il. Je n'ai pas entendu ça.

— Que comptait calculer Turing ?"

Block l'ignorait. Apparemment, Turing se débrouillait tout seul, là-bas. C'était un peu le drôle d'oiseau et, avec ses titres prestigieux, il allait et venait à sa guise. Ces dernières années, il travaillait surtout dans son coin, en particulier sur les formules mathématiques sous-jacentes au développement de la vie.

"Ça a l'air tordu, je sais, dit Block, en lui rappelant l'attitude de Rimmer. Mais apparemment tout pousse selon des schémas particuliers, il y a des théories mathématiques sur la façon dont une fleur développe ses feuilles. Quelqu'un m'a dit qu'il avait même étudié la croissance des taches du léopard.

— Les taches des léopards", marmonna Corell, en perdant sa concentration.

Les chiffres des carnets d'Alan Turing se remirent à danser dans ses pensées, il songea à son vieux professeur de mathématiques et à quelques autres choses lointaines et, inconsciemment, il ferma les yeux.

Il fut réveillé par une sonnerie de téléphone. Un certain Franz Greenbaum. Corell ne le remit pas tout de suite. Il avait cherché à le joindre plus tôt dans la journée. Greenbaum était psychanalyste, et son nom était marqué en tête des carnets où Turing notait ses rêves. Quand Corell lui exposa le motif de son appel et lui raconta ce qui s'était passé, Greenbaum se tut, très certainement secoué et, lorsque Corell manifesta sans aucun tact son impatience, Greenbaum lui dit qu'Alan et lui étaient plus que patient et analyste, ils étaient des amis proches. Corell marmonna un "Je comprends". Greenbaum répondit sèchement, comme si Corell l'avait critiqué, qu'il travaillait selon les principes de Jung, lequel, à la différence de Freud, considérait qu'on pouvait très bien avoir une relation personnelle avec les patients.

"Quelque chose indiquait-il qu'il envisageait de se suicider ?"

Greenbaum ne le pensait pas. Alan Turing avait repris le dessus. Il s'était rapproché de sa mère. Il avait plongé au fond des choses et il avait beau avoir une nature compliquée, il n'avait aucune prédisposition à broyer du noir, même si Greenbaum ne pouvait bien sûr pas tout dire. Il était tenu par son devoir de réserve.

"Vous pouvez peut-être me dire depuis combien de temps il était en thérapie chez vous ?

— Deux ans.

— Le but était-il de le guérir ?

— De quoi ?

— De son homosexualité.

— Pas du tout. Je ne crois pas à tout ça.

— On ne peut pas la soigner, vous voulez dire ?

— Pour autant qu'il y ait quelque chose à soigner.

— Comment ça ?

— Rien.

— J'ai lu qu'on essayait diverses méthodes scientifiques.

— Foutaises !" ricana Greenbaum.

Il n'avait pas l'air de vouloir poursuivre la discussion, et Corell aurait sûrement mieux fait de changer de sujet. Le psychanalyste montrait des signes d'irritation, ou même de mépris, mais Corell voulait une réponse à sa question :

"Pourquoi ne faudrait-il pas chercher à la guérir ? L'homosexualité rend les gens malheureux et conduit les jeunes à leur perte.

— Puis-je vous raconter une petite histoire, inspecteur ?

— Euh… oui, répondit Corell, décontenancé.

— Un monsieur qui avait été terriblement névrosé, avec plein de pensées bizarres, se pointe chez son analyste et dit : « Merci docteur de m'avoir guéri de mes déviances. Mais qu'avez-vous à me proposer à la place ? »

— Où voulez-vous en venir ?

— Que nos passions sont une part importante de notre personnalité, et qu'en les supprimant, on nous prive d'un élément fondamental. Alan était Alan, et je ne crois pas qu'il ait voulu qu'on l'en guérisse.

— Il prenait pourtant des hormones sexuelles féminines.

— Contraint et forcé.

— En souffrait-il ?

— À votre avis ? Ça vous plairait, à vous ?"

Corell changea de sujet et l'interrogea sur ses carnets de rêves. Rien d'étonnant à ça, dit Greenbaum. Il avait demandé à Alan Turing de noter ses rêves. Les rêves permettaient de voir en soi, selon lui, et Corell qui, en raison de son sommeil mauvais et morcelé, avait avec ses propres rêves un contact plus proche qu'il n'en avait eu depuis bien longtemps demanda si Greenbaum pensait qu'on pouvait déchiffrer les rêves.

"Déchiffrer. C'est drôle que vous utilisiez ce terme, dit le psychanalyste. Mais non, je ne crois pas qu'ils puissent être résolus comme un mystère, ou une équation mathématique. Mais ils peuvent nous permettre de comprendre des choses importantes sur nous-mêmes, par exemple ce que nous refoulons. Inspecteur, puis-je vous demander expressément quelque chose ?

— Ça dépend quoi.

— Je vous somme de ne pas lire ce que Turing a écrit dans ces carnets. Ils n'étaient pas destinés à être vus par un tiers, et encore moins par les forces de l'ordre", dit-il d'un ton de maître d'école qui irrita Corell. Pour cette raison – du moins en partie – il répondit sèchement qu'il respectait bien sûr l'intégrité d'une personne, mais qu'en tant que policier il lui revenait d'arbitrer les intérêts des uns et des autres et que, si Greenbaum savait quelque chose susceptible d'aider la police à établir s'il s'agissait ou non d'un suicide, il était de son devoir d'en parler. D'abord, Corell pensa qu'il n'obtiendrait pas un mot en réponse. Mais Greenbaum semblait vraiment avoir été remis à sa place et c'est nerveux ou du moins hésitant qu'il dit :

"Euh, je ne vois pas… Ah si, quand même, quelque chose me revient, je ne sais pas ce que ça vaut."

Il s'était passé quelque chose à Blackpool. Greenbaum, sa femme, Hilla, et Alan y étaient en mai, une journée magnifique. Ils s'étaient promenés sur Golden Mile, devant la fête foraine, avaient mangé une glace. Sur une vieille roulotte, non loin, un panneau rouge annonçait : *Voyez votre avenir*, et Alan leur avait raconté qu'une bohémienne lui avait prédit qu'il serait doué, un génie, même, quand il avait dix ans. Hilla l'avait encouragé à recommencer, "vous entendrez sûrement d'autres bonnes nouvelles", et Alan avait fini par céder et monter dans la roulotte, où se trouvait une vieille dame avec une grande robe et une sorte de cicatrice au front. Greenbaum pensait qu'Alan ressortirait rapidement, mais ça avait duré. Les minutes étaient passées et, en sortant, Alan était transformé. Blême. "Que s'est-il passé ?" avait demandé Greenbaum. Pas de réponse de Turing. Il refusait d'en parler. Il n'avait presque pas dit un mot dans le bus pendant tout le trajet de retour vers Manchester. Il n'y avait rien à faire. "À vrai dire, ajouta le psychanalyste, c'est la dernière fois que nous nous sommes vus, même si nous savons qu'il a cherché à nous joindre samedi dernier. Ça fait mal d'y penser.

— Donc vous n'avez pas la moindre idée de ce que cette diseuse de bonne aventure a bien pu lui raconter ?

— À part que ça a dû être désagréable.

— Je pensais que leur boulot était de peindre l'avenir en rose ?

— Maudite bonne femme !" cracha Greenbaum de manière inattendue. Corell se souvint de tous les charlatans à Southport, l'été, en particulier d'une vieille dame avec des lèvres brunes poisseuses et de profondes rides au front et aux mains, qui avait passé ses longs ongles rouges sur sa paume et l'avait mis mal à l'aise, alors qu'elle lui avait prédit qu'il trouverait le bonheur auprès d'une mystérieuse fille aux cheveux sombres et deviendrait célèbre grâce à un métier savant. Même alors que l'avenir paraissait radieux, il n'y avait pas cru un instant.

Il n'avait jamais aimé les diseuses de bonne aventure, n'avait même jamais lu de roman à leur sujet, et il n'appréciait pas qu'un scientifique se laissât influencer par elles. Il songea au tableau que cela composait : bohémiennes, machines pensantes, expérimentation sur l'or et le cyanure, marmites de poison qui bouillonnent. Abracadabra, ça sentait l'alchimie à plein nez. Peut-être après tout Alan Turing était-il cinglé.

"Il semblait donc tendu ?

— À mon avis, en tout cas, à ce moment-là mais, sur un plus long terme, il allait beaucoup mieux", dit Franz Greenbaum et, peu après, Corell le remercia et raccrocha.

Cette conversation ne l'avait pas plus avancé, et il sentait qu'il aurait du mal à arriver beaucoup plus loin. Un mur semblait toujours faire obstacle, et même si, à la longue, il finirait bien par y trouver des failles, il ne disposait pas de beaucoup de temps. La diligence avait été ordonnée dans cette enquête. Dès le lendemain soir, le juge d'instruction James Ferns devait statuer sur la cause du décès : pour Corell, c'était honteusement trop tôt, vu tous les points obscurs laissés en suspens. Il aurait vraiment fallu qu'il se concentre sur le cœur du sujet mais, au lieu de faire quelque chose d'utile, il caressa du doigt un des trois carnets de rêves posés sur son bureau.

Le carnet était relié en cuir rouge sombre, avec un petit emblème *Harrod's* dans le coin supérieur gauche. "Je vous somme de ne pas lire ce que Turing a écrit dans ces carnets." Les mots de Greenbaum l'irritaient et donnaient au carnet un nouvel attrait. Il l'ouvrit. À l'intérieur, le titre DREAMS écrit à l'encre bleue semblait à lui seul sorti d'un rêve : le demi-cercle du D devenait le dos du R, formant un signe aux allures d'araignée qui semblait capable de s'en aller sur ses propres pattes. En général, l'écriture était nerveuse, ou plutôt occulte – comme si les lettres elles-mêmes étaient conscientes de porter un sombre secret – mais cette histoire de cartomancienne déteignait sûrement sur sa lecture. Peut-être l'écriture illisible contribuait-elle aussi au sentiment de mystère. Qu'avait bien pu lui raconter cette diseuse de bonne aventure ? Il aurait donné cher pour le savoir. Les superstitions et autre idioties le laissaient indifférent, mais pourtant… quels mots, dans la bouche d'une inconnue, étaient donc capables de complètement désarçonner une personne ?

Cela dépendait bien sûr de toutes sortes de causes – de l'état d'esprit de cette personne, de sa vie. Ce n'était pas le contenu en lui-même qui comptait, mais la corde sensible qu'il touchait. On pouvait être désespéré rien qu'à entendre les mots *pompe à vélo* ou *tracteur*, et il était vain de spéculer sur le sens de ce qui avait été dit. Deux mots se présentèrent pourtant à son esprit : *maudit* et *banni*. *Tu es banni, Leonard. Tu es maudit…* c'est le genre de choses qu'on entend dans ses cauchemars, qu'on ne comprend pas, mais qui peut terroriser : voilà pourquoi il devait lire ces carnets. C'était son fichu devoir, non ? Il y avait peut-être quelque chose d'important dedans, qui expliquait ce qui était arrivé – Greenbaum pouvait aller au diable ! Et à contrecœur, il jeta un œil ici et là sur les passages qui semblaient les plus récents. Ce n'était pas facile. Les phrases étaient difficiles à interpréter et il passait son temps à sauter d'avant en arrière. Il tombait souvent sur le prénom Christopher, *Christopher chéri, mon beau Christopher*. Qui était-ce ? Corell ne trouvait aucun indice. Il lut qu'une nuit Alan Turing dormait dans une pièce allongée et que soudain il se réveillait "en entendant sonner les cloches du couvent". Impossible de savoir de quoi il s'agissait, c'était peut-être dans son rêve qu'il se réveillait, en tout cas tout était sombre et silencieux, et Turing s'approchait d'une "fenêtre en quatre parties" et regardait le ciel avec une lunette. "Par-dessus les toits" brillait la lune. Ça aurait pu être "une belle nuit", mais quelque chose se produisit. "Les étoiles tombèrent." Le ciel fut balayé, "le monde devenait plus petit et plus froid", et Alan Turing comprenait qu'il "se retrouverait seul". La date du 6 février 1930 était notée. "Les pensées volaient toutes seules dans le noir." Un grand deuil semblait l'avoir frappé. Christopher était-il mort ?

Corell continua à lire pour en savoir davantage, mais ce n'était qu'un carnet de rêves, rien d'autre. Il n'y avait pas de fil rouge. À peine notés, les mots étaient emportés et Corell feuilleta jusqu'à une histoire où un jeune homme en culottes courtes écoutait, couché par terre, "un cliquetis de ciseaux, comme à Bletchley", et où une main s'approchait, une main fine qui lui passait sur le corps... Corell reposa le carnet. Jamais il ne lirait ce genre de choses.

Pourtant il continua. Le texte l'attirait, mais non, il refusait, ne voulait pas savoir, c'étaient d'horribles cochonneries et, un instant, il se crut revenu dans les salles froides de Marlborough College, ce fut la goutte de trop. Il se leva, alla chercher trois enveloppes rembourrées. Il y plaça les carnets. Puis il recopia trois fois l'adresse de John Turing à Guildford et les cacheta, ce qu'il devait par la suite regretter. Il semblait visiblement tourmenté car Kenny Anderson lui demanda :

"Tu es en train de nous faire une attaque ?

— Non, non, ce n'est rien.

— Tu es sûr ?

— Absolument. Je me demandais juste. Bletchley, tu sais ce que c'est ?

— Quoi ?

— Bletchley, répéta-t-il.

— On dirait une marque de voiture.

— Je crois que tu penses à *Bentley*. Là, c'est plutôt un lieu.

— Alors je ne sais pas.

— Au fait, tu as vu Gladwin ?

— Je crois qu'il est en congé."

Corell marmonna quelque chose, puis entra d'un pas vif dans le bureau des archives et entreprit de feuilleter un dictionnaire.

12

À Marlborough College, il y avait deux garçons, Ron et Greg. Ils avaient un an de plus que Corell, étaient tous deux fils d'archevêques et, tout en étant très différents, ils étaient dotés du même sadisme raffiné. Que Corell devienne leur cible de prédilection fut probablement le fruit du hasard, mais Leonard était une victime reconnaissante. Il était privé d'amis et de dérivatifs, et il les paya immédiatement dans la monnaie que Ron et Greg appréciaient le plus : une souffrance cuisante et visible. Ces années-là – les années de guerre – on était à l'étroit et on se marchait sur les pieds à l'école. Plus de quatre cents garçons avaient été évacués de Londres à Marlborough pour échapper au Blitz et, même si Leonard, manquant de culot, avait des dispositions à l'invisibilité, il lui était difficile, à la longue, d'y échapper. Un matin d'hiver, alors qu'il montait l'escalier du bâtiment A, il fut arrêté.

"On veut te causer, mec."

Ron était grand, blond et voûté et, aussi incroyable soit la chose chez un gamin de son âge, il semblait menacé par la calvitie. Une tache glabre ornait le sommet de son crâne. Greg était brun, plus petit et costaud. Il n'y avait pas besoin d'être devin pour en déduire qu'il était fort au rugby mais avait du mal à suivre en classe. On lisait dans ses yeux un subtil mélange de brutalité et de bêtise. Il avait beau être d'ordinaire inventif dans la méchanceté, il ne trouva ce jour-là rien à reprocher à Corell. Ce qui n'était pas forcément à l'avantage de Corell. L'absence de prise ne faisait qu'exacerber sa colère, et Greg finit par s'aider du règlement intérieur de l'école. D'après un de ses articles, les manuels devaient être portés sous le bras gauche et ne dépasser qu'un tout petit peu devant, une règle peut-être instituée pour que les élèves ne se fassent pas mal entre eux avec leurs livres, mais dont la principale raison d'être était probablement de permettre aux grands de tourmenter les petits :

"Tes livres dépassent !

— Ah bon ? dit Leonard.

— De quoi ça aurait l'air, à ton avis, si tout le monde portait ses livres comme ça ?

— De quoi ça aurait l'air, si tout le monde passait son temps à arrêter les autres dans l'escalier avec des remarques idiotes ?" Étant donné l'attitude de Corell à l'école jusqu'alors, cette liberté de ton était stupéfiante, mais comme il n'y avait pas de public, personne auprès de qui encaisser son insolence, elle ne lui rapporta pas grand-chose.

Greg n'aimait pas les piques : en réponse, il frappa la poitrine de Leonard et lui ordonna de monter et descendre vingt fois l'escalier de pierre. Galoper en rond dans les escaliers était une punition habituelle dans le bâtiment A. Tandis que Leonard s'y attelait, Ron et Greg restèrent en bas pour le surveiller. Jusqu'alors, Corell n'avait pas eu une relation à son corps bien compliquée. Qu'il soit beau ou laid, il n'y avait jamais songé. Il apprit ce jour-là qu'il avait des fesses de fille.

"Mate les fesses de fille", dit Greg, et ils éclatèrent de rire. Si cela signifiait que ses fesses étaient grosses ou petites, Leonard ne le comprenait pas, mais il sentait bien en tout cas que c'était bien pire que d'être traité d'*idiot* ou de *mauviette*.

Ça s'accrocha et le poissa, et il se sentit nu, alors qu'il était chaudement couvert sous son uniforme d'écolier. Peu après, ils commencèrent à l'appeler *la fille* et, comme toujours dans de telles situations, d'autres reprirent en chœur, pas tous, loin de là, mais assez pour que le nom se répande et devienne une épithète. "C'est une tapette", lança Ron. "C'est pas vrai !" cracha Leonard, mais il ne tarda pas à se mettre à examiner son propre corps avec une méfiance nouvelle, comme si ces affirmations pouvaient être vraies et, chaque jour, il lui semblait découvrir de nouveaux signes inquiétants. Sa poitrine était trop faible et creuse, ses jambes trop fines pour ses hanches, et ses longs cils bien trop féminins : il lui arrivait parfois de ne pas comprendre comment la personne qu'il regardait dans le miroir de la salle de bains pouvait vraiment être lui. N'y avait-il pas quelque part une autre image qui corresponde mieux à la représentation qu'il avait de lui-même ?

Il lui semblait que sa personnalité s'effritait, comme s'il n'était plus capable d'être présent ici et maintenant. Ses pensées s'engloutissaient elles-mêmes, comme empoisonnées par leur introspection. Bien sûr, il haïssait ses tortionnaires et leurs accusations le rendaient fou mais, surtout, il avait honte et se méprisait lui-même : à la fin, il n'eut plus nulle part où fuir, ni hors de lui ni en lui.

À l'école, il était toujours bon, surtout en anglais et en mathématiques, mais il n'était plus le meilleur. Le désir d'apprendre et d'aller de l'avant lui manquait. Parfois, il n'osait même pas lever la main, et devint de plus en plus invisible. Dans aucun domaine il n'osait montrer qui il était et cela se transforma en idée fixe, la pensée constante d'avoir trahi la personne qu'il était autrefois et qu'il était censé devenir. Il lui arrivait de prier Dieu de pouvoir, par un acte de volonté ou un coup de baguette magique, retrouver son ancien moi.

Il était de plus en plus possédé par l'idée que quelqu'un, un professeur, une fille, ou même une idée nouvelle allait l'aider à recouvrer sa vraie personnalité, et qu'un jour il se transformerait en quelque chose de plus grand et riche que le petit garçon inhibé que l'internat avait fait de lui. Mais rien ne se passait, rien que de nouveaux tracas et, même si, avec le temps, il avait appris à porter un regard plus serein sur la vie, cette idée ne devait jamais tout à fait l'abandonner. Après des périodes d'insouciance, elle se ravivait et si, parfois, il lui semblait voir une ouverture, une clairière, il était toujours déçu, et c'était presque contre son gré qu'il laissait à présent l'enquête sur Alan Turing réveiller ses vieux rêves.

13

Corell chercha le paradoxe du menteur dans l'*Encyclopædia Britannica*. Il ne s'attendait pas à trouver une explication à la note marginale de Rimmer dans le procès-verbal de l'interrogatoire, et encore moins à apprendre quoi que ce soit sur le travail du mathématicien défunt, mais il espérait comprendre un peu mieux ce qui l'interpellait dans ce paradoxe.

On indiquait qu'il s'agissait d'une phrase se donnant pour fausse et qui, par là, est vraie quand elle est fausse : par cette contradiction intrinsèque, elle fait s'effondrer notre notion de la vérité, ou du moins la suspend provisoirement.

Un philosophe crétois, Épiménide, y avait pensé plusieurs siècles avant Jésus-Christ. En version originale, cela donnait : "Tous les Crétois sont des menteurs, comme me l'a dit un poète crétois", mais on pouvait le formuler autrement, par exemple sous la forme plus simple : "Je mens." Corell ne savait pas pourquoi, mais cette phrase lui semblait posséder un caractère évanescent. Non qu'il croie vraiment Rimmer quand il écrivait qu'elle aurait provoqué une crise des mathématiques et donné naissance à une machine nouvelle, mais il aimait y réfléchir – cette phrase mettait ses pensées en mouvement – et il essaya d'en trouver des variantes. Entre autres, il murmura : "Je n'existe pas", mais réalisa aussitôt qu'il s'agissait là d'un autre type de contradiction : une phrase qui, étant donné les conditions de la vie, ne pouvait être prononcée sans mentir – et il mit longtemps avant de réussir à changer de sujet. Le paradoxe continuait à occuper son esprit, comme une vieille rengaine qui s'accroche.

Ce n'est que pendant le trajet en bus pour aller voir sa tante à Knutsford qu'il commença à penser à autre chose et, en descendant à Bexton Road, tandis qu'une brise fraîche lui ventilait le visage, il se demanda s'il n'aurait pas fallu apporter quelque chose, une fleur ou un dessert. Mais tout était en train de fermer en ville et, tandis qu'il longeait les villas en calcaire blanc et les façades à colombages, il décida de ne pas s'en soucier et de juste se laisser enivrer par cette soirée et cette sensation provisoire de répit. Knutsford au crépuscule était pour lui synonyme de liberté. Dans un petit moment, il serait assis, un verre de sherry à la main, en train de se lamenter sur sa journée, jusqu'à ce que la conversation passe à quelque chose de plus agréable. Avec sa tante, il parlait librement, sans surveiller sa langue ni cacher ses origines. Il pouvait se montrer ouvertement intellectuel, se référer à n'importe quel livre sans froisser personne et, même s'il y avait quelque chose de gênant à avoir une vieille parente comme meilleure amie, il se hâtait toujours de traverser les rues de Knutsford, comme en route vers quelque joyeuse aventure.

Sa tante ne s'était jamais mariée. Elle avait soixante-huit ans, avait été suffragette dans sa jeunesse, arrêtée après avoir jeté une pierre dans la fenêtre d'un député. Elle s'appelait Victoria, mais on l'appelait Vicky, et elle avait étudié à Girton College à Cambridge. À l'instar de la mère de Leonard, elle n'avait pas achevé ses études, était devenue éditrice chez Bodley Head à Londres et avait publié des critiques littéraires sous le pseudonyme de Victor Carson. Elle avait toujours les cheveux courts et s'obstinait, envers et contre toutes les modes, à toujours porter des pantalons longs. Depuis sa jeunesse, elle se faisait traiter de mégère et de garçon manqué et, indéniablement, elle pouvait s'enflammer dans la discussion, mais Corell n'avait jamais trouvé qu'elle fût hargneuse ou manquât de féminité. Pour lui, il n'y avait pas de mère plus attentionnée, elle veillait à ce qu'il ait toujours bien mangé et bien bu, certes aussi parce qu'elle-même s'enivrait toujours. Elle buvait comme un trou. Ça ne l'empêchait pas de mener sa barque. Malgré l'âge et les rhumatismes, elle marchait toujours avec grâce. On ne pouvait pas la dire riche. Mais elle était la seule dans la famille à qui il restait quelque chose et, n'ayant pas d'enfants ni d'habitudes dispendieuses, à part la boisson et l'achat de livres, elle gâtait Leonard. Elle lui donnait de l'argent de poche et des cadeaux, récemment une radio et le costume en tweed cousu main qu'il possédait depuis plusieurs mois mais n'avait encore jamais porté, pour la simple raison qu'il n'avait pas trouvé d'occasion convenable.

Assez curieusement, eu égard à ses talents en société, elle ne fréquentait presque personne d'autre que Rose, quinze ans de moins, qui montait parfois de Londres passer quelques jours chez elle.

Tandis que Corell s'engageait dans Legh Road, que bordaient tant de très jolies maisons, et approchait de la pelouse mal tondue et des plates-bandes mal entretenues de Vicky, à la vue de sa baraque en briques rouges aux airs de château, jolie elle aussi, mais moins pimpante que celles des voisins, son cœur se serra, il eut peur de ne pas être accueilli avec la chaleur habituelle. Mais il la vit lui faire un signe de la main et sentit alors qu'il était arrivé à la maison.

Vicky portait un chemisier lilas, une veste de cuir cintrée et un ample pantalon sombre et s'appuyait sur une canne noire à tête d'argent qu'elle sortait parfois quand elle se sentait raide.

"Comment ça va ? dit-il.

— Je suis une vieille pie. Mais c'est une belle soirée, et te voilà, alors je vais survivre. Où est donc passé mon petit garçon ? Quel beau jeune homme tu fais."

Il ne dit rien. Il trouvait le compliment idiot. Il s'en réjouit pourtant et entra en inspirant à fond. Le dîner était déjà prêt. Par la fenêtre, il vit la table mise dans la courette et, sans demander, il porta les plats dehors et chassa quelques pigeons attirés sur la table par le pain et le beurre. Au menu, il y avait du *shepherd's pie* avec des haricots et des pommes de terre : ils décidèrent de boire de la *mild ale* avant de passer au sherry et, par précaution, ils s'enveloppèrent dans des plaids gris. C'était une belle soirée, mais il y avait du vent. Vicky se blottit dans son fauteuil et se mit à parler politique. Elle se répandit sur Eisenhower et sa théorie des dominos et il lui arriva de penser à autre chose – à

Julie, surtout – mais, à mesure qu'ils remplissaient leurs verres, l'atmosphère se détendit.

"Tu te souviens de l'histoire amusante que papa racontait à propos du paradoxe du menteur ?

— C'est quoi, déjà, le paradoxe du menteur ?"

Corell lui expliqua.

"Oui… oui… je crois que je vois ce que tu veux dire. Attends voir. Ce n'était pas une histoire de tête de dragon ? Une statue ?

— Il était allé quelque part, à Rome.

— Ah oui, ça me revient, il y a là-bas une tête de dragon et, selon une légende, celui qui y met la main et dit un mensonge ne peut plus la ressortir. C'est bien ça ?

— Oui !

— Mais ton père y avait mis la main et dit… ou plutôt prétendait avoir dit… Je suis presque sûre qu'il avait piqué cette histoire quelque part.

— Moi aussi.

— Elle est trop bien pour être de lui. Bref, il prétendait qu'il avait dit… aide-moi, Leo… j'ai oublié, qu'est-ce qu'il avait bien pu dire ?

— Probablement quelque chose du style : « Je ne pourrai jamais retirer ma main. »

— Exactement, et en effet, c'était très malin.

— Très.

— Pourquoi, déjà ? Ces trucs-là me donnent le tournis.

— Parce que le pauvre dragon avait dû être bien embêté, répondit-il. Que faire ? S'il gardait la main, alors la phrase de papa était vraie, et il pouvait la retirer. Mais si la statue le laissait la retirer, la prophétie devenait fausse. Et alors on pouvait mentir et garder ses doigts. Cette phrase mettait le dragon complètement hors jeu.

— Pauvre dragon. Qu'est-ce qui t'a fait penser à ça ? dit-elle en avalant encore un verre de sherry.

— Bah, je ne sais pas…"

Il ne savait pas bien quoi dire.

"… peut-être parce que j'ai toujours cru que le paradoxe du menteur n'était qu'un mystère amusant, une petite bizarrerie, mais je viens d'apprendre que des contradictions comme celle-ci ont causé des problèmes à la science mathématique, continua-t-il.

— Ah bon ?" dit-elle, l'air soudain las.

Sa main qui tenait le verre tremblait un peu, et ses cernes semblaient inhabituellement marqués.

"Tu prends bien soin de toi, hein ? dit-il.

— Je suis un vrai hôpital ambulant. Alors, qu'est-ce qui se passe au commissariat ? Allez, des ragots ! Parle-moi de tes idiots de chefs !

— Tu n'imagines pas comme ils sont crétins !

— Surtout ce Ross.

— Surtout lui ! En ce moment, il trouve que la chose la plus importante du monde est de coincer un type qui a déposé des ordures.

— Mais toi, tu n'es pas sur quelque chose d'intéressant ? Tu n'aurais pas pour moi quelques révélations sur la pègre ?"

Elle l'encouragea d'un sourire.

"J'enquête sur la mort d'un homosexuel.

— Un homosexuel ? Quelle chance que ce ne soit pas un hétérosexuel !" répondit-elle avec un sarcasme inattendu.

Corell sursauta.

"Ce n'est pas ce que je voulais dire, s'offusqua-t-il.

— Non ? répondit-elle. D'habitude, ce n'est pas ta préoccupation première, l'orientation sexuelle de tes morts.

— J'ai précisé uniquement parce que ça a de l'importance dans ce cas. L'homme a été condamné pour indécence manifeste, et nous pensons que le désespoir qui s'est ensuivi l'a poussé à se suicider.

— Ah, d'accord. Et il faisait quelque chose, à part être homosexuel ?

— Oui, fit-il, fâché.

— Alors comme ça, il ne faisait pas la tapette à temps plein ? Comme c'est rageant. On ne prend plus le temps de s'amuser, de nos jours."

D'où venait cette soudaine aigreur ?

"Il était mathématicien, grommela-t-il.

— Voyez-vous ça. Un penseur, donc. Où avait-il étudié ?

— À King's, à Cambridge.

— Toi aussi, tu étais doué autrefois, reprit-elle dans une tentative évidente de réchauffer l'ambiance.

— J'étais, oui, répondit-il, conscient de son ton d'enfant offensé.

— Tu peux me parler du procès qu'on a intenté à cet homme ? Ça devrait m'intéresser. Et excuse mes piques, mon petit. Je me sens patraque aujourd'hui, comme tu as remarqué.

— Ce n'est pas grave", répondit-il.

Il se sentait pourtant toujours fâché. Au travail, il avait appris à supporter qu'on lui parle à peu près sur tous les tons imaginables, mais chez sa tante, il était un peu plus sensible et il lui fallut un moment pour retrouver son équilibre : ce n'est qu'en lui parlant des œstrogènes que sa voix retrouva un brin de conviction.

"Terrible, dit-elle, son récit achevé. Terrible.

— Oui.

— Je peux te demander une chose, Leo ? Mais ne le prends pas mal. Tu trouves que c'était juste de condamner cet homme ?

— Oui, je trouve…", commença-t-il, avant de s'interrompre au milieu de sa phrase.

Il lui semblait voir les lèvres de sa tante former un nouveau sarcasme.

Allait-elle remettre ça ?

"C'était cruel de lui donner cette hormone féminine, dit-il. Il a l'air d'avoir un peu servi de cobaye. Mais pour le reste, je trouve ça juste, vraiment. Il a enfreint la loi, la société doit marquer le coup. Ça pourrait faire tache d'huile.

— Et en quoi cela serait-il si grave ?

— Tout d'abord parce que cela rend les gens profondément malheureux et les rejette à l'écart de la société.

— Mais ce n'est quand même pas la faute des homosexuels ?

— La faute de qui, alors ?

— La nôtre, bien sûr. C'est nous qui les rejetons.

— Mais mon Dieu, Vicky…" Il se sentait soudain indigné. "Ils ont eux-mêmes choisi leur voie, et on dira ce qu'on voudra, on ne peut pas vraiment considérer ça comme quelque chose de naturel.

— En quoi ?

— Enfin, ça va de soi.

— Ah bon ? Et depuis quand la nature nous sert-elle de modèle ? Il s'en passe des vertes et des pas mûres, de ce côté-là. Tu n'as jamais remarqué ? Faut-il prendre exemple sur tout ? Dévorer notre partenaire, comme le font les araignées ?

— Ne dis pas de bêtises. Mais le couple homme-femme, c'est quand même bien la base de notre survie, non ? Si tout le monde était pédé, notre espèce s'éteindrait.

— Que je sache, tout le monde n'est pas pédé.

— Mais ils sont de plus en plus nombreux.

— Vraiment ?

— Toutes les recherches le montrent.

— Jolies recherches !

— Qu'est-ce que tu en sais ? Je viens d'en parler à notre surintendant, que d'ailleurs je connais assez bien…, commença-t-il, en se trouvant snob.

— Je remarque que tu es blessé, l'interrompit sa tante. Mais je ne peux pas m'empêcher d'être sincèrement surprise.

— De quoi ?

— De voir le fils de James Corell, qui, toute sa vie, a prêché la tolérance et le respect, parler de cette façon.

— Ne me ressors pas encore ce raté. Je ne veux pas en entendre parler, cracha-t-il avec un emportement inattendu.

— Là, tu es juste bête, le moucha-t-elle.

— Pas du tout.

— Si, tu es injuste et susceptible.

— Cet idiot ne m'a pas fait assez de mal comme ça ? Il faut encore que tu me le jettes au visage ?

— James était un baratineur, un menteur et un panier percé mais, à bien des égards, c'était aussi quelqu'un de bien, tu le sais très bien, Leo, et avant tout il faisait preuve de courage politique, et ça ne te ferait pas de mal de…

— … de l'imiter, c'est ça que tu veux dire ? Que je suis un lâche, un raté, une mauviette ?

— Pour l'amour de Dieu, Leo, qu'est-ce que tu racontes ? Je trouve que tu es une personne formidable, tu le sais bien… Je veux juste dire que…

— Oui, qu'est-ce que tu veux dire, à la fin ?"

Il n'arrivait pas à comprendre pourquoi il se mettait ainsi dans tous ses états.

"Que tu aurais pu te bouger pour ce pauvre homme. Je suppose que tes collègues se moquent de lui eux aussi.

— Je ne me moque pas de lui. Il est mort. J'ai un grand respect pour...

— Bon, bon. Dis-moi plutôt, Leo, pourquoi tu as des problèmes avec les homosexuels ?

— Je n'ai pas de problèmes avec eux.

— Il t'est arrivé quelque chose ? Je sais que tu as eu des expériences désagréables à Marlborough ?

— Il ne m'est rien arrivé. Je considère seulement que les homosexuels sont nuisibles pour la société et qu'ils affaiblissent notre morale.

— Tu te mets à parler comme un prêtre. Je peux te raconter quelque chose ?

— Bien sûr, répondit-il, fâché.

— Tu parles de la nature. Les chrétiens aussi. Nous devons vivre selon la nature, disent-ils, mais surtout pas comme les cochons, les chiens ou les mouches. Mais regarde, Leo : et si la nature avait justement prévu les homosexuels pour notre survie, pour nous donner de nouvelles perspectives ? Tu as réfléchi à combien d'idées nouvelles viennent de personnes avec cette orientation ?

— Je ne sais pas.

— Rien que dans mon domaine, la littérature. Combien d'homosexuels n'y trouve-t-on pas ? Proust, Auden, Forster, pour n'en citer que quelques-uns, Isherwood, Wilde, Gide, Spender, Evelyn Waugh, bon, lui, je ne suis pas sûre et puis Virginia Woolf, paix à son âme.

— Elle était pourtant mariée.

— Mais elle aimait Vita Sackville-West. Tu ne t'es jamais demandé pourquoi ils étaient si nombreux ?

— De quoi tu parles ?

— Ceux qui sont différents pensent souvent différemment.

— Ce n'est pas parce que c'est différent que c'est forcément bien.

— C'est vrai. Parfois, les conventions sont dans le vrai. Parfois, mais ce n'est pas habituel. Cet homme, qui est mort, qu'est-ce qu'il avait fait, tu es au courant ?

— Je commence tout juste à travailler dessus. Mais je crois qu'il s'occupait de machines, répondit-il, content qu'elle ait changé de sujet.

— Des machines ? s'étonna-t-elle. Ça ne ressemble pas à un mathématicien.

— Pourquoi ?

— D'habitude, ils ne s'abaissent pas à des tâches d'ingénieurs. Tu sais ce qu'on dit. Les mathématiques, c'est l'art de l'inutile, un peu comme l'art pour l'art.

— Je ne crois pas qu'il ait été un mathématicien particulièrement doué, dit-il en répétant ce qu'il avait dit à Eddie Rimmer.

— Bah, ça n'a plus aucune importance, à présent. Pauvre diable !

— Ça…

— Pense un peu… il ne fait de mal à personne, il se contente de suivre sa nature, il cherche le plaisir et l'amour, comme nous tous, « l'amour qui n'ose dire son nom », pour parler comme Oscar Wilde, et pour ça il va être outragé, persécuté et poussé vers sa mort. C'est juste ?

— Pas tout à fait.

— Mais presque, visiblement.

— Arrête, enfin !"

Qu'avait-elle ?

"Il allait cueillir des criminels sur Oxford Road, continua-t-il, tu connais, c'est l'endroit le plus sordide que j'aie vu, plein de…

— De quoi ? le coupa-t-elle.

— De criminels et de débauchés.

— De malheureux, comme aurait dit Dostoïevski.

— Arrête, avec tes romans !

— Mais enfin, mon Leo. Ce n'est pas toi qui aimais les références littéraires ? Mais que voulais-tu donc qu'il fasse, cet homme ? Il ne pouvait pas vraiment inviter ses partenaires au bal. Tu ne disais pas qu'il a étudié à King's ?

— Ça n'arrange pas son cas, ricana Corell.

— On dit qu'à King's un étudiant sur deux est homosexuel.

— Ça m'étonne.

— Oh si, reprit-elle. Un sur deux, je te le dis, moi. Ils ne sont peut-être pas plus nombreux qu'ailleurs, mais on les remarque, et on peut se demander pourquoi. Les Apôtres y sont certainement pour quelque chose.

— Qui ?

— Un petit club d'élite de King's et Trinity, où ton père aurait bien voulu entrer, en vain. Keynes, l'économiste, en était un des moteurs à l'époque. Je me demande si Wittgenstein n'en était pas aussi. Forster, c'est sûr. Les Apôtres encensaient l'homosexualité. Lytton Strachey en parlait même comme la sodomie supérieure – bien plus raffinée que la banale union biblique.

— C'est la pire chose que j'aie jamais entendue.

— Tu trouves ? Pour moi, les homosexuels peuvent bien avoir besoin de quelques encouragements. En général, ils ne sont pas souvent applaudis.

— Ce n'est pas drôle, Vicky.

— Je n'essaie pas de l'être. J'essaie juste de dire que les homosexuels sont maltraités, plus mal même que nous les femmes, ce qui n'est pas peu dire. Notre défunt ami a dû être arraché à une étreinte douillette à Cambridge pour atterrir dans un nid de préjugés glacial comme Manchester. Pourquoi nous sommes-nous donc installés dans cette région, Leo ? Incompréhensible ! As-tu jamais vu de ville plus laide ? Pourquoi n'avons-nous pas choisi une meilleure région ?"

Il ne répondit pas. Il se sentait incompris. Elle était d'humeur railleuse et, d'habitude, cela ne lui posait aucun problème. C'était une joie de la voir se moquer du monde mais, cette fois, il était lui-même la cible de sa raillerie, et ça lui faisait mal. Elle était un refuge pour lui. Plus que personne, il fallait qu'elle soit de son côté. Elle l'accusait à présent d'être intolérant, et c'était sacrément injuste. Ne l'avait-il pas toujours soutenue, sur les droits des femmes ? N'avait-il pas lui aussi dénoncé les mauvais traitements subis à Londres par les Indiens et les Pakistanais ? Sa tolérance avait des limites, c'était tout et, franchement, sa tante aurait dû comprendre que ce n'était pas rendre service aux homosexuels que de les laisser continuer comme ça. Mon Dieu, il s'agissait de gens qui, en connaissance de cause, choisissaient de se livrer à des actes contre nature et pervers et, même si elle l'aurait certainement balayé d'un revers de la main comme un triste moralisme, c'était un fait : une déchéance en amène une autre. Il le savait d'expérience. La somme des vices n'était pas constante. Chacun en faisait naître un autre. Mais il n'avait plus le courage de se disputer. Il voulait retrouver sa bonne vieille Vicky, aussi tendit-il une main en signe de réconciliation et se mit-il un peu à nu, ce qui lui coûtait, mais était d'habitude un truc infaillible pour adoucir sa tante :

"Cet homme…, commença-t-il.

— Oui ?

— Ça devait être quelqu'un de bien. Un peu naïf, peut-être, et porté aux exagérations, mais aimable, jamais arrogant et, parfois… je ne sais pas… je crois que je l'envie pour sa vie et ce qu'il a pu étudier. Figure-toi que le seul fait de réfléchir à ce paradoxe du menteur m'a réjoui, et parfois, j'aurais aimé…

— Quoi, mon cher ?

— … pouvoir m'y consacrer.

— Qu'est-ce que tu veux dire ?"

Il ne savait pas vraiment quoi répondre.

"Il a coupé à Marlborough, dit-il juste, en entendant bien l'amertume de sa voix. Il aurait dû y entrer, mais son frère le lui a déconseillé, et il est parti étudier à Cambridge.

— Et tu aurais aimé faire de même.

— Il n'y avait pas l'argent.

— Ça aurait pu s'arranger, tu le sais. Mais tu ne voulais pas, tu voulais tout quitter, et je pense que c'était ce dont tu avais besoin. Qui sait, ça s'avérera peut-être un bon choix, à la fin ?"

Devenir policier ? Les bêtises qu'elle pouvait dire, mais elle ne pensait pas à mal, il le savait. C'était tout simplement que certaines choses supportaient mal d'être nommées. Découragé, il se tourna vers le mur couvert de lierre. Sa tante lui caressa alors la joue. Ses doigts étaient rêches sur ses pousses de barbe. Ils sentaient le tabac.

"Allez…, dit-elle.

— Je t'en prie !"

Il ôta sa main.

"Les gens parlent d'envie à tort et à travers. On devrait l'enlever de la liste des péchés capitaux.

— Ma chère Vicky, ce soir, tu dis beaucoup plus de bêtises que d'habitude.

— La jalousie n'a rien de honteux, pourvu qu'on en soit conscient. Elle peut même être constructive.

— Foutaises.

— Malheureusement, il est courant que les gens prennent leur envie pour une sorte d'indignation franche face aux erreurs des autres, et c'est là qu'elle peut être désagréable, ou même dangereuse, mais sinon…

— Quoi ?

— Écoute un peu la voix de la sagesse. Sans envie, il ne se passe pas grand-chose de par le monde. Je pense que c'est une bonne chose, que tu envies les connaissances de cet homme."

Il ne dit rien. Il vida son verre et baissa les yeux vers la table blanche à la peinture écaillée. Vicky alluma une cigarette qu'elle ficha au bout d'un long porte-cigarettes sombre, puis se mit à parler d'autre chose, mais une telle inquiétude s'était éveillée en lui qu'il se contenta de répondre des "oui" et "très bien", sans savoir bien à quoi, jusqu'à ce qu'il comprenne que sa tante parlait de la prochaine éclipse solaire.

"On pourrait s'installer ici, au jardin, et siroter des drinks pendant que le monde s'obscurcit ? continua-t-elle.

— Je ne suis pas sûr d'être libre, répondit-il. C'est en plein milieu de la journée, non ?

— De nuit, une éclipse de Soleil n'a pas beaucoup d'intérêt."

Plus tard, une fois couché à l'étage dans le lit auquel il aspirait tant, ses pensées désagréables lui revinrent et, conformément à leur cruelle logique, se renforcèrent à mesure qu'il tentait de les refouler, si bien qu'il se tourna et retourna sur son matelas jusqu'à ce que l'horloge de sa tante sonne trois coups dans le hall et qu'il descende sur la pointe des pieds en arrêter le battant. Il faisait comme un œuf dans sa main. Il regarda ses pieds, et se sentit transporté dans le passé. Marlborough

College demeurait chez lui une part d'ombre. Ce n'était pas seulement le souvenir des quolibets *la fille* ou *la fiotte*, ou l'évocation des coups et des caresses pour se moquer de lui sous la douche et au dortoir.

C'était d'avoir laissé faire. Son père avait un jour dit que, face à une crise, on n'avait le choix qu'entre la lutte ou la fuite et, sur le moment, cela avait semblé vrai ; son père avait pourtant oublié une troisième voie, Corell l'avait lu par la suite. On peut aussi faire le mort, comme le chien sibérien, et, en repensant à ses années à Marlborough, il réalisait que c'était exactement ce qu'il avait fait. Il était comme paralysé et avait beau se jurer de se battre, de protester, d'être un homme, rien ne s'était passé, rien de rien, et parfois, quand il était d'humeur particulièrement sombre, il se disait que sa vie avait continué de la même façon à Wilmslow.

À maintes reprises, il avait résolu de quitter la police pour trouver mieux et plus digne. Pars ! s'ordonnait-il, mais il n'avait pas bougé. La force lui manquait pour s'arracher mais un jour, se dit-il, un jour, et, bercé par cette vague promesse, il parvint à s'endormir aux petites heures du matin.

*

Au même moment, un homme au grand corps endolori dénommé Oscar Farley se leva de son lit d'hôtel à Manchester et regarda la fumée de charbon qui couvrait la ville. À la différence de Corell, il avait dormi profondément, mais ce n'était que grâce aux somnifères et aux analgésiques qu'il avait pris la veille : vu son état, il devait avoir frôlé l'overdose mortelle. Il avait une violente nausée, et le mal de dos dont il souffrait depuis quatre jours semblait pire que jamais. "Mon Dieu", murmura-t-il, immobile, appuyé au lavabo blanc avec une grimace qui donnait à son beau visage l'air vieilli, ou même mourant. Pourtant, ce n'étaient pas ses douleurs qui tourmentaient le plus Oscar Farley. Il pensait à Alan Turing, Alan sur la table d'autopsie à Wilmslow, Alan penché sur un trou, au pied d'un sophora du Japon à Shenley, et il se sentit coupable, non pas la culpabilité directement liée à un crime ou à un péché, mais le sentiment plus indéfini et dérangeant d'avoir été un homme mauvais. *L'avons-nous tué ?*

Certes, Farley était personnellement intervenu pour Turing, et tout s'était passé dans les règles, mais il y avait cependant quelques passages désagréables dans cette histoire. Plus Farley y pensait, plus il se repassait le déroulé des événements, plus il avait le sentiment que quelque chose lui échappait, qui pouvait à tout moment leur exploser au visage. Ce n'était pas seulement de savoir dans quoi Alan était compromis, ni même ses voyages à l'étranger, ni l'ambiance électrique à Cheltenham. C'était l'impression qu'il avait laissée derrière lui.

Y avait-il vraiment une lettre, une note explicative, quelque part ?

Farley regarda autour de lui, comme si cette lettre avait pu atterrir dans sa chambre d'hôtel, et il se demanda s'ils n'avaient pas un peu cédé à la précipitation en passant la maison au peigne fin. Pouvaient-ils avoir manqué l'évidence, un peu comme celui qui cherche ses lunettes partout sauf sur son nez ? Ou bien les policiers arrivés les premiers sur les lieux avaient-ils malgré tout emporté quelque chose, quelques lignes – avec leurs compétences limitées, ils auraient été incapables de les interpréter ou d'en comprendre l'importance ? Bien sûr, ce n'aurait pas été le style d'Alan d'étaler ses états d'âme dans une lettre, mais il pouvait très bien avoir laissé un indice, un signe pour dire que l'Angleterre n'avait pas à s'inquiéter. Au milieu de toute son excentricité, il avait bien un côté attentionné, non ? Farley regarda sa montre. Pouvait-il aller voir son collègue ? Il fallait qu'ils discutent stratégie avant la série de leurs rendez-vous du jour. Non, il était encore trop tôt, et d'ailleurs il n'en avait pas envie.

Robert Somerset faisait partie de ses amis au sein de l'organisation, mais quelque chose avait eu lieu ces derniers jours. Comme si cette mort les avait éloignés. Farley avait commencé à déceler chez Robert, comme chez beaucoup d'autres, les mêmes traces de méfiance maladive envers tout ce qui était déviant ou bizarre – ou qui avait le moindre rapport, même lointain, avec Burgess ou Maclean : Farley devinait que c'était le propre de l'hystérie de s'attaquer d'abord à ceux qui étaient déjà excités, puis de se répandre même chez les plus sensés. N'était-il pas lui-même en train de devenir paranoïaque ? Tandis qu'Oscar Farley s'habillait péniblement en essayant de rendre à son visage une couleur plus saine – il se donna quelques petites gifles –, il se souvint de la seule fois où il avait vu Alan pleurer, mais ses larmes n'étaient pas de vraies larmes et, en y pensant, il sourit et sentit que cela lui faisait du bien.

La journée allait être longue.

14

Le soleil brillait sur Knutsford au matin du 10 juin 1954. Leonard Corell, assis dans la cour pavée, en robe de chambre bleue à franges, buvait un Earl Grey en écoutant Cole Porter à la radio quand sa tante, d'un pas quelque peu instable, arriva avec le plateau du petit-déjeuner.

"La totale !

— Oh, là, là !" répondit-il, sincèrement enthousiaste – en effet, les victuailles débordaient : toasts, boudin, tomates, haricots à la sauce tomate, boulettes de pommes de terre, champignons, bacon, jus d'orange et œufs.

Il n'aurait pas besoin de remanger avant le soir et, avec un grand sourire, il avoua avoir arrêté la pendule. Elle répondit qu'elle avait parfaitement vu le moment où le crime avait été commis et lui demanda s'il avait seulement réussi à dormir. Il dit que oui, qu'il se sentait reposé, ce qui n'était pas qu'un mensonge. Il trouvait une sorte de repos dans sa fatigue, un épuisement agréable qui tuait son inquiétude et, assez satisfait malgré tout, il commença à lire le *Manchester Guardian* qui attendait, bien plié à côté du plateau. Rien ne retint son attention. Il aurait préféré se plonger dans un livre, comme sa tante, qui feuilletait *Le Sablier* de Yeats, mais il n'avait pas le courage d'aller chercher quelque chose. Il dut se contenter de glaner quelques nouvelles dans le journal, comme par exemple que la BBC allait également diffuser des informations télévisées, que la Chambre haute avait débattu de l'obligation faite aux policières en Écosse de démissionner quand elles se mariaient, ou qu'un collègue de Douglas-Dundee avait volé cent vingt livres dans la caisse de la police et que son avocat le défendait en arguant que son client fréquentait des gens d'un milieu social plus raffiné que le sien, ce qui fit un peu sourire Corell, qui au fond n'en avait que faire. Puis il se figea.

Dans la colonne de gauche de la page onze, il y avait un article sur Alan Turing. Pas grand-chose. Une nécrologie un peu étoffée. Mais c'était l'enquête de Corell et, quand quelque chose le concernait dans la presse, surtout les rares fois où son nom était mentionné, le monde s'arrêtait de tourner et il avait peur. Et pourtant, il aimait ça. Dans la presse, chaque mot à son sujet donnait naissance à des rêveries mais, avant de comprendre de quoi il s'agissait, il éprouvait toujours d'abord l'inquiétude d'être humilié ou ridiculisé : il parcourut donc l'article d'un œil inquiet et nota, déçu, que son nom n'y figurait pas et que quelqu'un d'autre, au commissariat, probablement Block, avait fourni des informations. L'article s'intitulait "Nécrologie", et était très bienveillant. Il commençait ainsi :

Une audience aura lieu aujourd'hui au sujet du Dr Alan Mathison Turing, professeur de mathématiques à l'université de Manchester depuis 1948, retrouvé mort mardi après-midi à son domicile d'Adlington Road, à Wilmslow.

Après un récit bref et assez correct des circonstances de la mort de Turing, l'article poursuivait :

Le Dr Turing était un des pionniers du calculateur électronique dans notre pays. On considère qu'il a jeté les bases théoriques de la machine digitale. À Manchester, il a été l'un des scientifiques à l'origine du "cerveau mécanique", baptisé Madam (Manchester Automatic Digital Machine), et du prototype ACE (Automatic Computer Engine).
L'une de ses machines, affirmait-il, avait résolu en quelques semaines un problème mathématique qui occupait les mathématiciens depuis le XIXe siècle. Avec le Pr F. C. Williams, lui aussi de l'université de Manchester, il a découvert deux mécanismes ayant fortement contribué à améliorer la "mémoire" et la capacité des calculateurs.

Dans un article de la revue *Mind*, le Dr Turing semble parvenir à la conclusion que le calculateur digital sera un jour capable de ce qui s'apparente à la "pensée". Il y a aussi discuté la possibilité d'entraîner une machine comme on élève un enfant.

Corell leva les yeux du journal. Il n'aimait pas cet article. Il avait l'impression d'un mélange de spéculation et de faits enjolivés, et il n'était pas beaucoup plus avancé. Élever une machine comme un enfant ? Mais encore ? Une formule séduisante, à coup sûr – qu'elle soit l'œuvre du journaliste ou de Turing lui-même – mais pas un mot pour expliquer ce qu'elle pouvait signifier. C'était sûrement un non-sens, ou un pur fantasme. Probablement l'auteur de l'article ne savait pas lui-même de quoi il parlait. Corell se souvint de la phrase du procès-verbal où Alan Turing déclarait à Arnold Murray qu'il construisait un "cerveau électronique" : Corell y avait vu un mensonge, une de ces phrases que les savants distillent pour séduire ou impressionner. Cependant, ici, on parlait vraiment d'un cerveau, non pas électronique, mais *mécanique* et, même s'il s'agissait là aussi de jargon, d'une phrase censée être spectaculaire, c'était en tout cas une expression employée, un mot parmi d'autres, qui se référait à quelque chose. À quoi ? On trouvait toute une série de termes, le dernier étant *machine digitale*. *Digit* signifiait chiffre en anglais, de *digitus* doigt, compter sur ses doigts. Il se souvenait encore un peu de son latin d'écolier.

"Sais-tu ce qu'est une machine digitale ? demanda-t-il à Vicky.

— Pardon ?

— Laisse tomber."

Il engloutit bacon et boulettes de pommes de terre, éclusa son thé qui avait refroidi et continua sa lecture, apprenant que Turing avait servi au ministère des Affaires étrangères pendant la guerre et qu'il appartenait à l'Académie royale des sciences. Ses loisirs étaient la course de fond, les échecs et le jardinage. Les derniers mots de l'article étaient : "Il courait au Walton Athletic Club." Corell ricana. C'était comme à Marlborough. Voulait-on montrer que quelqu'un était un garçon bien, l'essence même de l'Anglais pur sucre, on disait où il faisait du sport. Tous les bons garçons faisaient du sport. En plus, il était mort, et les morts ont toujours toutes les qualités. Des défunts, ne dis rien de mal ! *De mortuis nihil nisi bene !*

"Hypocrisie, dit-il.

— Quoi ?"

L'hypocrisie était le sujet préféré de sa tante.

"Rien. Je peux découper un article ?

— Tu peux fourrer tout le journal dans ta poche, mon cher, mais j'aimerais que tu cesses ces cachotteries. Qu'a donc cet article pour que tu réagisses ainsi ?

— Il parle de l'affaire sur laquelle je travaille.

— Ah, je vois. Dans ce cas, j'exige de le lire", dit-elle et, instinctivement, il aurait voulu refuser.

Il n'avait aucune envie de rouvrir les plaies de la veille, et puis il voulait garder son mathématicien pour lui, surtout à présent qu'il n'allait pas savoir répondre aux questions de sa tante – mais, bien sûr, il lui tendit le journal et elle se jeta sur l'article. Après, elle sembla particulièrement enthousiaste.

"On dirait une nouvelle d'Edgar Poe, dit-elle. Élever une machine, c'est bien ça ? C'est dingue, j'adore.

— Ça fait plutôt peur.

— En tout cas, ça fait réfléchir. C'était apparemment un penseur libre, pas du tout l'ingénieur terne dont tu parlais hier.

— Moi, j'ai dit ça ?

— Je confonds peut-être.

— En revanche, je crois qu'il avait une case en moins, continua-t-il.

— Là, tu es un peu dur.

— Mais je sais qu'il a dupé…

— On parle de lui avec un grand respect, en tout cas, le coupa-t-elle.

— Comme de tous les morts.

— Il est écrit qu'il a jeté les bases théoriques de quelque chose, que sa machine a résolu un problème difficile. Ça n'a pas l'air d'avoir été un imbécile.

— Je suppose que l'auteur de l'article ne savait pas de quoi il parlait.

— Explique-moi ce qu'il en est, alors.

— Je ne suis pas non plus spécialement au courant.

— Tu n'aimerais pas en savoir plus, vu que tu t'occupes de cette affaire ?

— Ça ne fait pas partie de mon travail !

— Ah non ?

— Les machines n'ont rien à voir avec sa mort", dit-il, maussade, en reprenant le journal pour découper l'article mais, au même instant, il se sentit ennuyeux, ou même percé à jour et, comme il devait bientôt reprendre le bus pour Wilmslow et ne voulait pas quitter sa tante en mauvais termes, il tenta de plaisanter. Il déclara, comme un soldat à son supérieur :

"Je promets de me renseigner sur ces machines et de venir au rapport !

— J'y compte bien."

15

Leonard Corell arriva au commissariat volontairement un peu tard, car il savait qu'il serait forcé de faire des heures supplémentaires. Il avait beau se sentir assez bien en montant l'escalier, son humeur noire le reprit en entrant dans le service criminel. L'air était étouffant. Ça sentait le tabac et la mauvaise haleine. Kenny Anderson but quelques gorgées de whisky sans même se planquer, et Corell ouvrit la fenêtre. *Pourquoi Vicky était-elle idiote à ce point ?* Sa dispute avec elle la veille, son irritation aux petites heures, ce n'était pas grand-chose – rien, en fait – mais il n'arrivait pas à s'en défaire. C'était la plaie, avec sa tante. Il montait en épingle la moindre anicroche dans des proportions absurdes. Comment pouvait-elle défendre… ?

"Aujourd'hui, je veux juste me bourrer la gueule", se lamenta-t-il tout haut, tellement en accord avec Kenny Anderson que c'en était touchant – mais quand son collègue proposa une soirée au pub après le travail, *vade retro*, Corell fit semblant de ne pas entendre et se mit pour de bon au travail. C'était laborieux. Il accusait le coup de sa nuit d'insomnie et se réjouit sincèrement quand Alec Block vint le voir.

"Tu devrais regarder ça, lui dit-il.

— Qu'est-ce que c'est ?"

Quelques documents du bureau d'avocats Chester & Gold de Manchester, glissés dans un sobre classeur noir. En les parcourant, Corell fut nettement déçu – assez difficile de dire pourquoi, mais il devait rédiger un rapport sur les circonstances de la mort d'Alan Turing en vue de l'audience officielle prévue dans la soirée, et ces papiers ne lui facilitaient pas la tâche. Si, jusqu'alors, son verdict n'allait pas de soi, c'était terminé. À seulement quarante et un ans et en pleine santé, Alan Turing avait rédigé un testament en février de cette même année. En soi, ce document n'était pas particulièrement détaillé, et ne contenait aucune effusion poétique ou dramatique sur le fardeau de la vie. Ce n'était qu'une liste sèche d'instructions stipulant qu'un certain écrivain nommé Nick Furbank était désigné comme exécuteur testamentaire, que l'argent, les livres et les objets de valeur devaient être répartis comme ci et comme ça – mais impossible que ce soit un hasard si c'était si récent.

Un homme de quarante et un ans, censé avoir la moitié de sa vie devant lui, ne va quand même pas coucher par écrit son testament sans une idée derrière la tête ? Certes, Corell se doutait que rédiger ses dernières volontés pouvait avoir une saveur douce-amère – un peu comme imaginer son propre enterrement. Mais non, se dit-il, ce ne pouvait pas être un hasard, une lubie sentimentale. Tout mis bout à bout, le procès, ses suites, l'humiliation sociale et la pomme empoisonnée, ça commençait à faire beaucoup. Fermez le ban : diable, c'était clair, Alan Turing s'était suicidé !

Le testament indiquait que la gouvernante, Mrs Taylor, hériterait de trente livres, et les membres de la famille de son frère John de cinquante livres chacun, ce qui serait vraisemblablement une déception, et peut-être aussi un signe d'Alan Turing. Le reste – ce qui, rien qu'en comptant la vente de la maison, devait s'élever à plusieurs milliers de livres – serait partagé entre sa mère et quatre amis, Nick Furbank, David Champernowne, Neville Johnson et Robin Gandy… Robin. *Cher Robin…* Corell se rappela soudain la lettre qu'il avait ramassée à Adlington Road. Comment avait-il pu l'oublier ? Selon le testament, Robin Gandy devait hériter des livres de mathématiques de Turing. Il semblait avoir été le favori. C'était sans doute celui à qui Turing adressait des lettres personnelles. D'un geste rapide, Corell plongea sa main dans la poche intérieure de sa veste et allait en sortir la lettre pour la lire quand le commissaire Richard Ross entra. Quoi, encore ? Ross était rougeaud et contrarié, comme d'habitude, mais aussi quelque peu désemparé, comme s'il venait de subir une avanie.

"Là, chapeau bas, dit-il.

— Comment ?

— Vous avez une visite VIP.

— Encore ?

— Pas de quoi pavoiser", dit Ross. Corell n'avait pas du tout l'air de pavoiser. "J'ai demandé à être présent, continua le commissaire. Mais ils veulent vous parler en particulier. Vous avez dû merder quelque part.

— À qui ai-je l'honneur…

— Pas sur ce ton-là, gros balourd. Il est très important que vous collaboriez.

— Bien sûr. Mais avec qui ?

— Je préfère les laisser se présenter eux-mêmes", râla Ross, et Corell sentit une envie irrépressible d'être insolent. *Pas envie. J'ai des revues cochonnes à lire*, aurait-il voulu dire, mais il ne trouva pas mieux que de rester les bras croisés, pour exprimer par sa posture qu'il collaborerait si ça lui chantait.

"Mais secouez-vous, bordel ! Ils arrivent d'un moment à l'autre", cracha Ross, et Corell hocha la tête à contrecœur.

Deux messieurs d'une soixantaine d'années entrèrent. Il les reconnut aussitôt. Ce sont des célébrités, pensa-t-il. C'était bête, et relevait aussi de la méthode Coué. La réalité était moins drôle : c'était à la sortie de la morgue qu'ils s'étaient croisés. Il avait pourtant raison : le plus grand des deux semblait tout droit sorti d'un film. Certes, son long dos était très raide, mais son visage avait une dignité et une harmonie si distinguées que Corell éprouva pour lui une admiration instantanée. Depuis la mort de son père, il avait eu tendance à préférer les hommes distingués et à rechercher des ressemblances entre lui et eux, comme s'il espérait inconsciemment rencontrer son propre avenir dans leur visage. Ou, pire, comme s'il recherchait une figure paternelle. En saluant cet homme – nommé Oscar Farley, il émanait de lui une certaine mélancolie –, Corell crut voir de la curiosité dans son regard.

L'autre homme arborait des cheveux rares et ébouriffés et un nez fin bouffi à sa base. Il se présenta comme Robert Somerset : en comparaison avec son collègue, il était franchement laid. Une certaine bonhomie émanait cependant de ses yeux.

"Vous êtes du ministère des Affaires étrangères ?

— D'une certaine façon, dit Robert Somerset. Nous appartenons à un petit groupe qui travaille à Cheltenham sur diverses modestes affaires. Nous nous sommes, entre autres, intéressés aux circonstances de la mort d'Alan Turing. Pouvons-nous aller parler en privé quelque part ?"

Au troisième étage, à peu près en face du bureau de l'intendant, il y avait une salle de réunion nouvellement repeinte avec, aux murs, quelques tableaux atroces : Corell l'utilisait parfois pour des interrogatoires sensibles, pour autant que la chose existât à Wilmslow. Il proposa d'y aller. Il avait de bonnes expériences dans ce lieu, et il avait besoin de cette miette d'assurance qu'il pourrait y trouver. Fallait-il offrir du thé ? Il n'arriva pas à décider. En entrant dans la pièce, sa nervosité augmenta, alimentée par le sourire cultivé mais vaguement ironique de Robert Somerset qui, aux yeux de Corell, s'annonçait toxique. Inquiet, Leonard se tourna vers Oscar Farley. Lequel se massa la nuque.

"Nous n'avons pas de meilleurs sièges, désolé. Nous rentrons tous chez nous courbaturés à la fin de la journée, dit Corell.

— C'est bien aimable, merci, mais ne faites pas attention à moi. Je suis parfois comme ça, tout de travers et mal fichu. Je suis trop grand, ça me joue des tours. Je devrais tailler un décimètre ou deux. À propos, je connaissais votre père."

Corell se figea.

"Comment ça ?

— Pas très bien, sans doute, continua Farley. Nous ne nous sommes vus que quelques fois, mais nous avions un ami commun, Anthony Blunt, ce nom vous est peut-être familier ? Non ? Eh bien, ils étaient tous deux férus d'art, très différents, bien sûr. Mais James était moins orthodoxe, plus mon genre, à vrai dire. J'ai apprécié son livre sur Gauguin, et également l'autre sur cet Indien, d'ailleurs, une histoire extrêmement particulière. C'était un phénomène, n'est-ce pas ? Comme il parlait bien !

— Il lui arrivait même parfois de dire quelque chose de vrai, plaça Corell d'un ton léger dont il se sentit aussitôt très fier.

— Vous voulez dire qu'il lui arrivait de broder ? Tous les bons conteurs ne le font-ils pas ? Faire passer le beau avant le vrai est pour ainsi dire leur devoir. Une noble vertu, d'une certaine façon.

— Cependant peu adaptée à nos métiers, glissa Robert Somerset.

— Hélas non, ajouta Corell, déçu que la conversation sem-
blât déjà se désintéresser de son père.

— Non, pour nous, la vérité est une discipline problématique.
Non seulement nous devons chercher à la connaître, mais nous
devons aussi en faire bon usage. On se lasserait à moins, n'est-
ce pas, continua Somerset.

— Oui.

— Certaines vérités réclament à grands cris à être révélées…

— Tandis que d'autres veulent à tout prix être réduites au
silence, tenta Corell.

— Exactement. Vous voyez où je veux en venir. Nous gar-
dons secret notre propre malheur. Et crions sur les toits la
honte de l'autre.

— Possible.

— Bon, ce que je veux dire, c'est qu'il y a dans cette affaire
du Dr Turing certaines données à manipuler avec précaution.

— Qu'est-ce qui est sensible, exactement ? demanda Corell.

— Sensible, hum, façon de parler, souffla Somerset. N'en
faisons pas tout un plat. Mais, pour satisfaire ma veine dramatique, permettez-moi la formule consacrée : ce que je vais vous
révéler doit rester entre nous, n'est-ce pas ?

— Bien entendu !

— Parfait ! Je peux donc vous informer qu'Alan Turing était
chargé par l'État de certains travaux, dont je ne peux vous révéler la nature. Probablement vivait-il pour cette raison sous une
certaine pression. Il était tenu au secret absolu, même vis-à-vis
de ses proches, et nous n'avons aucune raison de le soupçonner d'y avoir dérogé, vraiment aucune. Nous avions pour lui un
grand respect et sa disparition nous désole. C'était une personne
extrêmement indépendante. S'il m'avait entendu dire toutes ces
âneries, il se serait levé pour aller s'occuper de quelque chose de
plus intéressant…

— Comme le motif mathématique régissant les taches des
léopards, dit Corell du même ton léger.

— Ha, ha ! Tout à fait ! Je vois que vous commencez à cerner
l'animal. Mais pour être franc, quand quelqu'un meurt de cette

façon, on commence à se demander, n'est-ce pas, s'il n'avait pas, malgré tout, commis un impair. Bon, ce n'est pas que nous y croyons, mais dans notre métier, il faut espérer le meilleur et se préparer au pire.

— Pouvez-vous être plus clair ?

— Suis-je à nouveau obscur ? Ça ne m'étonne pas du tout ! Ne parle pas dans ta barbe, avait l'habitude de dire mon père. Je ne comprenais pas ce qu'il voulait dire. C'est que je n'avais pas de barbe ! Et je ne m'en suis jamais laissé pousser non plus, même pendant la guerre, ha, ha, mais vous avez une longueur d'avance. C'est bien. En fonctionnaires zélés que nous sommes, nous avons bien sûr vérifié votre dossier. Il faut dire que nous avons été quelque peu surpris de vous trouver à ce poste, mais nous respectons ça, absolument. La police a besoin de gens comme vous. Ne lit-on pas tous les deux jours dans les journaux une histoire de scandale policier ? Pas plus tard que ce matin, d'ailleurs ? continua Robert Somerset avec une sorte de confusion affectée. Et puis…" Sa voix se fit plus douce, plus sourde. "Et puis nous avons bien sûr appris pour vos parents, quelle tristesse. Ça a dû être un terrible choc, d'abord l'un, puis l'autre… Toutes mes condoléances, vraiment.

— C'était il y a longtemps, dit Corell, soudain irrité.

— Pardon, j'ai manqué de tact. Désolé d'avoir parlé de cela. J'essayais juste… Mais où en étions-nous ? Il fallait que je sois plus clair, n'est-ce pas ? Clair ! Vous êtes bien sûr au courant de l'orientation d'Alan Turing. Oui, évidemment, mais voyez-vous, nous avons longtemps flotté dans l'incertitude. Jadis, Alan a même été fiancé à une jeune fille très agréable, Oscar la connaissait, et il en a toujours dit du bien, mais ensuite… quand nous avons compris, la chose est apparue sous un tout autre jour, oh, n'allez pas croire que j'y attache une si grande importance sur le plan personnel. Nous avons tous bien le droit d'occuper nos loisirs comme bon nous semble, pas vrai ? C'est une pure honte que la façon dont nous avons traité Oscar Wilde. Enfin, nous, façon de parler, les vrais filous dans ce drame semblent avoir été l'amant, comment s'appelait-il, déjà… Lord Alfred Douglas, c'est ça, surnommé Bosie, merci Oscar, et son père. Des personnes détestables ! À ce propos, croyez-vous que ce Murray

ait été d'une certaine façon le Bosie de Turing ? Ah ? Non…
Non, non, bien sûr, il y a évidemment de grandes différences.
Un artiste comme Wilde peut se permettre certaines libertés.
Peut-être même le doit-il. Mais si on travaille pour son pays,
il faut prendre en compte d'autres aspects de la question. J'ai
entendu dire que votre supérieur… mon Dieu, évidemment,
j'ai aussi oublié son nom.

— Le surintendant Hamersley.

— C'est ça, que le surintendant Hamersley vous a tenu un
discours alarmiste sur Burgess et Maclean et il était peut-être
un peu cavalier de sa part, avec tout le respect qui lui est dû,
de mettre sur le même plan ces clowns et Alan Turing. Mais
votre chef avait raison au sens où leur défection a rendu tout le
monde nerveux. Beaucoup se demandent s'il n'y a pas d'autres
espions. Étaient-ils vraiment seuls ? Notre pauvre Turing était
un type bien, très doué. Oscar est persuadé que c'était un génie,
n'est-ce pas ?

— Absolument, dit Farley en manifestant, du moins aux
yeux de Corell, des signes de contrariété ou d'agacement, mais
peut-être n'étaient-ce que sa nuque et son dos qui le gênaient.

— Il était curieux, continua Somerset. Il avait cette capacité
à penser de façon tout à fait originale, pour le meilleur comme
pour le pire, mais surtout le meilleur, je crois. Il remettait tout
en question. N'aimait pas l'autorité et les ordres. Une fois, j'ai
été assez bête pour lui dire : « Dans cette affaire, je te rappelle
que je suis ton supérieur, Alan ! » Et savez-vous ce qu'il m'a
répondu ? « Bordel, je ne vois pas le rapport ! » Et il avait raison.
Soit on a un argument, soit on n'en a pas, peu importe qu'on
soit chef de bureau ou empereur de Chine. Mais où en étais-je ?
Alan Turing avait en sa possession des informations sensibles
et s'il s'agit d'évoquer les risques, pour ainsi dire de noircir le
trait, disons au moins qu'il venait du même milieu universitaire que Burgess et Maclean. Dans ce sens, il était au moins
aussi louche que notre ami Farley ici présent, qui connaissait
toutes ces personnes peu recommandables.

— J'ai eu cet honneur !

— Bon, je mentionne cela pour que vous saisissiez la nature
de la menace, et peut-être aussi pour avoir l'occasion d'un peu

faire mousser ma vue politique d'ensemble. Ha, ha. Cambridge, dans les années 1930, se caractérisait par deux choses, pour être un peu radical, la mode du communisme et la mode de l'homosexualité.

— Foutaises ! ricana Farley.

— Bah, je suis assez certain que vous aviez aussi d'autres occupations, comme la boisson, la géométrie et Shakespeare. Mais c'était une époque particulière, même toi, tu dois l'admettre, Oscar. C'était la dépression, les grandes grèves, et toutes ces misères. Tout notre système paraissait sur le déclin, et beaucoup s'indignaient – avec raison, si vous voulez mon avis – de tous ces dirigeants qui accueillaient Hitler à bras ouverts. La guerre civile espagnole a éclaté… oui, mon Dieu… on serait nostalgique à moins. Enfin, on pouvait agir contre le fascisme, et quantité d'étudiants se sont engagés dans le camp républicain, et on les considérait comme de grands héros, n'est-ce pas ? Ce n'étaient pas de lâches intellectuels ordinaires, de malheureux bavards comme toi et moi, Oscar… Oui, Oscar a l'air bien silencieux aujourd'hui, mais vous auriez dû le voir ! Ne mentionnez pas Henry James ou ce maudit Irlandais de Joyce, sinon on ne l'arrête plus. Pour l'amour du ciel, ne vous y risquez pas ! Mais encore une fois, à Cambridge, on considérait que l'establishment se souciait du fascisme comme d'une guigne, et je comprends tout à fait ça. Je ne suis pas la vieille bique conservatrice pour laquelle Oscar tente de me faire passer. Notre gouvernement était réellement faible, et il ne faut pas avoir une imagination délirante pour comprendre que beaucoup d'intellectuels voyaient dans les communistes la seule alternative valable. Oui, ces maudits voyous brillaient avec leur antifascisme et partout, à King's et Trinity College, on voyait se former des cellules communistes, ce qui aurait pu être dans l'ordre des choses. L'égarement politique est l'apanage de la jeunesse, n'est-ce pas ? Et rêver d'égalité, il y a pire, décidément. Le problème, c'est que Staline et le Komintern n'étaient pas assez stupides pour ne pas chercher à en tirer profit. Mon Dieu, voyez vous-même… ils avaient là l'occasion de mettre de leur côté les futurs dirigeants du pays. Et diable, ils se sont donné du mal. Ça grouillait d'éclaireurs et d'agents communistes à Cambridge, et savez-vous comment on les surnommait, pour rire, non, d'ailleurs, comment pourriez-vous le savoir ? On parlait d'Homintern. Pourquoi ? Tout simplement parce que le Komintern concentrait ses efforts sur les homosexuels. Les pédés étaient considérés comme plus faciles à gagner à la cause communiste, d'une part parce que leur orientation sexuelle les rendait plus réceptifs aux idées radicales, et d'autre part parce qu'on avait répandu l'idée, intentionnellement bien sûr, que les dispositions de Staline vis-à-vis de l'homosexualité étaient plus libérales que chez nous. C'était évidemment absurde. De la propagande utile, rien d'autre. Je me demande si Staline en réalité ne la leur coupait pas à tous, excusez l'expression.

— Tu parles, glissa Farley.

— Bon, la liberté sexuelle n'a pas été l'apport principal de Staline à l'humanité, ça se saurait ! En revanche, il est tristement exact qu'il avait à l'époque bonne presse avec ses plans quinquennaux et, l'un dans l'autre, il était réputé très tolérant : résultat, beaucoup d'homosexuels ont été attirés par le communisme. Guy Burgess en est bien sûr l'exemple le plus connu. Mon Dieu ! Quelle effroyable histoire ! Et quelle fin pitoyable ! Absurde, au fond ! Mais qui sait s'il ne regrette pas, aujourd'hui. Qu'est-ce que tu en dis, Oscar, tu penses que les Russes lui fournissent assez d'alcool et de jeunes garçons ?"

Oscar Farley baissa les yeux vers la table, l'air gêné.

"Bah, on ne sait jamais, continua Somerset. Un espion, ça se récompense. Mais je parle, je parle ! Ai-je été un tant soit peu clair ? Ah, j'en suis ravi. Non, non, mon Dieu, Alan n'aurait pas pu être plus différent de Burgess. Ils avaient certes la même orientation, mais pour le reste… Turing n'était même pas porté sur la boisson, oui, n'ayez pas l'air étonné. Il y en a, des comme ça, et Alan n'était pas particulièrement politisé non plus. Il a juste signé un appel à la paix en 33, mais sinon, il s'en tenait à ses chiffres et à ses problèmes. Je n'y ai jamais compris grand-chose, pour être franc. Oscar s'y entend mieux… Non, pour l'amour du ciel, ne va pas encore tout m'expliquer."

Oscar Farley ne semblait pas du tout sur le point d'expliquer quoi que ce soit.

"Alan était très discipliné, du moins quand on le stimulait, continua Somerset. Vers la fin, Burgess était probablement l'homme le moins discipliné de la planète. Il se répandait en horreurs à droite et à gauche et n'était jamais à jeun, même le matin… mais cependant, encore une fois, *cependant*… il y a malgré tout certaines circonstances embarrassantes, sûrement rien dont il faille s'inquiéter, et dont il ne faut vraiment pas faire état, à aucun prix.

— Bien sûr, dit docilement Corell.

— Ne serait-il pas plus agréable de nous appeler par nos prénoms ? Moi, c'est Robert, pas Bob, absolument pas. Je n'ai jamais supporté ça. Oscar, c'est Oscar. Un littéraire invétéré. Pas juste un fonctionnaire ennuyeux comme moi. Mais je compense par un zèle exagéré, ce qui me conduit à m'intéresser à des trivialités comme des voyages à l'étranger. Enfin des trivialités, il faut voir. Tout dépend qui voyage et comment. Jouons cartes sur table. Ces dernières années, Turing s'est rendu à l'étranger pour rencontrer des hommes, des pédés, tout simplement, et des libertins. Il est allé en Norvège, en Grèce et à Paris et, franchement, nous n'avons jamais été très à l'aise avec ça.

— Le ministère des Affaires étrangères l'avait évidemment mis à la porte longtemps avant ça, tenta Corell.

— Pourquoi croyez-vous cela ? dit Somerset.

— J'ai entendu parler d'une directive visant à purger les services de l'État des homosexuels ?

— Purger ? Quel mot effroyable ! s'exclama Somerset. Mais laissez-moi vous le dire de cette façon : nous avions beau l'apprécier et lui faire confiance, sur la fin, Alan Turing n'avait peut-être plus autant de raisons d'être loyal vis-à-vis de sa reine et de son pays. Il était même peut-être furieux, car enfin, qui aurait aimé être à sa place ? Avez-vous entendu parler de ces hormones qu'on lui a administrées de force ? Oui, bien sûr. Et encore une fois, il n'y a peut-être pas lieu de s'inquiéter, absolument pas. Mais quand même, la culpabilité, la colère, ce n'est pas un terrain favorable, même pour le meilleur d'entre nous. Voilà pourquoi nous avons besoin de votre aide, de votre expertise, tout simplement. Vous étiez le premier sur place.

— C'est la gouvernante qui l'a trouvé.

— Mais ensuite…

— Ensuite je suis arrivé…

— Et vous avez inspecté les lieux pour collecter des impressions et des preuves, comme c'est votre devoir ?

— Naturellement."

Robert Somerset avait visiblement une idée derrière la tête.

"Comme vous le comprenez… dans ce contexte… même des petites choses peuvent avoir une grande importance. Ce qui semble insignifiant, dans une vue d'ensemble…

— Apparaît sous une tout autre lumière. Oui, je comprends très bien." Corell commençait à avoir envie de retrouver la lumière du jour.

"Bien entendu. En tant qu'inspecteur criminel, vous connaissez certainement mieux que nous l'importance des détails.

— Je sais aussi qu'on peut obtenir beaucoup de choses par la flatterie.

— Ha, ha. Vous m'avez démasqué, s'esclaffa Somerset. Mais il est certainement inutile de vous flatter. Vous connaissez sûrement votre valeur. Nous nous demandions juste si vous aviez quelque chose dont vous aimeriez nous faire part ?

— Vous avez certainement vous-même fouillé la maison", répliqua Corell en se tournant vers Oscar Farley, qui était resté étonnamment silencieux pendant la conversation, mais qui agitait à présent les mains d'une façon que Corell interpréta aussitôt comme un oui. Il leur manque quelque chose, se dit-il.

"Quoi qu'il en soit, nous avons entendu que vous avez saisi un certain nombre de carnets et de papiers, continua Somerset.

— C'est vrai. Je vous les confierai bien volontiers. Mes connaissances mathématiques ne sont plus ce qu'elles ont été.

— Il s'agit donc seulement de notes mathématiques ?

— Je crois. Mais je ne les ai pas regardées tellement en détail. Vous pourrez bien sûr tout récupérer, dit-il avec un geste involontaire vers la poche intérieure de sa veste.

— Parfait !

— En fait non.

— Non ?

— Alan Turing avait aussi trois carnets où il notait ses rêves, sur la demande d'un psychanalyste. Ceux-là, je les ai malheureusement déjà envoyés à son frère John Turing.

— Zut.

— Désolé.

— Rien d'autre ? continua Somerset.

— Non", dit Corell, réalisant soudain qu'il ne leur remettrait pas la lettre – pourquoi, il ne le savait pas bien, à part qu'il avait envie de la lire et ne supportait pas l'idée de la perdre avant même d'avoir pu en connaître le contenu.

"Alors il nous faudra contacter son frère. Mais le reste, nous pouvons peut-être l'avoir tout de suite ?" fit Robert Somerset, peut-être content, peut-être pas.

Une fois redescendus à la section criminelle, Corell leur remit les carnets. "Prenez soin de votre nuque, dit-il à Farley. Merci pour votre exposé politique. C'était extrêmement intéressant", assura-t-il à Somerset d'une voix qui n'était peut-être pas tout à fait naturelle, mais dont il espérait qu'il émanait une certaine aisance. Sa nervosité était tangible. Quand ils eurent pris congé, sa main droite se mit à trembler. Il les avait bien eus, ce n'était pas grand-chose, mais quand même – son initiative à la fois l'inquiétait et éveillait sa combativité : *Non, non, vous avez mal compris. Personne ne me dit ce que je dois faire… D'ailleurs, mon nom est Corell, Leonard Corell, fils de James, l'écrivain. Je m'intéresse tout particulièrement à la dimension mathématique de mon travail. Pour cette raison, je ne permets à personne d'autre de s'en mêler, c'est aussi simple que ça… Nom de Dieu, pour qui se prenait ce Mr Somerset ? Venir et exiger… non, cette lettre, je me la garde… et au fait, ai-je dit que j'avais étudié à King's College, à Cambridge ?…* Perdu dans sa rêverie, il s'assit à son bureau. Il avait hâte de lire, mais se sentait observé. Kenny Anderson le fixait avec curiosité.

"Bon, alors, c'était quoi ?

— Rien de spécial. Ils voulaient juste m'informer de certaines choses.

— De certaines choses ! Vous êtes devenu snob, inspecteur ?

— Euh… non… vraiment pas !

— Tu bois un coup, alors ? Tu voulais te bourrer la gueule, non ?

— Ah oui ?"

Corell se demanda s'il ne ferait pas mieux de sortir avec la lettre, ou s'il allait juste ignorer Kenny et la lire sur place mais, au même instant, un nom lui vint à l'esprit… *Hugh Alexander*. Il ne savait pas d'où il sortait, pensa que c'était une fausse piste tirée de quelque chose qu'il avait lu, puis il se souvint que Hugh Alexander avait été témoin de moralité au procès d'Alan Turing. Ce nom lui avait dit quelque chose et, même si ce n'était pas écrit noir sur blanc dans le compte rendu d'audience, Corell avait eu la nette impression qu'Alexander et Turing avaient travaillé ensemble pendant la guerre. Qui savait ? C'était peut-être une ouverture. Corell se leva et alla voir Gladwin.

Andrew Gladwin travaillait aux archives. La pièce contenait le fichier de tous les suspects et condamnés du district, ainsi qu'une petite bibliothèque d'ouvrages de référence, où Corell s'était la veille documenté sur le paradoxe du menteur. Gladwin était un des meilleurs éléments du commissariat. Cruciverbiste passionné, il dévorait les biographies historiques. Il était incollable sur à peu près tous les sujets, aussi le surnommait-on le Professeur, ou même l'Oracle à la Pipe. Il était d'humeur bonhomme et le seul dans la maison à bien porter son embonpoint. Comme Kenny Anderson il puait l'alcool, mais d'une façon plus agréable, comme s'il buvait des marques plus raffinées, ou que l'alcool était mieux transformé par son corps. Il approchait la cinquantaine, mais ses cheveux étaient fournis et noirs comme ceux d'un jeune homme, et ses yeux bruns et vifs, jusqu'aux heures de l'après-midi où son regard devenait aqueux. Quand Corell entra, il fumait sa pipe et ne semblait rien faire d'autre.

"Mais qui voilà !

— Bonjour !

— On a besoin de mes lumières ?

— Hugh Alexander, dit Corell. Tu connais ?

— Le joueur d'échecs, tu veux dire ?

— Je ne sais pas ce que je veux dire. Mais en tout cas, il ne s'agit pas d'un voleur du coin.

— Alors ça peut tout à fait être le joueur d'échecs.

— Il était témoin de moralité lors du procès du mathématicien qui est mort l'autre jour.

— Alors c'est sûrement lui. Attends voir…"

Gladwin se leva pour attraper un *Who's Who* qui avait l'air d'avoir quelques années au compteur, et y trouva rapidement ce qu'il cherchait.

"J'ai toujours bien aimé les types commençant par A, dit-il. Hugh O'Donel Alexander, irlandais, père professeur d'ingénierie à Cork, vainqueur du championnat britannique d'échecs junior en 1928, reçoit une bourse pour étudier les mathématiques à King's College, Cambridge, disciple du Pr Hardy, devient lecteur à Winchester en 1932, directeur de recherches d'un organisme nommé Lewis Partnership en 1938, il a l'air d'avoir surtout joué aux échecs.

— À un haut niveau ?

— Oh, oui, c'était un grand maître, du niveau de Botvinnik et Bronstein. Champion de Grande-Bretagne en 1938, un des meilleurs au monde, on peut le dire. Considéré comme le meilleur joueur irlandais de tous les temps. Capitaine de l'équipe anglaise au concours international de Buenos Aires quand la guerre a éclaté.

— Est-il indiqué ce qu'il a fait pendant la guerre ?

— Rien, à part qu'il a travaillé pour le ministère des Affaires étrangères. Il a reçu un OBE en 1946.

— Lui aussi.

— Pardon ?

— Mon macchabée a reçu la même décoration, dit Corell.

— Voyez-vous ça. Voyez-vous ça. Moi, on m'a à peine dit merci, alors que j'ai pris une balle dans la jambe. Et toi, à propos ? Tu as l'air bien trop…

— Rien", répondit automatiquement Corell.

Tout tournait dans sa tête.

"J'ai une question à mille livres, reprit-il.

— Dis voir.

— S'il y avait une guerre contre Hitler et que tu étais ministre des Affaires étrangères, où placerais-tu un champion d'échecs et un mathématicien qui aime les énigmes et les contradictions logiques ?

— Je ne les utiliserais pas comme chair à canon.

— Est-ce qu'ils seraient chargés d'inventer une nouvelle arme secrète ?

— Ou d'imaginer de nouvelles stratégies. Les échecs sont bien une guerre en miniature. Je leur ferais construire un modèle réduit du champ de bataille pour y faire se déplacer des soldats d'une manière ingénieuse. Ou trouver des énigmes à tiroirs pour créer la confusion chez l'ennemi. Comment s'y prendre, par contre…

— Tu ne pourrais pas essayer de répondre sérieusement ?

— Ça a un rapport avec ton enquête ?

— D'une certaine façon."

Gladwin se cala au fond de son siège et passa presque amoureusement la main sur sa propre joue.

"Leonard, mon cher, les guerres ont toujours nécessité bien plus que des muscles et des canons, et l'intelligentsia n'est pas restée aussi souvent qu'on pourrait le souhaiter à l'écart de cette folie sanglante. Le pacifisme de Bertrand Russell était une exception en 1916. Non, pour parler en général, la matière grise a généralement été absorbée par les services secrets ou utilisée par l'industrie de guerre. On a coutume de dire que la Première Guerre mondiale, avec ses gaz de combat, a été la sale guerre des chimistes, tandis que la Seconde a plutôt appartenu aux physiciens. Je répondrais donc qu'une personne comme Hugh Alexander a dû être employée à une tâche d'analyse scientifique, mais je suppose que c'est là une réponse bien trop vague pour vous, monsieur.

— Oui, peut-être. Mais merci quand même.

— De rien. Eh… ce que tu es pressé !"

Corell se hâta de regagner son bureau et sortit la lettre de sa poche.

16

La lettre était légèrement jaunie et étonnamment froissée. Corell l'approcha de son nez et sentit une douce et presque agréable odeur d'amande amère. Il regarda autour de lui. Personne ne faisait attention à lui. Kenny Anderson, à l'instant si curieux, semblait pour une fois absorbé par son travail et, avec une certaine solennité devant l'interdit – qui lui fit se souvenir de la nuit à Southport où, à la lueur d'une lampe de poche, il avait lu l'édition illégale de *L'Amant de Lady Chatterley* –, Corell entreprit de parcourir la lettre : la première chose qui le frappa était qu'elle n'était datée que d'une heure, et rien d'autre. Peut-être était-elle restée longtemps dans le tiroir du bureau, qu'en savait-il ? Aussi, ce n'est qu'avec une grande lenteur qu'il en lut les premiers mots comme pour déterminer si elle était bien écrite, ou juste pour réfréner son impatience. Il s'efforçait de se persuader qu'il était idiot de trop attendre de cette lettre. Il s'en souvenait à peine : ce n'était que parce qu'il l'avait dissimulée à Farley et à Somerset qu'elle prenait un tel poids, ça restait la même vieille lettre – sa petite filouterie n'y avait rien changé – mais il ne pouvait s'empêcher d'être fasciné et c'est avec une excitation croissante qu'il la lut encore et encore.

Hollymeade, 2 h 20

Cher Robin !

Comme je suis las de tous ces secrets, de tous ces maudits faux-semblants. Était-ce ainsi que devait être ma vie ? Une comédie pour en cacher une autre ! Je veille et j'aimerais être loin d'ici. Te souviens-tu des perdrix que nous mangions et de leurs œufs frais ? Il est deux heures et demie du matin. La pluie crépite dehors, et je songe à tout ce dont je voudrais parler avec toi, non seulement ce dont je n'ai pas le droit de parler, mais aussi ce que je n'ai jamais su exprimer. Chaque jour, de nouvelles portes se referment. On m'a retiré une mission qui ne m'amusait peut-être pas tellement, mais qui malgré tout donnait un peu de sens à ma vie. On ne fait plus confiance aux gens comme moi, et cela me pèse, Robin, cela me blesse plus que je ne saurais le dire. Tout mon univers se rétrécit. Je n'arrive même plus à rêver comme autrefois. À quoi bon les rêves quand on sait qu'ils ne peuvent se réaliser ? On m'a tant volé, et quand une chose disparaît, elle en fait disparaître une autre. Alors l'horizon s'obscurcit.

On parle de perspectives prometteuses sur le front sexuel, mais je n'en verrai pas beaucoup la couleur. Ils me tiennent à l'œil. À peine je pose le pied hors de mon jardin, c'est le branle-bas, sans parler de ce qui arriverait si je me lançais dans un nouveau voyage à l'étranger. (Ce à quoi je songe, histoire de les taquiner un peu ?) Une vieille fille, voilà ce qu'ils veulent faire de moi. On aurait pu croire que cela aurait été mieux depuis que je me suis enlevé l'implant de la jambe, et cela a peut-être été le cas un temps, puis quelle déception que la libération ne soit pas plus grande. Le poison a disparu de mon corps, mais pas de mon cerveau, et je me suis douté que tout cela ne passerait pas bien vite. Je vais encore longtemps devoir subir ce procès et tout ce qu'il a entraîné. Au fond, je n'aurais pas dû m'étonner quand ils ont commencé à chasser mon beau Norvégien. J'aurais dû comprendre qu'ils ne me laisseraient pas en paix. Mais comment aurais-je pu imaginer le mal que cela me ferait ?

À l'instant, alors que j'essayais de dormir, j'ai senti sur ma nuque leurs yeux aux aguets, et je me suis tourné dans mon lit jusqu'à ce que je ne puisse plus y tenir. Alors je me suis levé pour regarder dans la rue par la fenêtre. Le réverbère jaune luisait là-bas, du côté du saule, et sur ma pauvre allée dallée que je n'ai jamais eu le courage de terminer (peut-être parce que, quelque part, l'idée d'une allée à moitié achevée m'amusait), mais il n'y avait personne. Tu te demandes pourquoi il faudrait qu'il y ait quelqu'un. Je peux *t'expliquer : je suis surveillé. Un type rondouillard me tourne autour à tort et à travers, et le pauvre n'est même pas doué. Il joue si mal la nonchalance qu'il rend les gens nerveux, et porte au front une tache de naissance en forme de sigma. Tu imagines ? Un sigma !*

Un matin, comme je venais de cacher ma clé au garage et allais partir courir, il est passé comme si de rien n'était. Je lui ai lancé : "Ravi de votre visite !" Et lui a alors été gêné et a répondu : "Mh, mh, très bien", avec un accent écossais, avant de se carapater. Je crois qu'il a compris qu'il était repéré. Quelques jours plus tard, il s'est à nouveau pointé, et alors je me suis dit qu'il en avait après mon courrier. Tu sais, toute la crise avec mon Norvégien ne tient pas debout s'ils n'ont pas lu mes lettres. Non, non, ne proteste pas, Robin. Je ne suis pas paranoïaque, je souffre juste d'un complexe de persécution parfaitement sain et nécessaire à la survie. Si j'en étais exempt, je ne survivrais pas un seul jour et, au fond, ce personnage devrait me faire rire. Il ressemble à un chien malheureux. Mais je ne puis m'empêcher de penser : est-ce ainsi qu'ils me remercient ? En empoisonnant le moindre recoin de ma vie. Certains jours, j'ai été si furieux que j'ai perdu les pédales. As-tu remarqué la porte d'entrée enfoncée, à droite au-dessus du seuil, quand tu es venu ? C'est moi. J'ai fait ça l'autre jour d'un coup de pied bien senti, et j'aurais sans doute démoli toute la maison, si je n'avais pas réalisé qu'il était un peu bête de me punir moi-même dans de tels accès de vengeance. Juste avant l'aube, Robin, il m'est arrivé d'être désespéré au point de n'avoir pas la force de dormir ni de veiller, à peine même de vivre. Mes pensées ne font que suivre l'argumentation circulaire du désespoir, et tout s'est amplifié en se mordant la queue jusqu'à sa propre caricature, au point que je me suis demandé si je ne finissais pas par devenir fou. Mais je n'ai pas pu tirer cela au clair. (Le vieux W. avait bien sûr raison quand il disait que nous ne pouvons pas observer nos pensées, puisque cette observation devient aussitôt l'une d'elles.)

Ah, Robin, comme je geins ! (Tu pourras te venger en m'envoyant un document de 79 pages sur l'effroyable surabondance de maîtresses à Leicester.) Ensuite, je te prie bien sûr de m'excuser de ne pas encore une seule fois avoir fait l'éloge de ta thèse (j'y viens), et il est vrai que j'y ai trouvé aussi une certaine consolation. T'ai-je raconté que j'avais installé ici un atelier tout au fond du deuxième étage ? L'antre du cauchemar, c'est ainsi que je surnomme l'endroit, en hommage aux nerfs fragiles de ma mère. Elle s'est mis dans la tête que je vais y faire des mélanges mortels, et elle a raison, dans le sens où je m'y livre à toutes sortes de bêtises, comme essayer d'extraire les composants chimiques du sel. Tu devrais venir faire la tambouille avec moi. C'est une bonne thérapie, malgré tout.

Sinon, je m'occupe en faisant un peu de tout, tout sauf ce que je devrais. Je note mes rêves, sur ordre de Greenbaum. Je t'en ai parlé ? Chaque matin, je noircis les pages de mes carnets de rêves et, à vrai dire, je ne résiste parfois pas à la tentation de les arranger un peu. Qui voudrait des rêves sans intérêt ? Mais j'ai aussi fait quelques découvertes dont j'aimerais te parler à l'occasion. Au fait, j'envisage de filer m'encanailler au Club Méditerranée d'Ipsos-Corfou cet été, plutôt que de retourner à Paris. T'ai-je parlé de ce charmant jeune homme que j'ai rencontré à Paris ? Il est resté comme deux ronds de flan quand je lui ai proposé de rentrer à l'hôtel à pied, plutôt qu'en métro. Je suppose qu'il entretient avec Paris la même relation que nous avec une surface de Riemann. Il ne connaissait que les cercles de civilisation autour des stations de métro, mais était incapable de les analyser jusqu'à trouver des liens entre eux. Bon, il avait d'autres talents, de jolies petites fesses, entre autres, et je dois dire que nous avons fini par passer un bon moment mais, après, il a voulu que nous échangions nos montres, en signe de confiance. Le fait que la mienne ait bien plus de valeur n'y était sans doute pas pour rien, mais, évidemment, j'ai tout de suite été d'accord. Il faut bien saisir ce qu'on vous propose. Et donc cette montre a disparu de la circulation. Hé, hé ! Mais sinon, Robin, sinon… Il va être trois heures. C'est une de toutes ces nuits où la vie vacille. T'ai-je dit que j'ai entendu parler d'un lord qui a été une deuxième fois traîné devant la justice ? Ils lui avaient déniché un péché de jeunesse et, naturellement, je me suis dit : vont-ils faire pareil avec moi ? Extraire encore une zone d'ombre de mon passé ? Par chance, je n'ai pas eu autant d'hommes que je l'aurais souhaité – qui peut s'en targuer ? – mais il y en a quand même eu quelques-uns. Dieu bénisse l'église à King's College ! (Je crois que ton éducation présente quelques lacunes dans ce domaine.) Mais je n'en aurai pas la force. Je ne supporte pas l'idée qu'ils puissent se remettre à fouiller ma vie. L'autre jour, j'ai croisé une de ces petites *vieilles du voisinage, et elle a détourné les yeux en me voyant – ne va pas croire que je m'en soucie : elle peut bien tourner la tête où elle veut. Mais enfin, n'est-ce pas injuste ? Ce soir-là, j'ai été si furieux que j'arrivais à peine à respirer. Connais-tu ce type de colère qui ne s'exprime pas mais implose en une masse sombre et étouffante ?*

Il est vrai que, durant mon tour de piste devant la justice, j'ai gardé la tête haute et refusé d'avoir honte, mais ne crois pas que je n'ai pas senti l'invisible grelot sur mon corps. J'ai même réussi, contre toute attente, à avoir des pensées destructives, peut-être pas autant chargées de repentir que Dieu le Père aurait pu le souhaiter dans sa mesquinerie – je demeure un débauché notoire – mais en tout cas des pensées qui m'ont fait bien du mal et n'ont fait que me miner sans direction ni but, et sans rencontrer autre chose que le vide. Fin de la discussion. Imagine, si j'avais épousé Joan, et que d'une façon ou d'une autre nous ayons eu des enfants ? Que serait-il alors advenu de moi ? (Toi et moi devons immédiatement nous défaire de notre penchant puéril pour le contrefactuel !) Je n'ai qu'à serrer les dents. L'aube va bientôt poindre. J'ai déjà hâte d'entendre les oiseaux. Mais parfois, Robin, je me demande s'ils ne préfére-raient pas me voir effacé, sorti de scène. Car que suis-je à présent pour ceux à qui j'ai rendu jadis de tels services ? Rien d'autre qu'un maillon faible, une personne à la pensée claire, mais qui a fait les mauvais choix. N'ai-je pas bien répondu à la question de la fée ?

L'autre nuit, j'ai rêvé de nos repas à Hanslope, et de ma pomme du soir. Aujourd'hui, dans l'après-midi, je me suis rappelé le double arc-en-ciel que nous avions vu, et j'ai alors pensé : comment vas-tu ? Parfois, j'ai redouté qu'ils ne s'en prennent aussi à toi, avec tes vieilles convictions idiotes. De quelle sorte de problème crois-tu que je souffre ? Le genre qui fait stopper la machine, ou celui qui se contente de tarauder inexorablement, sans fin ? J'ai… (illisible, barré)

La lettre s'achevait au milieu d'une phrase et n'était pas tou-jours facile à comprendre, mais elle respirait sans aucun doute la souffrance. Peut-être s'agissait-il tout bonnement de la lettre de suicide qui leur manquait. Non, elle aurait été mise en évidence. Corell avait dû fouiller pour la dénicher et, même si elle conte-nait quelques allusions obscures comme "fin de la discussion", elle apparaissait trop sombre et chaotique pour avoir une destination précise. Cela ressemblait plutôt à ce qu'on écrit la nuit quand la vie est sombre et menaçante. L'auteur de la lettre se reprochait en outre sa geignardise et sa tentative d'humour au sujet de "l'effroyable surabondance de maîtresses à Leicester" devait probablement être considérée sous cet éclairage, comme une tentative de détendre l'atmosphère. Ce n'était sans doute pas un hasard que cette lettre n'ait jamais été postée. Peut-être au matin avait-elle paru complètement à côté de la plaque. En même temps, elle n'avait pas été déchirée. Elle attendait au fond d'un tiroir. Attendait quoi ? Rien, sans doute ! Nous mettons tous des choses au rancart sans savoir pourquoi.

Il regarda autour de lui. Penché en arrière, Kenny fumait. Alec Block arriva du couloir, s'assit à sa place, sous un avis de recherche de braqueurs de Manchester, et jeta un regard déprimé vers Corell, comme s'il cherchait un contact. Corell ressentit une envie irrépressible de sortir. C'était comme si cette lettre exigeait de l'air frais et, sans un mot, il quitta sa place. Dans la cour, un vol d'hirondelles disparut derrière les immeubles en briques. Corell se dirigea vers le champ, sur la droite et arriva bientôt à Carneval Field. Plus que tout autre chose à Wilmslow, Carneval Field était pour lui synonyme d'été, et il scruta les prés, content de voir tant de monde dehors. Avec une insistance un peu théâtrale, il remplit ses poumons d'air et sourit à un cheval qui tournait en rond non loin de là, mais il n'arrêtait pas de songer à cette lettre. Il était content d'être sorti. À l'air libre, il avait plus de recul face aux mots et ne s'énervait pas autant. Au fond, pas très étonnant, non ?

Beaucoup de choses dans cette lettre l'irritaient et il fut frappé de constater qu'il avait imaginé Alan Turing plus gauche et perdu – en partie à cause du récit de son frère – mais ici parlait une personne rouée, qui séduisait des hommes à Paris et effectuait des voyages interdits. Un homosexuel indécrottable, avait dit l'inspecteur Rimmer, et c'était sûrement vrai. En même temps, il y avait autre chose, Corell ne comprenait pas quoi et cela le rendait extrêmement curieux. Bien plus que les passages explicites, c'étaient les phrases obscures qui l'attiraient et, bien sûr, il comprenait que la plupart n'étaient sûrement pas plus étranges que les plaisanteries et les allusions que sa tante et lui échangeaient : ce n'était rien d'autre que les joutes et les raccourcis de l'amitié, et il n'était pas idiot au point de ne pas réaliser que rêver tout éveillé de trouver dans cette lettre quelque chose d'important et de décisif risquait de lui jouer un tour. Et pourtant, son excitation ne retombait pas.

Rien que cet homme qui avait espionné Turing. Qui était-ce ? Le fruit de l'imagination du mathématicien, ou quelqu'un de la police de Manchester ? Alan Turing avait été placé sous surveillance en raison de son orientation – Hamersley l'avait certifié – et il n'était pas impossible qu'un malheureux flic ait reçu en punition l'ordre de monter la garde devant chez lui. Sauf que non, Corell ne pensait pas que cet homme ait été policier. Qui diable avait donc une tache de naissance en forme de sigma, une lettre grecque ? Il se persuada que cet homme était plus intéressant qu'un simple collègue. "Comme je suis las de tous ces secrets." Dans sa lettre, Turing employait le mot "ils" d'une façon obscure : parfois il semblait simplement désigner en général le tribunal et les forces de l'ordre, ou même l'air du temps, mais d'autres fois il paraissait se référer à des gens en particulier, peut-être une institution, peut-être celle à laquelle Somerset et Farley appartenaient… "ceux à qui j'ai rendu jadis de tels services".

Corell resta un instant immobile à se demander de quels services il pouvait s'agir. Puis il haussa les épaules, regagna le commissariat, et entreprit avec une certaine énergie d'écrire son rapport en vue de l'audience au tribunal le soir même.

17

Oscar Farley et Robert Somerset se reposèrent quelques minutes sur un banc de Sackville Park à Manchester. Deux messieurs qui se tenaient mal passèrent, et l'un d'eux dit : "Ah, les bonnes femmes, elles ne comprendront donc jamais…" Plus loin, sur la pelouse, sous un arbre luxuriant, une jeune femme lisait un roman à la couverture verte. Farley ressentit une pique de nostalgie. Quand il était au plus mal, il se débrouillait toujours pour trouver des personnes d'apparence harmonieuse, exactement comme s'il cherchait le rappel de ce qu'il avait raté dans la vie.

"On repart ? demanda Somerset.

— Attends juste un peu.

— Tu te sens si mal que ça ?

— Assez mal.

— J'ai un peu de porto dans ma serviette.

— Moi aussi, je dois avoir du poison dans le corps.

— Comment tu as trouvé ce policier ?

— Je n'ai rien trouvé du tout. J'espère juste qu'il a survécu à tes idioties.

— Il n'avait pas l'air un peu bizarre, vers la fin ?

— Je ne trouve pas", dit Farley, mais ce n'était pas tout à fait vrai.

Le jeune homme avait indéniablement montré des signes de nervosité quand ils avaient évoqué les saisies effectuées à Adlington Road. Mais Farley voulait éviter d'alarmer inutilement Somerset. Il avait apprécié ce policier. Pendant le laïus de Robert, qui l'avait par moments violemment énervé

– Cambridge dans les années 1930 caractérisé par le communisme et l'homosexualité : même pour plaisanter, on n'avait pas le droit de dire de pareilles idioties –, il s'était mis à se rappeler sa jeunesse, dont il avait reconnu des traits chez le policier. La façon qu'avait ce dernier de se montrer tantôt à l'aise et un peu grandiloquent et, l'instant d'après, presque désemparé et perdu rappela à Farley la sensation d'incomplétude qu'il avait à cet âge-là, l'impression de ne pouvoir être lui-même que de façon fragmentaire, ou seulement dans certaines scènes. Un instant, il avait même songé à regret à son propre manque d'assurance, comme si quelque chose d'important s'était perdu quand il avait développé sa personnalité en devenant l'interlocuteur sûr de lui qu'il était aujourd'hui – mais c'était surtout au père du policier qu'il avait pensé.

Il n'avait jamais été son ami intime. Pourtant, le père du policier lui avait laissé un souvenir particulier. Le nom Corell avait longtemps été associé à l'atmosphère de fête qui baignait les jeunes années de Farley à Cambridge. James Corell était un écrivain qui aurait dû devenir acteur. D'une certaine façon, il était grandiose : il prenait les commandes de tous les groupes où il s'introduisait, avec un grand sens de la repartie. Mais après sa mort, Farley lui avait inévitablement assigné des traits de clown triste, sans doute parce qu'il s'était avisé que James Corell avait fini par comprendre que sa domination dans la conversation ne correspondait pas à sa situation sociale et que chaque triomphe en société lui laissait un goût amer, comme un bouffon qui s'attriste quand les applaudissements se taisent.

Au commissariat de Wilmslow, Farley n'avait pas pu s'empêcher de voir ce jeune homme comme une prolongation, une continuation du drame que son père avait mis en scène. Le policier semblait échoué loin des cercles de James à Cambridge et à Londres. Il avait dû payer le prix lourd, et pourtant son père restait présent dans ses gestes et son regard, et il y avait parfois une légèreté dans ses réponses, une subtilité qui rappelait James, et ses yeux aussi avaient quelque chose. "Merci pour votre exposé politique", avait-il dit à Somerset avec un sarcasme évident et, même si la raillerie était tout à fait du goût de Farley, elle manifestait peut-être aussi un défi, une volonté de moucher qui faisait elle aussi penser à son père. Mais le policier ne leur avait rien caché tout de même ? Pourquoi l'aurait-il fait ?

"Allons-y, dit Farley. Je me sens mieux.

— Je trouve malgré tout que nous devrions retourner lui parler, dit Somerset.

— Je trouve que nous devrions rentrer lire de la poésie.

— Pardon ?

— De la poésie. C'est une façon d'écrire très ramassée. Utilisée par l'humanité depuis plusieurs milliers d'années. Tu devrais un jour t'y intéresser. Il y a des livres pour les débutants.

— Arrête ton char !"

*

Corell ne pouvait bien sûr pas mentionner la lettre dans son rapport. Mais il laissait entendre qu'il demeurait encore beaucoup à éclaircir et, pour une fois, il travailla d'une main légère, peut-être parce que ce qu'il écrivait n'avait pas grande importance. L'issue de l'audience semblait courue d'avance et, en un sens, il ne travaillait que pour lui. Il ne laissait aucun regard policier bureaucratique et sans imagination tuer ses mots. Il se représentait plutôt d'autres lecteurs plus ou moins imaginaires – comme son défunt père ou même un éditeur au visage flou – qui lisaient par hasard son rapport et, évidemment, étaient enthousiastes. Parfois, il prenait quelques libertés formelles. D'autres fois, il faisait comme si les faits étaient une fiction. Tous les détails curieux, le laboratoire, la casserole bouillonnante, la pomme empoisonnée, n'apparaissaient plus comme des observations vides de sens, mais comme les pièces d'un puzzle qui, comme les points d'interrogation dans un roman policier, devaient former une image claire et nette à la fin de l'histoire. Mais peu à peu tout s'effondra et il réalisa que tout ce qui semblait fortuit ou curieux demeurerait fortuit et curieux, et que si cette histoire devait malgré tout avoir une suite, elle se déroulerait dans d'autres couloirs et d'autres salles, loin de Wilmslow et de Green Lane et, dès lors, son moment d'inspiration lui fit un peu l'effet de l'onanisme : excitant pendant mais honteux après. En mettant son rapport au propre, il se remémora une fois lointaine où il avait écrit quelque chose et où son père s'était écrié : *Bravo, Leo, bravo*, mais cela non plus ne lui sembla pas un souvenir agréable et, d'un geste irrité, il alla pendre son chapeau qui traînait sur son bureau. Alors le téléphone sonna.

"Allô ?" fit une voix. C'était une femme.

"Qui est à l'appareil ? demanda-t-il.

— Je m'appelle Sara Ethel Turing. Je suis la mère de…"

Il écarta l'écouteur de son oreille. Tenté de raccrocher. Mais n'y avait-il pas une question particulière qu'il devait poser ? Il ne trouva pas, et aurait de toute façon eu du mal. La voix de la mère était chargée de sanglots. Et pourtant elle parlait sans interruption – comme si elle voulait noyer toute esquisse de silence.

"Alan préparait quelque chose de grandiose, vraiment grandiose, dit-elle. Je l'ai remarqué chez lui, dans toute sa façon d'être. Il ne pensait à rien d'autre que son travail. Même pas à se laver les mains ! Mon Dieu, pourquoi ne pouvait-il pas se les laver ? Pourquoi ?

— Que préparait-il donc de si grandiose ?

— Si seulement je le savais. C'était incompréhensible. Mais réel… Une mère sent ces choses-là. Alan était si doué, si profondément doué, mais comme un enfant, vous comprenez. Il a fait fondre la montre de son grand-père. Vous imaginez ? En arguant que grand-père aurait été content que sa montre serve la science. Et il utilisait des produits dangereux, des choses vraiment dangereuses pour la santé, et je lui ai dit mille fois : « Ne fais pas ton malheur. Lave-toi les mains. » Mais il ne se les lavait pas. Jamais !"

Dans son travail, Corell était habitué aux effusions. Parfois, cela lui faisait se sentir plus vivant, comme devant un grand drame au cinéma ou au théâtre mais, avec la mère de Turing, c'était juste intolérable. Son chagrin était si violemment dirigé vers l'extérieur. Elle déversait ses mots, il ne le supportait pas. Il s'efforça d'être aimable.

"Je suis vraiment désolé, madame Turing. Avez-vous su qu'il vous désigne comme son héritière ? Il vous aimait vraiment."

Mais elle n'écoutait pas. Elle continua à chanter sans interruption sa lamentation et, quand il parvint finalement à raccrocher, il poussa un grand soupir de soulagement, sans pour autant se sentir mieux.

"Arrête ça, cracha Kenny Anderson.

— Mais quoi ? répondit-il. Je parlais avec la mère de Turing.

— C'est pas une raison pour bousiller le bureau !

— Bon, bon !"

Il posa son stylo, avec lequel il était en effet en train de poinçonner le bord de la table. Le téléphone sonna alors à nouveau et il tendit la main vers le combiné. Il la retira aussitôt et, comme si cela ne suffisait pas, il prit son chapeau au portemanteau et quitta la pièce. Qu'avait-il donc ? Il n'arrêtait pas d'entrer et de sortir, n'avait pas eu la présence d'esprit de poser des questions sensées à la mère – elle aurait sûrement pu raconter deux ou trois choses valables – mais il n'avait pas été à la hauteur. Il avait songé à sa propre mère, sa mère bossue et rabougrie, et au jour où il l'avait quittée. Ça n'allait donc jamais finir ? Ce souvenir continuerait-il à lui faire mal pour toujours ?

Dans la cour, il ne faisait plus aussi chaud : il resserra sa veste contre son corps en essayant de se défaire de son malaise. Sans grand succès. Les idées se bousculaient dans sa tête et, soudain, il se souvint d'une des formules de la lettre : "N'ai-je pas bien répondu à la question de la fée ?" Des mots douloureux, se dit-il. C'était comme s'ils le concernaient lui aussi, d'une certaine façon. Avait-il lui aussi mal formulé ses souhaits, induisant en erreur la seule puissance bienfaisante qui eût jamais veillé sur lui ? Il tâta la poche de sa veste. La lettre était toujours là. Il songea à la lire encore une fois, mais ça n'aurait servi à rien – il la connaissait déjà presque par cœur – et, un instant, il se contenta de marcher sans but dans les rues.

En arrivant sur Water Lane et en longeant la rangée des restaurants et des terrasses, il se ressentit lui-même comme le maillon faible dans le tableau urbain. Il n'y a que des femmes dehors, se dit-il. Ce n'était pas tout à fait exact. Il y avait des hommes partout, mais le sentiment d'entrer dans une assemblée de femmes ne le quitta pas et il se sentait observé et toisé. Lentement, il parvint à se calmer quelque peu, et il n'est pas impossible qu'il reçût en cela l'aide inattendue d'une radio. Une voix masculine chantait *We'll have fun when the clock strikes one* sur un drôle de rythme, ce qui le fit sourire. Mais le répit fut de courte durée. Plus loin, dans la rue, il aperçut un dos de femme qui le plongea instantanément dans un état de nervosité, ce qui avait au moins le bon côté de dissiper le malaise de la conversation téléphonique, faible consolation.

Ce corps de femme était celui de Julie, ce qui était déjà assez pénible, mais la chose vraiment inquiétante était que Julie marchait avec une petite fille qui tenait un ballon vert. La fillette avait les mêmes cheveux noirs que Julie. Ce pouvait être n'importe qui : une nièce, une cousine, une petite-fille de Harrington, mais quand même... Ça ne lui plaisait pas, et le fait de n'avoir jamais vu d'alliance au doigt de Julie et de l'avoir toujours considérée comme célibataire et seule ne le calmait en rien. Il s'était sûrement trompé et son premier réflexe fut de s'en aller. Pourtant il continua d'avancer.

Il la rattrapa rapidement et fut pris d'une incompréhensible envie d'arracher le ballon. Cette maudite fillette était un mur entre Julie et lui mais, en arrivant à leur niveau, il sursauta. La fillette avait un bandeau noir sur l'œil et sous sa lèvre s'étalait une vilaine cicatrice. Troublé, il détourna le regard. Comme il allait les doubler, il s'arrêta. *Soit on fait comme si de rien n'était. Soit...* Il se retourna et salua Julie et la fillette et, en dépit de son excitation, il nota clairement que l'enfant s'était présentée automatiquement à lui de profil, comme si la vie lui avait déjà appris à ne montrer aux inconnus que son côté non défiguré. Son visage n'avait-il pas une ressemblance suspecte avec celui de Julie ?

"Bonjour, monsieur Corell !

— Vous allez bien, mademoiselle ?

— Oh oui. Et vous ?

— Très bien. Quelle belle journée.

— Pour une fois, il ne pleut pas. Vous êtes satisfait du costume ?

— Très satisfait, merci. Merveilleux tissus. Quelle jolie petite fille vous avez, dit-il en se demandant s'il fallait dire jolie d'une enfant avec une telle cicatrice.

— Merci", dit Julie. Elle semblait gênée, à présent. "Chanda est... elle a..."

Elle n'acheva pas la phrase. Nerveusement, elle passa la main dans sa frange : un autre jour, il aurait peut-être été conforté par son hésitation et aurait tenté de lui faire la conversation mais, aujourd'hui, il se sentait juste mal à l'aise. Il voulait s'enfuir. Il voulait toujours s'enfuir en présence de Julie et, même s'il comprenait qu'il aurait mieux valu la laisser poursuivre, ou peut-être encore mieux formuler lui-même quelque chose qui montrât qu'il était différent – *Voyez-vous, mademoiselle, j'ai trouvé une très curieuse lettre…* –, il se contenta de dire :

"Quel plaisir de vous revoir. Vous êtes resplendissante. Je passerai peut-être un de ces jours à la boutique regarder les nouveautés. Bonne journée à vous.

— À vous aussi", répondit-elle, apparemment stupéfaite par sa hâte, puis il disparut, avec l'impression entêtante de s'être fait rouler.

18

Au tribunal, le juge d'instruction James Ferns n'hésita pas. Il suivit entièrement la ligne du Dr Bird, en prêtant à peine l'oreille aux petites réserves de Corell, exprimées, il est vrai, sans pathos excessif, même s'il y avait, ici et là, une certaine élégance dans les formulations. Depuis la conversation avec la mère de Turing, puis la rencontre avec Julie et la fillette, Corell se sentait sans force et, pour ne rien arranger, le juge l'avait accueilli par les mots : "Pourquoi Sandford n'est-il pas venu en personne ?" Dans l'ensemble, Corell fut considéré comme du vent et, à plusieurs reprises pendant l'audience, il jura silencieusement : *Les nuls ! Que savent-ils au fond ?* En même temps — et, d'une certaine manière, il le déplorait — rien de ce qui fut dit dans la salle du tribunal n'était vraiment ignare ou déraisonnable. La conclusion, "suicide", parut tout à fait plausible. Pourtant, la déception pointa chez lui, et il fut extrêmement blessé par le caractère routinier de toute la procédure. Ils auraient au moins pu faire comme s'il s'agissait d'une affaire particulière.

Après l'audience, James Ferns et Charles Bird se retrouvèrent pour ricaner ensemble, comme si Corell n'existait pas et, quand ils éclatèrent de rire, il se figura que c'était de lui et aussitôt serra les poings. Il imagina telle ou telle revanche. *Un jour, un jour…* James Ferns était un petit homme d'environ cinquante ans, au visage assez élégant mais satisfait de lui-même, avec en son centre une fine moustache bien taillée, d'allure militaire. Ferns occupait une position proéminente au Rotary Club de Wilmslow et, plusieurs fois, Corell l'avait vu à Carneval Field promener deux gros rottweilers.

En sortant dans l'air frais du soir, Corell aurait aimé être loin de là. Il portait pour la première fois son nouveau costume en tweed, mais n'était pas du tout à l'aise dedans. Il se sentait d'une certaine façon trop élégant. Ce costume semblait mériter mieux qu'un inspecteur de police paumé de Wilmslow et il regarda avec dégoût autour de lui. Quatre, cinq reporters les attendaient sur les marches du palais de justice, il n'y avait pas vraiment foule, assez pourtant pour que le juge d'instruction lisse sa moustache avec une vanité qu'il ne cherchait même pas à cacher. James Ferns aimait les journalistes. Mais les journalistes étaient loin de l'aimer en retour. Mr Ferns s'exprimait d'une manière étonnamment tarabiscotée, mais n'en savait probablement rien. Il prenait la pose. C'était répugnant. Pourtant, quelque part, Corell pouvait comprendre. Lui aussi se poussa du col à l'approche des journalistes mais, à la différence de Ferns, il avait le bon sens de ne pas arborer de sourire satisfait. En outre, il eut bientôt autre chose à penser.

Deux visages attirèrent son attention, l'un était Oscar Farley, dont les problèmes de dos et de nuque semblaient avoir empiré. À la faveur de la soirée, il arborait une canne, qui renforçait l'impression mélancolique et mondaine qui émanait de lui. Aux yeux de Corell, il donnait à tous les autres un air provincial. Pourtant, ce n'était pas Farley qui faisait la plus grande impression. C'était un homme, parmi les reporters. Son regard errait, comme s'il voulait tout enregistrer, mais le reste de son langage corporel indiquait qu'il venait d'un autre monde. Il ne portait pas de vêtements luxueux comme Farley. Il portait un pantalon en coton et une veste usée en velours côtelé brun qu'on pouvait prendre pour un manteau, n'avait pas de couvre-chef et ne semblait pas beaucoup plus âgé que Corell. Mais la chose remarquable chez lui, c'étaient les yeux. Ils étaient vifs, n'était-ce qu'en raison de leur forme tranchante et étroite et de l'intensité qui en émanait et donnait à cet homme un air étonnamment alerte. Un livre gris dépassait de la poche de sa veste et, sans bien savoir pourquoi, Corell porta la main à son chapeau et le salua collégialement. Ils s'étaient tous massés en haut des marches du tribunal et, quand James Ferns se racla la gorge, l'assemblée se tut. Il y avait malgré tout dans l'air une certaine expectative.

"Nous avons constaté le suicide, dit le juge d'instruction. Pour ainsi dire un acte libre, ajouta-t-il, comme s'il y avait d'autres sortes de suicides.

— Sur quoi vous fondez-vous ?" le coupa un jeune journaliste, ce qui conduisit Ferns à s'étendre assez longuement sur la situation à l'intérieur de la maison d'Adlington Road.

"Un homme avec les connaissances de Turing savait combien le cyanure de potassium est dangereux. Il n'aurait pas été négligent avec un produit pareil, glissa Charles Bird.

— Et puis il avait ses raisons, ajouta le juge d'instruction. Il avait affronté un procès humiliant.

— Pourquoi a-t-il utilisé une pomme ?" demanda un reporter dans la force de l'âge, avec des lunettes rondes, et Corell aurait alors voulu dire quelque chose, c'était son domaine, après tout.

Mais le courage d'intervenir lui manqua et il écouta donc Bird répéter sa thèse comme quoi la pomme avait servi à masquer le goût amer du poison. Corell ne put s'empêcher de penser que cela ressemblait aux instructions d'une recette de cuisine : *Assaisonnez à volonté au cyanure de potassium. Mais ôtez le goût amer au moyen d'une pomme.* Juste après, le juge développa un raisonnement tendant à prouver que le suicide n'était pas nécessairement prémédité de longue date :

"Cela a très bien pu être le fruit d'une impulsion, dit-il. Avec un homme de ce genre, on ne peut jamais savoir ce qui va se passer.

— Pourquoi ? dit le reporter qui avait posé la question sur la pomme.

— Permettez-moi de le dire ainsi : une personne comme le Dr Turing est instable, j'ose l'affirmer. Quelqu'un comme lui perd facilement la raison. Sa vie est un peu en montagnes russes et je soupçonne, ou plutôt, j'ai de bonnes raisons de croire que son état mental était déséquilibré quand il a décidé de mettre fin à ses jours, oui, vous voyez où je veux en venir. Peut-être cette malheureuse idée l'a-t-elle pris subitement. Peut-être s'apprêtait-il à faire tout autre chose quand ça l'a pris", conclut Ferns. Le silence se fit.

Les reporters semblaient tous occupés à noter les derniers mots du juge et, au fond, Corell n'aurait pas dû prendre la parole.

Mais, à ce moment, il saisit un regard de l'inconnu à la veste de velours, et ce n'était pas juste un coup d'œil critique. C'était un regard destructeur et pour Corell qui, dès le début, voulait faire impression sur cet homme, ce fut une raison de protester.

"Je dois dire que vous m'impressionnez, monsieur le juge, dit-il.

— Ah ? Pourquoi ça ?"

James Ferns semblait interloqué.

"Pour si vite et avec autant de certitude être capable de déterminer quel type d'homme était Alan Turing. Mais je suppose que cela s'appuie sur une étude soigneuse de sa vie et de ses activités scientifiques.

— Euh… oui, enfin…, tenta Ferns.

— En fait, monsieur le juge, vous n'avez pas précisé à quel type vous faisiez allusion, continua Corell. Était-ce le type professeur, le type scientifique passionné, ou carrément le genre homosexuel, mu par ses pulsions et ses passions ? Oui, excusez-moi. Je ne sais pas exactement combien de types de personnes il existe de ce genre particulier, le seul type que je connaisse bien est celui qui parle de ce qu'il ne comprend pas, et cette espèce, nous en avons un spécimen sous les yeux."

Un rire retentit, sans que Corell pût déterminer d'où il venait.

"Je voulais juste dire que…, commença Ferns, dont le trouble était à présent palpable.

— … que nous ne savons rien des motivations de cet homme, j'espère. Notre connaissance de sa vie présente d'importantes lacunes. Toute cette enquête a été honteusement précipitée. À ce stade, se prononcer sur les pensées du Dr Turing au dernier jour de sa vie ne relève que des préjugés et de la spéculation", continua Corell, qui pensait vivre alors un instant de triomphe – il pensait au rire qu'il avait entendu – mais, en levant le regard, il remarqua qu'aucun des journalistes ne prenait de notes et que les yeux du légiste comme du juge d'instruction brillaient de colère.

Un silence embarrassé s'installa, comme après quelque chose de très gênant, et l'enivrant sentiment d'affirmation de soi qui l'avait un moment envahi disparut d'un coup, tandis qu'il était renvoyé à son insignifiance. Il chercha ardemment l'inconnu. Mais il était caché derrière un grand homme aux dents disjointes et, une seconde ou deux, Corell ne sut absolument pas quoi faire.

"Messieurs, je suppose que c'est tout", dit-il.

Ses mots sonnaient creux, sans poids. Il n'avait aucun titre pour interrompre ainsi la conférence de presse, mais ce qui était dit était dit. Ça passait ou ça cassait : il souleva son chapeau et s'éloigna, avec la sensation que son dos avait l'air frêle, ou même que ses fesses rappelaient celles d'une fille et, en une image fugace, il se représenta les commentaires désobligeants à son égard susceptibles de fuser parmi la foule. Il garda cependant la tête haute et mit en œuvre tous ses mécanismes de défense : *Qu'ai-je à faire de ces Je-sais-tout ?*

Mais sa honte grandissait et il commençait à se demander si Ferns n'avait pas eu raison malgré tout. Du moins ses déclarations n'étaient pas idiotes au point de justifier une riposte hostile. Les homosexuels n'étaient-ils pas mus par des pulsions et des lubies ? Peut-être étaient-ils tantôt excités puis, la seconde d'après, remplis d'angoisse et de remords, qu'en savait-il ? D'un point de vue purement psychologique, Ferns avait certainement raison sur ce point. Corell avait été idiot, voilà tout. Pourquoi tout ce qu'il faisait tournait-il au fiasco ? En outre… il se sentait vide, dépouillé de quelque chose, pas seulement d'un problème, d'un mystère qui touchait un peu aux grandes affaires du monde, mais aussi… comment dire ?… d'un désir. À présent tout était fini. L'affaire était classée comme un triste suicide, et il n'était pas plus avancé. Il avait sa lettre, mais en savait toujours aussi peu. Cela faisait bien sûr partie du côté mélancolique de son métier : à peine commençait-il à comprendre une vie de l'intérieur, il fallait l'abandonner – mais d'habitude, ce n'était pas aussi dur à accepter. Souvent, il ressentait plutôt une fatigue, une lassitude à la fin de ses enquêtes mais, cette fois, des gens étaient venus de Cheltenham lui parler espions et grande politique.

Ce qu'il y avait de malheureux, c'était que Corell n'y pouvait rien. Il allait devoir retourner à sa tristesse ordinaire, aux enquêtes sur les dépôts d'ordures dans la cour du commissariat, et il se mit alors à penser à autre chose, à Julie et à la fillette, à tout et n'importe quoi. Entièrement absorbé par ses idées noires, il mit un moment à comprendre qu'une voix d'homme l'appelait.

"S'il vous plaît ! Excusez un instant."

Il ne se retourna que lentement et vit alors l'inconnu aux petits yeux plissés, ce qui ne fit pas que le tirer de ses ruminations. Il s'inquiéta aussi, un peu comme pendant ses années d'écolier, quand une personne importante s'approchait à l'improviste avec un sourire aimable. Il était content, mais aurait préféré en être dispensé. Heureusement, l'homme attaqua avec les mots justes :

"Magnifique remarque au juge d'instruction !"

Ils étaient si justes que Corell osa commencer par une pure franchise :

"Je me sens comme un idiot.

— Le lot de l'apôtre de la vérité."

Apôtre de la vérité.

C'était presque un peu trop : pour ne pas perdre contenance, Corell tendit la main et se présenta. L'inconnu qui, malgré ses paroles aimables, avait quelque chose de très sévère s'appelait Fredric Krause, était logicien à Cambridge et "ami de Turing, ou du moins admirateur". Il était venu ici pour "rendre hommage à Alan".

"Lui rendre hommage ?

— Si vous aviez connu Alan, vous auriez mesuré ce qu'il y avait d'infiniment comique à vouloir parler de lui comme un type particulier.

— De quel point de vue ?

— Tous ! Ou plutôt, s'il existe une autre personne de son type, je veux la rencontrer immédiatement !

— Vraiment ?

— Si j'ai bien compris, vous n'êtes pas aussi convaincu que les autres qu'il s'agisse d'un suicide, continua Fredric Krause.

— Assez convaincu quand même.

— Mais…

— Pas de mais. J'ai juste compris que j'en savais trop peu sur Turing.

— Je connais ce sentiment.

— Ah oui ?"

L'homme hocha la tête et avança d'un pas et, dans un accès de paranoïa, Corell se figura que le logicien s'approchait trop. Il chassa cette idée. Ils se trouvaient juste au bord de Groove Street et firent un bout de chemin ensemble. La cohue de l'après-midi avait cédé la place aux flâneurs et, bientôt, ils ralentirent l'allure. Krause le pria de lui parler de la mort de Turing et, tout en exposant une nouvelle fois l'état dans lequel il avait trouvé la maison, il se sentit en verve et l'esprit vif.

"Et vous-même, qu'en pensez-vous ? dit-il. Était-ce quelqu'un capable de se suicider ?

— On ne pense cela de personne. Mais il avait vécu l'enfer, et puis…"

Fredric Krause hésita, et Corell remarqua chez lui une particularité : quand il réfléchissait, ses paupières tremblaient.

"Et puis quoi ? dit Corell.

— Et puis il n'est jamais facile de vieillir pour un mathématicien, ni pour un physicien, d'ailleurs. Nous sommes comme des sportifs, en tout cas la plupart d'entre nous. Nous sommes au top vers la vingtaine. Vous savez, Einstein était presque vieux lors de son *annus mirabilis*. Il avait vingt-six ans. Après ça, on n'a que trop le temps de regarder en arrière.

— Et ce n'est pas bien ?

— Si on regarde en soi-même avec la même énergie qu'on met à aborder un problème mathématique, c'est l'enfer", répondit Krause, curieusement gai, vu la teneur de ses propos, puis il ajouta qu'Alan avait été un idiot de s'installer ici, "dans ce bastion puritain. Bon, je n'ai rien contre Wilmslow", précisa-t-il, comme si Corell allait mal le prendre, mais "le contraste n'aurait pas pu être plus grand qu'entre King's College et Manchester.

— Oui, ici, il était forcé d'aller à Oxford Road, dit Corell.

— Où ?

— C'est le lieu de drague.

— Ah bon.

— Puis-je vous poser une question ? dit Corell.

— Vous êtes policier. Vous pouvez bien sûr demander ce que vous voulez.

— Ce n'est pas une question policière.

— Encore mieux.

— Autrefois, j'étais bon en math, continua Corell, aussitôt honteux de ses mots.

— Félicitations, dit Krause, ce qui aurait très bien pu être pris pour un sarcasme, mais Corell décida de ne pas l'interpréter ainsi.

— Et le paradoxe du menteur m'amuse beaucoup.

— Oh, je comprends."

Krause semblait curieux.

"Longtemps, j'ai cru que ce n'était qu'un jeu de mots amusant, puis j'ai lu…" dans le procès-verbal, allait-il dire, mais il avait réalisé que cela semblerait idiot.

"Que quoi ?

— Que ce paradoxe, en fait, était un problème fondamental qui avait donné naissance à une nouvelle…"

Il s'interrompit à nouveau.

"Je serais très heureux si vous vouliez me l'expliquer, dit-il.

— Mon Dieu ! Vous m'étonnez et me réjouissez, répondit Krause avec un grand sourire. Le paradoxe du menteur ? Doux Jésus ! Voulez-vous vraiment m'écouter ? Vous n'allez peut-être plus réussir à vous débarrasser de moi."

Ils s'arrêtèrent.

"Je prends le risque.

— Par où commencer ?

— Pourquoi pas par le début ?

— Alors je dois remonter aux Grecs. En fait, je peux sauter les Romains. Ils n'ont rien pigé. Le Romain qui a le plus contribué aux mathématiques est probablement le type qui a tué Archimède. Ha, ha ! Mais le paradoxe du menteur, en sa version originale, s'appelait…

— Je connais Épiménide."

Ils reprirent leur promenade.

"Très bien, avançons donc. Épiménide était le premier. Mais ensuite, le paradoxe est revenu sous toutes ses variantes possibles. Au XVe siècle, un philosophe français a écrit sur un papier : « Toutes les phrases sur cette page sont fausses. » Joli, non ? Simple, clair, mais éternellement contradictoire. Si toutes les phrases de cette page sont fausses, cette phrase-là doit l'être également, mais alors elle est vraie, puisqu'elle affirme explicitement être fausse, mais en même temps, elle est sur cette page où toutes les phrases sont fausses… Un jour, Alan a dit qu'on devrait utiliser le paradoxe du menteur pour faire sauter les robots.

— Que voulait-il dire ?

— Un être entièrement bâti de systèmes logiques devrait être mis en pièces par un énoncé de ce genre. Ses pensées partiraient en boucle et finiraient par se court-circuiter.

— Mais ce paradoxe est-il fondamental ?

— Absolument ! Il est tout à fait central. Il a modifié notre vision de la logique et aussi du monde, d'ailleurs. Ou plutôt, je devrais dire : cela dépend à qui vous posez la question. Wittgenstein, par exemple, vous aurait dit que ce paradoxe n'était qu'une absurdité vide.

— Mais ce n'était pas l'avis de…

— De Turing, oh non. Lui et Wittgenstein avaient des discussions d'anthologie à ce sujet, à Cambridge.

— Ils se connaissaient ?

— Pas vraiment, répondit Krause. Les amis d'Alan étaient plus sympathiques que ça. Il faut dire aussi que Wittgenstein n'a jamais rien compris aux mathématiques. Mais juste avant la guerre, Turing et moi avons suivi son cours sur les fondements des mathématiques, et alors…"

Krause s'interrompit en souriant, comme si ce souvenir lui était cher. Des rides se dessinèrent sur son visage, qui n'était en fait pas si jeune, et ses yeux, bruns, tranchants, se rétrécirent encore. Corell, qui s'était arrêté, entrevit furtivement le vaste monde. Wittgenstein était un de ces noms distingués convoqués à la table du dîner, dans son enfance et, au fond, c'était moins le fait que Turing ait eu "des discussions d'anthologie" avec le philosophe qui le troublait que l'irrespect du ton de Krause. "Wittgenstein n'a jamais rien compris aux mathématiques." Dans ces mots résonnait la façon que son père avait de royalement rabaisser les grands de ce monde. En regardant de côté, il vit qu'ils passaient devant The Zest. Ce pub occupait le rez-de-chaussée d'un bel immeuble carrelé de blanc. Cela avait beau être un pub irlandais classique, sa façade était peinte en bleu et jaune et, même si Corell hésita et regretta aussitôt, il proposa :

"Je vous offre un verre ?"

Krause semblait n'avoir rien entendu.

"Un verre ?" répéta-t-il.

Un instant, le logicien parut perdre son voile de malice. Il demeura pensif, rien qu'une seconde. Puis son visage s'éclaira et il fit un geste de la main droite.

"Très volontiers", dit-il, et ils entrèrent.

19

Ils s'assirent dans la salle du pub, près d'une fenêtre donnant sur la rue. Des armoiries pendaient au mur, ainsi que la photo d'une montagne aux falaises dramatiques. Le pub était étonnamment vide. Seuls deux hommes en costume clair, qui semblaient s'ennuyer, conversaient à une table un peu plus loin et, seul dans le coin en face d'eux, un homme d'un certain âge qui avait connu des jours meilleurs et semblait de temps en temps sur le point de dire quelque chose. Mais Corell l'oublia bientôt. Il était absorbé par les mots de Krause et se sentait à la fois détendu et considéré, non seulement parce qu'ils avaient aussitôt laissé tomber les titres pour s'appeler par leurs prénoms Leonard et Fredric, mais aussi l'alcool aidant : il buvait de la *mild ale* tandis que le logicien, qui voulait de la bière en bouteille et avait en vain tenté de commander quelques marques allemandes ou nordiques, s'était rabattu sur la Carlington Black Label.

"Si tu savais le trac que j'avais, la première fois que je suis allé au cours de Wittgenstein, dit Krause. Tu sais, je suis originaire de Prague et j'ai un temps étudié les mathématiques à Vienne. Là, il y avait une bande qui se faisait appeler le cercle de Vienne, et qui se réunissait dans un local miteux de Boltzmanngasse. Une fois, j'étais là, assis sur un vieux tabouret en bois, et j'ai entendu ces gens parler de Wittgenstein comme d'un vrai Dieu. Qu'aurait dit Wittgenstein ? se demandait-on sans cesse. C'était ridicule. Mais ça m'a marqué. Je tremblais à l'idée de m'approcher de lui. Connais-tu l'histoire de sa vie ?"

Corell fit un geste vague de la main.

"Wittgenstein est né plein aux as, continua Krause, et jeune étudiant, il s'est pointé aux cours de Russell et s'y est montré en tout pénible. « Impossible de parler à cet homme-là, disait Russell, c'est un idiot », et il n'est pas impossible que ce jugement ait été assez correct. Mais Russell a changé d'avis. Plutôt qu'un idiot, il a affirmé que ce type était un génie, et qui plus est le type même du surdoué, possédé, sans compromis et excentrique. Sur ce dernier point, en tout cas, il avait raison. Wittgenstein était insensé. Il a distribué toute sa fortune, non, je ne sais pas à qui. Je crois que Rilke, le poète, en a reçu une partie. Mais je me demande si sa riche sœur n'en a pas pris en charge la plus grande part. Ensuite, Wittgenstein s'est engagé volontairement dans l'armée autrichienne et, comme son compatriote Hitler – ils ont même, à une époque, fréquenté la même école –, il a trouvé la guerre instructive. Un sacré crétin, tout simplement ! Prisonnier de guerre en Italie, il a achevé son *Tractatus*, tu sais, le livre qui se termine par les mots : « Ce qu'on ne peut dire, il faut le taire. »

— Ce qu'on ne peut dire, il faut le taire, répéta Corell.

— Une phrase prétentieuse et absurde. Mais elle est bien formulée, elle nous séduit par sa rigueur. Si tu n'as rien d'intelligent à dire, ferme ta gueule ! Aujourd'hui, je ne la supporte plus. Mais en 1939, j'étais ensorcelé. J'ai relu au moins dix fois le *Tractatus*, en me figurant y trouver tout et n'importe quoi. Avec ce livre, Wittgenstein entendait avoir baissé la culotte de la philosophie. Il prétendait que le langage et la logique ne suffisaient pas pour les grandes questions. La logique était au mieux bonne pour découvrir les tautologies et les contradictions. La philosophie était absurde et, comme il était celui qu'il était, il a tiré les conséquences de ses thèses et il est parti dans les montagnes faire l'instituteur pour des enfants autrichiens. Par la suite, j'ai entendu dire qu'il ne s'en était pas très bien sorti. Il punissait les écoliers, sûrement à peu près comme ces jésuites dont parle Joyce. Il refoulait tant de passions et de sentiments ordinaires qu'il avait de violentes crises de colère.

— Mais il est revenu à Cambridge ?

— Il a gracié la philosophie quand il a eu la chaire de professeur à Trinity College, succédant à G. E. Moore. D'après toi, ça a fait du bruit ?

— J'imagine.

— Personne à Cambridge n'était autant nimbé de mythe que lui. On s'extasiait rien que de le voir de loin, alors, être admis à son cours ! Il avait lieu dans son appartement de Whewells Court à Trinity, et j'y allais les genoux tremblants. C'était comme entrer dans un sanctuaire.

— Et Turing était là lui aussi ?

— Je ne savais pas qui il était, à l'époque. Je n'avais même pas lu *Computable Numbers*. D'ailleurs, j'ai mis longtemps à remarquer quelqu'un d'autre que Wittgenstein. Il était électrique, beau, je suis bien forcé de le reconnaître. Tu as vu des photos de lui ?

— Je ne crois pas.

— Eh bien, il inspirait un respect infini : maigre, sculpté au couteau, toujours simplement habillé, une chemise en flanelle et une veste de cuir. Nous étions assis autour de lui à même le sol et sur les tabourets en bois, à moitié paralysés par la vénération. C'était comme un cloître. Il n'avait pas un seul abat-jour, ce crétin ascétique, pas de photos ni de tableaux aux murs, pas de beaux meubles, même pas de livres, rien qu'un placard gris pour ses manuscrits philosophiques, et ses leçons proprement dites… comment les décrire ? Wittgenstein n'avait pas de notes, bien sûr. C'était plutôt un flux verbal, et il était souvent dur avec lui-même. « Je suis un idiot », pouvait-il dire. Mais le plus souvent, c'est sur nous qu'il s'acharnait : « Je pourrais aussi bien parler à un placard ! Avez-vous seulement compris un mot ? » Nous n'osions pas ouvrir la bouche, et encore moins dire que nous ne comprenions pas. Ce que disait Wittgenstein était tellement peu clair et nous nous sentions débiles. Un fichu suceur de sang, voilà ce qu'il était. Nous nous blottissions ensemble comme un troupeau de moutons effrayés. Mais un type s'est opposé…

— Turing ?

— Franchement, je ne saurais pas dire quand je l'ai remarqué pour la première fois. Alan n'était pas vraiment un Wittgenstein.

— Comment ça ?

— Lui aussi était un original, je ne l'ai compris que plus tard, et oui, d'une certaine façon, objectivement, il était très semblable à Wittgenstein : deux loups solitaires. Tous deux homosexuels, ils menaient une vie spartiate et s'intéressaient à des questions de fond. Mais d'un autre point de vue, ils étaient le contraire l'un de l'autre. Alan était timide. Il semblait souvent invisible dans les grands groupes, et sa voix hésitante. Parfois, il bégayait vraiment beaucoup. Il n'y avait rien de grandiose chez lui et, au début, je crois que Wittgenstein a surtout été irrité. Qu'est-ce que c'était que ce type ? Mais il a changé. Il a commencé à écouter et à discuter le bout de gras avec ce garçon – et souvent il se montrait méprisant, évidemment, mais on remarquait chez lui un changement. Quelque chose s'était éveillé dans son cerveau bizarre. En présence d'Alan, il s'animait et, à la fin, on avait l'impression qu'il ne parlait plus qu'à lui. Comme si nous autres n'existions pas. Un jour que Turing n'était pas venu, il s'est montré complètement déprimé. Vidé. « Ce séminaire sera une parenthèse », a-t-il soupiré.

— Comment donc ? glissa Corell.

— Alan était pointu. Il opposait résistance à Wittgenstein, et le vieux tyran l'appréciait, malgré tout. Mais Alan était aussi le seul mathématicien du groupe. Le cours s'intitulait – l'ai-je dit ? – *Fondements des mathématiques*. Assez curieusement, Alan donnait en même temps un cours du même nom, mais je n'en savais rien, dommage, car ce cours m'aurait sans doute mieux convenu. Tu comprends, les nombres étaient les amis d'Alan, sa religion. Il rêvait de leur donner une forme physique. Wittgenstein était tout à fait différent. Il considérait que les mathématiciens prenaient leur matière beaucoup trop au sérieux. Il passait son temps à polémiquer avec eux, et Turing était devenu le représentant de l'ennemi. « Turing croit que je veux introduire le bolchevisme dans les mathématiques », disait-il.

— Mais de quoi débattaient-ils, plus précisément ?

— Justement du sujet qui t'intéresse, le paradoxe du menteur !"

Corell se pencha en avant.

"Comment ça ?

— Wittgenstein voulait montrer que les mathématiques étaient comme la logique, un système clos, construit sur des prémisses arbitraires, qui ne disaient rien du monde extérieur. Pour lui, une contradiction comme le paradoxe du menteur, qui crée un problème au sein du système mathématique, n'avait aucune application dans la réalité. C'était un jeu de mots, rien de plus, une plaisanterie. Quelque chose qui pouvait au mieux servir à semer la confusion dans l'esprit des étudiants. Au sens commun du mot, cela n'avait aucune fonction. Aucune autre que celle d'une blague au moment de l'apéritif. « Quelle importance, disait-il, que je dise : *Je mens parce que je dis la vérité, donc je mens, donc je dis la vérité* et ce jusqu'à ce que je devienne tout bleu ? Ce n'est qu'une ânerie ! »

— Mais Turing n'était pas d'accord ?

— Non, et cela énervait Wittgenstein. Il a mis le paquet pour le convaincre.

— Sans y parvenir.

— Non, absolument pas. Pour Alan, le paradoxe du menteur était quelque chose de profondément sérieux, dont les conséquences dépassaient de loin la logique et les mathématiques. Il disait même qu'un pont pouvait s'écrouler.

— À cause du paradoxe du menteur ?

— Ou à cause de toute autre erreur dans les fondements des mathématiques. Wittgenstein et lui passaient leur temps à se renvoyer ce pont à la figure. Ils le construisaient et le rasaient, dessinaient toutes sortes de figures bizarres. Mais aucun des deux n'a cédé, et Turing a fini par se lasser. Il a envoyé paître le séminaire et Wittgenstein est resté la queue entre les jambes.

— Et qui avait raison ?

— Turing, bien sûr. Foutrement raison.

— Sérieux ? fit Corell, excité.

— Alan, plus que tout autre, a compris ce que ce paradoxe avait de particulier, continua Krause. D'habitude, quand nous tombons sur des contradictions, elles sont le signe que nous avons commis une erreur, n'est-ce pas ? Mais ici, il n'y a aucune erreur. L'énoncé « Je mens » est correct, et grammaticalement impeccable. Pourtant, il est impossible à prouver et ce n'est pas une banalité. C'est un coup qui dynamite les fondements mêmes de…

— … de notre conception de la vérité, compléta Corell.

— Oui, et Alan a consacré beaucoup de temps à ce paradoxe. Il en a même utilisé une variante dans sa démonstration dans *Computable Numbers*.

— Dans quoi ?

— Son essai sur la machine. Bon, comment t'expliquer."

Krause but sa bière avec une avidité que Corell aurait sûrement interprétée comme un signe d'alcoolisme si elle ne semblait pas si clairement liée à sa passion pour le sujet.

"Tu connais la différence entre découvrir et inventer, reprit-il. Celui qui découvre trouve ce qui était caché, comme l'Amérique, ou les électrons autour de l'atome. Celui qui invente crée de nouvelles choses, qui n'existaient pas avant qu'on en ait l'idée, comme le téléphone.

— Bien sûr !

— Les mathématiciens se sont longtemps considérés comme des explorateurs. Ils pensaient que les nombres et leurs relations cachées appartenaient à la nature, indépendamment des hommes. Les mathématiciens devaient juste ôter le voile pour découvrir et montrer leur système complexe. Mais quelques-uns d'entre eux ont fini par se demander : en va-t-il vraiment ainsi ? On a découvert que le socle des mathématiques n'était de toute façon pas très solide. Il était plutôt plein de trous. Le paradoxe du menteur n'était que l'un d'eux. Certaines vérités absolues, et même dans la géométrie euclidienne, s'avéraient relatives. Elles auraient très bien pu être posées autrement. On a essayé d'extraire la racine carrée de moins un et on a découvert les nombres imaginaires qui, selon Leibniz, flottent entre deux eaux, entre l'être et le non-être. De plus en plus se sont mis à considérer les mathématiques comme une invention, presque à l'instar des échecs."

Corell se rappela les mots de l'inspecteur Rimmer.

"Les mathématiques traversaient une crise.

— La question se posait même de savoir si elles étaient logiques, dit Krause.

— Était-ce le cas ?

— En tout cas, quelques tentatives ambitieuses ont été faites pour soigner le patient. Gottlob Frege voulait démontrer que les mathématiques étaient malgré tout cohérentes – malgré leurs manques. Il semblait avoir réussi. Son principal ouvrage, *Grundgesetze der Arithmetik*, paraissait réinstaller les mathématiques sur un socle logique stable. Mais il a alors reçu une lettre d'un jeune homme extrêmement aimable de Cambridge. Cette lettre faisait l'éloge de son livre. L'ouvrage était absolument fantastique, etc. On peut imaginer la scène : Frege, la vieille baderne antisémite, se cale au fond de son fauteuil, prêt à éclater d'autosatisfaction… Bon, j'exagère, non qu'il n'ait pas été antisémite – son journal des dernières années dévoile les opinions les plus effroyables – mais il n'était peut-être pas aussi autosatisfait que cela. Son œuvre a été ignorée et il n'a jamais été davantage que professeur assistant à Iéna. Mais enfin… il se considère comme le sauveur des mathématiques et semble, par cette lettre, recevoir des compliments bien mérités. Son auteur – un certain Bertrand Russell – voit cependant une petite difficulté dans son ouvrage, une contradiction dans le genre du paradoxe du menteur. Pas de quoi en faire tout un plat. Qu'est-ce qu'un petit morveux de Cambridge pourrait bien apprendre à Frege ? Le morveux s'excuse même de soulever le problème. Mais Frege décide pourtant d'y réfléchir, et s'inquiète même un peu, et que crois-tu qu'il se passe, un instant plus tard ? Tout son monde s'effondre. Tous ses travaux s'écroulent comme un château de cartes.

— Pourquoi ?

— Russell avait trouvé des inconséquences dans la façon de Frege de diviser les objets en différents groupes. Le problème, c'était l'ensemble de tous les ensembles qui ne se contiennent pas eux-mêmes.

— Pardon ?

— Quand j'ai assisté aux cours de Russell à Cambridge, il a essayé de nous faire comprendre ce qu'il avait découvert, avec l'histoire d'un barbier, disons de Venise. Le barbier rase tous ceux de son quartier qui ne se rasent pas eux-mêmes, et personne d'autre. Qui donc rase le barbier ?

— Ça…

— S'il ne se rase pas lui-même, il est rasé par le barbier, c'est-à-dire par lui-même, mais s'il se rase lui-même, il appartient bien à l'ensemble de ceux qui se rasent eux-mêmes, et donc ne va pas être rasé par le barbier. Il y a un problème, quelle que soit notre réponse à la question.

— On dirait bien, dit Corell, étourdi, en buvant une grande gorgée de son ale.

— Et si on transforme la question en chiffres, on obtient un énoncé qui semble correct, mais qui conduit à une impasse, continua Krause, insouciant.

— Oui…

— Et on pourrait encore trouver que c'est couper les cheveux en quatre. Mais non. Les mathématiciens ont eu un énorme avantage sur les autres scientifiques : ils ont pu calculer si quelque chose était vrai ou faux. Sans même avoir besoin de remonter le store pour regarder dehors. Il suffisait de vérifier les chiffres. Mais voilà qu'il s'avérait que certaines équations se contredisaient elles-mêmes. Si elles correspondaient à une réalité, c'était un monde irrationnel, une sorte de pays des merveilles.

— Ça semble grave.

— Encore une fois, j'exagère, bien sûr. Tout logicien se doit d'avoir un pied au théâtre. Sinon personne n'écouterait. Mais il est vrai que les contours des mathématiques apparaissaient de plus en plus vagues. Vrai n'était pas toujours vrai. Faux pas toujours faux. Bien sûr, il existait des optimistes. Russell en était un. Il travaillait à venir à bout de ces contradictions. Lui et Whitehead, dans leur grand ouvrage, *Principia Mathematica*, ont réduit les mathématiques en tout petits fragments et ont tenté de montrer que tout se tenait en bonne logique, malgré tout, créant ainsi un certain optimisme. Un des grands mathématiciens de la même époque, David Hilbert, était convaincu que les mathématiques recouvreraient ainsi leur statut de science fiable. Il n'y avait pas d'alternative. « Où trouver sinon la vérité et la certitude, si les mathématiques nous font défaut ? écrivait-il. Personne ne doit nous chasser du paradis créé par Cantor. »

— Le paradis ?"

Corell termina sa bière.

"Hilbert faisait allusion au paradis pur et clair des mathématiques, continua Krause. Il se considérait comme un formaliste. Les mathématiques pouvaient ne pas exactement correspondre à la réalité extérieure. Mais tant qu'on décidait des règles, il était possible d'en déduire un système étanche – à condition de remplir trois conditions : que le système soit cohérent, complet et décidable.

— C'est-à-dire ?

— Cohérent, c'est-à-dire qu'aucune contradiction ne doit apparaître au sein du système. Complet, à savoir que tout énoncé vrai doit pouvoir être démontré comme vrai grâce aux règles du système. Décidable signifie qu'il doit exister une méthode permettant de déterminer si un énoncé – quel qu'il soit – peut être ou non démontré. Hilbert a mis les mathématiciens du monde entier au défi de trouver une réponse à ces questions. Il pensait que la solution était quelque part. Il fallait juste la trouver. Car en mathématiques, il n'y a pas d'*ignorabimus*.

— De quoi ?

— En mathématiques, on doit pouvoir savoir.

— Et que s'est-il passé ?

— En guise de refondation, il a provoqué un tremblement de terre. Son paradis a été perdu à jamais.

— *Paradise Lost*, dit Corell.

— Il y a un type, Kurt Gödel, autrichien comme moi, ou tchèque, ça dépend comment on voit les choses. Je l'ai rencontré à Princeton, où j'ai étudié un an, enfin, rencontré, c'est beaucoup dire, en tout cas je l'ai vu. Gödel est un solitaire. Un drôle d'oiseau, maigre, renfermé, paranoïaque, d'après ce qu'on m'a dit, et hypocondriaque. Il ose à peine manger de peur d'être empoisonné. Ce type n'a qu'un seul ami, et ce n'est pas n'importe qui. Devine qui ?

— Buster Keaton ? tenta de plaisanter Corell.

— Ha, ha. C'est Einstein. Lui et Gödel sont potes. C'est vraiment touchant. À Princeton, je les voyais aller et venir des heures et des heures, les mains dans le dos, à ne faire que parler, Einstein petit gros jovial, Gödel sévère et creux, les Laurel et Hardy de l'intelligence, comme nous disions. Les gens se demandaient comment Einstein – qui était souvent assez gai – pouvait fréquenter un pareil misanthrope. Einstein répondait quelque chose comme : « Gödel est le seul intérêt de cet endroit. » Je le comprends. Quand Gödel a publié son théorème d'incomplétude, en 1931, il a secoué toute la communauté mathématique, enfin en tout cas lorsque les gens ont commencé à le comprendre. Ce théorème n'est pas facile à percer. Mais il est incroyablement séduisant et, au fond, étonnamment simple et clair. Évidemment, il est fondé sur le paradoxe du menteur.

— Là aussi.

— Ce paradoxe, c'est comme Excalibur. Il tranche tout. Par un raisonnement d'une extrême élégance, Gödel a démontré qu'un système complet ne peut en même temps être cohérent. C'est soit l'un, soit l'autre. Prends l'énoncé : *Cette phrase ne peut être prouvée !* Si elle peut être prouvée, nous avons une contradiction. La phrase se contredit elle-même. Si elle ne peut être prouvée, alors le système est incomplet : il existe des phrases indécidables – alors qu'elles sont formulées en suivant parfaitement les règles du système.

— Je comprends." Corell avait vraiment l'impression de commencer à y voir plus clair, mais peut-être n'était-ce que la bière.

"Gödel a écrasé les rêves de Hilbert, continua Krause. Il nous a volé à tous notre innocence. Il a montré que les mathématiques ou le raisonnement logique en général ne peuvent jamais entièrement se libérer d'une dose d'irrationalité. Rien n'est aussi pur et parfait que nous le croyons. Nous n'échappons pas aux contradictions. Les contradictions semblent être une partie de la vie elle-même.

— Une personne sans contradictions n'est pas digne de foi, avait l'habitude de dire mon père, tenta Corell.

— Ton père était sage.

— Pas spécialement.

— Non ? Mais en tout cas il avait raison. Au théâtre, dans la littérature, nos divisions intérieures sont au cœur des choses. C'est pourquoi les clichés et les caricatures sont si laids. Ils sont d'un seul tenant. Mais Hilbert, le théorème de Gödel l'a assommé, lui qui croyait qu'au moins les mathématiques pourraient être coulées d'un seul bloc. Pour Alan, en revanche, qui est arrivé à Cambridge à peu près à cette époque, le théorème de Gödel est devenu un déclencheur, une carotte. Si le socle des mathématiques était flottant, il était d'autant plus passionnant d'y marcher. C'était en général une époque formidable et, en ce sens, Alan avait de la chance. Einstein avait écorné la vision du monde de Newton, Niels Bohr et consorts avaient découvert la physique quantique. Le comportement d'une particule isolée au cœur d'un atome était aussi peu prévisible que celui d'une personne ivre dans une fête. Le monde tout entier était devenu moins prévisible, et Alan adorait ça. Renverser les conventions était l'air dont il vivait. Quand il a commencé à King's College, on parlait sans cesse de Gödel. Gödel ceci et Gödel cela. Et bien sûr, Gödel était le héros. Toute la journée, il n'y en avait que pour lui. Mais il n'avait pas la solution à tout. Il n'avait pas répondu à toutes les questions de Hilbert. Un point important demeurait. La question de la décidabilité. Hilbert avait en effet lancé aux génies futurs le défi de trouver une méthode qui puisse déterminer si un énoncé mathématique, quel qu'il soit, est démontrable ou non. Beaucoup espéraient encore que quelque chose de ce genre pourrait être découvert et ainsi sauver un peu l'honneur des mathématiques. On appelait souvent cela le problème de la décision. Ou en allemand : *Entscheidungsproblem*. Max Newman, le même Newman qui travaille aujourd'hui sur la machine digitale à Manchester, a fait une conférence sur ce problème. Je suppose qu'il voulait donner envie à quelqu'un de s'y atteler, sans avoir d'espoirs exagérés. Cela devait sembler insurmontable. Comment trouver une méthode qui puisse prendre en compte tous les énoncés mathématiques, passés et futurs, et décider s'ils étaient démontrables ou non ? Cela devait paraître monumental. Comme le rêve d'un mouvement perpétuel. Mais Newman… a continué sur sa lancée et s'est demandé s'il n'y aurait pas une façon mécanique de régler la question.

— Une façon mécanique ?

— Newman parlait au sens figuré. Une méthode mécanique purement intellectuelle grâce à laquelle, à l'aide de quelques règles simples, on parviendrait à produire une réponse. Mais parmi les auditeurs, il y avait un jeune homme qui, toute sa vie, avait eu l'habitude de prendre tout au pied de la lettre.

— Turing.

— Alan a toujours aimé tester les interprétations littérales. Un jour, on lui a reproché que sa carte d'identité ne soit pas signée. "On m'a dit de ne rien écrire dessus", a-t-il répondu. Il était comme ça. Il prenait tout littéralement, ce qui, d'habitude, est le signe d'une certaine lenteur d'esprit. D'un manque d'imagination. Chez lui, c'était le contraire. En prenant les choses au pied de la lettre, il prenait une longueur d'avance sur nous autres. Mécanique, pour lui, voulait dire machine."

Corell se pencha impatiemment au-dessus de la table.

"Raconte ! dit-il. Raconte !"

20

Ce n'était pas facile à comprendre, et pas seulement à cause du niveau d'abstraction. Ils commençaient aussi à être ivres. Mais apparemment, Alan Turing était donc encore jeune quand il avait entendu le terme *mécanique* employé dans un contexte inhabituel. Il avait à peine plus de vingt ans, jeune comme Gödel, jeune comme tous les mathématiciens quand ils ont leurs grandes idées novatrices et, à la différence de la plupart des autres, il ne semblait pas très intéressé par l'histoire des mathématiques, ni même par le fait d'apprendre des erreurs d'autrui.

Plusieurs fois, même petit, il avait tout seul trouvé la réponse à des problèmes mathématiques que d'autres avaient déjà résolus, parfois un siècle plus tôt, et il n'avait pas l'air de beaucoup soumettre ses idées à la discussion. Il avait sa propre façon de faire. En raison de sa manière d'être compliquée, il était à l'écart et regardait le monde à sa façon. Pour d'autres, à Cambridge, le mot *mécanique* n'était pas seulement triste, dit Krause. Dès lors que la vision du monde mécaniste de Newton était remise en cause, ce mot était également dépassé, il appartenait à l'ordre ancien d'avant Einstein mais, pour Turing, il contenait une certaine poésie.

"Alan faisait une carrière assez brillante à Cambridge, et c'était nouveau pour lui, dit Krause. À l'école, il n'avait pas vraiment été une star. Mais à King's College, il est très tôt devenu *fellow*, a reçu trois cents livres par an et a eu le droit de dîner avec la crème des universitaires, non qu'il y attachât une grande importance, mais il était libre de faire ce qu'il voulait.

— À savoir ?

— D'abord, il a voulu faire quelque chose dans la physique quantique, puis dans la théorie de la vérité, mais ça ne donnait rien et il n'arrivait pas à se défaire de ce que Max Newman avait dit.

— L'idée de trouver une méthode mécanique…

— … permettant de déterminer si les énoncés mathématiques étaient démontrables ou non.

— Ça semble dur !

— C'était insensé. Les mathématiques ne manquaient pas exactement de problèmes impossibles à prouver ou à réfuter, prends ne serait-ce que le dernier théorème de Fermat, ou la conjecture de Goldbach selon laquelle tout nombre pair est la somme de deux nombres premiers. Comment une méthode mécanique pourrait-elle venir à bout de ce sur quoi les meilleurs mathématiciens se cassent les dents depuis des centaines d'années ? Et comment quelque chose d'aussi inanimé et bête qu'une machine pourrait de quelque façon que ce soit y contribuer ? D'autres mathématiciens lui ont ri au nez. Hardy, le dieu vivant, a écrit quelque chose du genre : « Seuls les idiots les plus stupides peuvent penser que les mathématiciens pourraient faire leurs découvertes rien qu'en allumant une sorte de machine miraculeuse. » Non, les mathématiques de haut niveau étaient considérées comme l'exact contraire. C'était la pensée en liberté dans toute sa splendeur. Se contenter de rêver à une machine…

— Mais Turing rêvait…

— Il rêvait. Mais aussi, ce n'était pas un mathématicien sérieux, pas dans ce sens-là. Il était à l'écart, penser comme les gens raffinés, comme Hardy, ne l'intéressait pas. Il avait gardé sa naïveté intacte : naïf et génial, c'est une heureuse combinaison.

— Mais une machine ?

— Dieu sait d'où cela lui venait. Mais nous accumulons les impressions, n'est-ce pas ? Nous nous enferrons dans certaines directions. Une idée peut naître rapidement, mais elle a souvent une longue histoire. J'ai dit que le mot *mécanique* avait pour lui une charge positive et même poétique. Je crois que c'était en partie à cause d'un livre qu'il avait gosse, un ouvrage scientifique pour les enfants où une belle âme enthousiaste expliquait le fonctionnement du monde et de l'homme en termes simples. L'auteur comparait entre autres notre corps à une machine perfectionnée. Ce n'était sans doute qu'une métaphore, une astuce pour expliquer comment nos organes travaillent avec une régularité mécanique pour nous maintenir en vie. Mais cela a marqué Alan. Il faut dire qu'il était enclin aux interprétations littérales, et je crois que l'idée lui plaisait : le cerveau comme une machine. C'était autre chose que l'habituelle génuflexion devant le miracle de l'âme humaine.

— Il a parlé de cerveaux électroniques.

— Plus tard, oui… mais à l'époque, dans les années 1930, il ne se préoccupait pas de l'électricité ni de l'électronique. Il pensait d'un point de vue purement théorique. Peut-être savait-il déjà alors que le cerveau fonctionne grâce à des impulsions électriques, et que l'électricité, par définition, ne peut pas faire autre chose que se déplacer d'un endroit à un autre. Elle peut être ici, ou là. Éteinte ou allumée. C'est une force primitive. Simple, bête, et pourtant notre cerveau a produit *Hamlet*, l'*Appassionata* de Beethoven et la théorie de la relativité générale. Au moyen de seulement deux états, deux constantes logiques, la complexité semblait pouvoir être exprimée : cela, Alan l'a compris très tôt. Il ne s'est pas laissé abattre ni arrêter par le seul fait que les machines sont de stupides tas de ferraille. Il voyait la grandeur dans la simplicité.

— Je ne suis pas sûr de comprendre.

— D'une certaine façon, c'est simple. Déjà Platon, dans *Le Sophiste*, avait compris qu'il suffisait de deux mots, oui ou non, pour parvenir à une solution. As-tu déjà joué au jeu des vingt questions ?

— Je crois.

— Alors tu sais combien on parvient, par élimination, à connaître de quelqu'un, en se contentant de poser des questions dont la réponse est oui ou non.

— Oui, sans doute !

— Imagine ensuite qu'on accélère le processus des questions, ou que tous tes oui et tes non soient liés en longues combinaisons : comprends-tu alors tout ce qu'il est possible d'exprimer, avec seulement deux mots, deux états ?

— Je crois."

Corell se sentait de plus en plus désarçonné, mais fit semblant de suivre parfaitement.

"Et au fond, l'intuition d'Alan n'était pas nouvelle. Réduire la pensée à quelques briques élémentaires est une idée ancienne. Au XVIIe siècle, Leibniz avait à ce sujet des rêves grandioses. Mais personne – personne avec la même ambition sauvage – n'avait entrepris avant Alan de construire une machine qui puisse embrasser toutes les équations mathématiques passées et futures. Je crois qu'il a très tôt compris quelques points fondamentaux, par exemple qu'une telle machine devait pouvoir enregistrer tous ces états différents, et avoir la capacité de s'en souvenir, de les stocker et, avant tout, de recevoir des instructions – mais je ne sais pas comment toutes les pièces de ce puzzle lui sont venues. Personne ne le sait. Il n'a discuté de son projet avec personne. Mais à cette époque, il courait comme un fou. Ce n'était pas un coureur élégant, mais il était endurant, il pouvait tenir sans fin, et souvent il longeait la rivière, parfois en remontant jusqu'à Ely. Après un entraînement, une fin d'après-midi, au début de l'été 1935, il s'est couché sur le dos dans une prairie de Grantchester, c'est en tout cas ce qu'il a raconté. Tu fais du sport ? Non ! Mais tu sais certainement que le sang afflue au cerveau quand nous ralentissons le pas après un grand effort. Parfois, je trouve que c'est un peu comme échapper à un danger mortel. Après la peur, après l'excitation vient une clarté étonnamment purificatrice. C'est comme sortir d'un bain glacé. Des fragments désespérément épars peuvent s'assembler comme par un coup de baguette magique : Alan, lui, s'était enterré sous ces questions. Il les ruminait, les tournait dans tous les sens, sans avancer d'un pas vers une solution. Mais dans cette prairie, quelque chose a eu lieu… devons-nous croire que le soleil a percé à travers les nuages ? Ou simplement supposer qu'il s'est trouvé bien là, dans l'herbe, qu'il a complètement oublié où il était et qu'alors, comme dans un rayon de soleil – enfin un rayon de soleil est un affreux cliché en l'occurrence, disons plutôt une éblouissante lucidité – bon ce n'est pas vraiment mieux, éblouissant, scintillant, tous ces mots sont atroces, non ? Du vent. Ils rappellent les tentatives chrétiennes de rendre compte des manifestations divines. Alan, en tout cas, a dit qu'il avait éprouvé un bonheur intense et, qu'après coup, il n'avait pas bien su ce qui était arrivé d'abord, le bonheur ou la solution, ou s'ils étaient simultanés : si la réponse lui était venue comme pure joie. Il savait juste qu'une force pétillante l'avait traversé et qu'il avait trouvé la solution de la troisième question de Hilbert, la réponse au fameux problème de la décision.

— Qu'avait-il trouvé ?

— Ce n'est pas si simple à expliquer en un tournemain, dit Krause et, sans y faire attention, Corell sortit son carnet de sa poche.

— Tu prends des notes ?

— Si ça ne te dérange pas ?

— Non, non. Où en étais-je ?

— Tu allais expliquer la solution de Turing.

— Oui, bon, donc... il a commencé à rédiger son essai...

— *Computable Numbers ?*

— Oui, et tout comme Cantor avait jadis abordé les nombres irrationnels à partir des rationnels, Alan est arrivé aux nombres incalculables en étudiant les calculables", dit Krause, à présent un peu hésitant. Comme si la présence du carnet d'une certaine façon le dérangeait.

"Il a donc trouvé quelque chose qui permettait de décider si les énoncés mathématiques sont ou non démontrables ? tenta Corell.

— Non. Il a compris que c'était une contradiction dans les termes. On peut dire qu'en formulant les bases théoriques d'un appareil qui permettrait d'affronter le problème, il a compris les limites intrinsèques de la question.

— On ne peut jamais savoir à l'avance si une démonstration existe ?

— Parfois, c'est possible. Parfois, nous ne savons absolument pas si la machine qui calcule pour nous va pouvoir s'arrêter.

— Ou si elle va se bloquer dans sa question, compléta Corell en se rappelant une ligne du brouillon de lettre.

— Exactement !

— Et donc les mathématiques comme science exacte prenaient encore du plomb dans l'aile ?

— Alan a fini de clouer le cercueil et Hilbert n'a eu que ses yeux pour pleurer. Mais Alan a offert au monde autre chose, un lot de consolation, continua Krause.

— Quoi ?

— Une machine digitale programmable. Une machine universelle capable de remplacer toutes les autres machines."

Corell vida le fond de sa bière et regarda autour de lui dans le pub, étonné, sans vraiment rien voir d'autre que ses images intérieures.

"Et comment a-t-elle été accueillie ? demanda-t-il.

— À ton avis ?

— Comme une sensation ?

— Au contraire. Personne ne s'est intéressé à la machine. Il faut dire que cette machine, ce n'était rien. Juste une pure théorie, un moyen, et rien d'autre, de résoudre un problème mathématique spécifique. Personne ne songeait à construire quoi que ce soit dessus, probablement même pas lui, pas à l'époque. De plus…"

Corell se rappela les mots de sa tante.

Les machines étaient considérées comme quelque chose de trop terre à terre.

"En tout cas, personne n'a demandé si sa construction pouvait servir à autre chose qu'à résoudre la question de Hilbert, continua Krause. Les mathématiciens n'aiment pas songer à des trivialités comme l'utilité de leurs équations. Ils trouvent cela parfaitement vulgaire. Tu connais l'histoire du garçon qui étudiait chez Euclide ? Non ? Un jour, le garçon a demandé au grand mathématicien à quoi servaient ses formules. Euclide a répondu qu'on pouvait donner une pièce au gamin, pour qu'il trouve une utilité à ses calculs. Puis il a mis le gosse à la porte. Non, des idioties comme l'utilité, on ne doit pas s'en soucier. La beauté des mathématiques réside justement dans cette clôture sur soi : elles ne servent qu'à elles-mêmes.

— Mais pourtant ça ne gâche rien si…

— Si elles trouvent une application, c'est ça ? Ne dis pas ça. Les beaux esprits vont se retourner dans leur tombe. D'ailleurs, à l'époque, très peu, et Hardy le dernier, imaginaient que les mathématiques, même en le voulant, puissent être utilisées à autre chose hors de leur propre sphère.

— Mais Hardy avait tort ?

— Sacrément tort. Autant que Wittgenstein. Alan, plus qu'un autre, savait que les paradoxes et les contradictions pouvaient être une question de vie ou de mort. Mais c'est une autre histoire.

— Quelle histoire ?

— En fait, rien", répondit Krause, à nouveau gêné. Il se mordit même la lèvre en fixant le carnet d'un œil méfiant. "Les machines, reprit-il, exactement comme tu l'as dit, étaient considérées comme quelque chose de vil, bon pour les simples ingénieurs. Pas pour un mathématicien raffiné, jamais. Mais Turing, lui, n'était pas raffiné, comme je disais.

— En quel sens ?

— Au sens où il ne s'en souciait pas, ou plutôt ne s'y entendait pas. Crois-tu qu'il suivait les caprices de la mode, se pliait aux expressions dans l'air du temps ? Non, il s'habillait mal. Il se fichait comme d'une guigne de ce que pensaient les autres. Non qu'il ne lui arrivât jamais d'en souffrir. Il était déjà très seul à l'époque. Mais c'était comme ça. Il restait extérieur à tous les cercles chics, et n'a jamais compris ce qu'il fallait faire pour y entrer. Alan n'était pas malin, pas de cette façon. Il n'a jamais appris à se pousser du col, à rencontrer les bonnes personnes. Il est resté solitaire, à part. Décidément, il n'était pas raffiné.

— N'a-t-il pas reçu la moindre reconnaissance pour son essai ?

— Il est resté longtemps à se lamenter que personne ne le lise, et on peut le comprendre. Une expérience si bouleversante sur la prairie, puis plus rien qu'un silence gêné. Et pourtant…

— Oui ?

— … c'est un texte si curieux. Alan parle de ses machines comme de collègues. Il parle de leur état, leur conscience, leur comportement, et a compris – ce qui est en soi une intuition unique – que tout ce qui peut être calculé peut l'être par une machine automatique : cela ouvre un tout nouveau champ de recherche.

— Mais personne n'a lu son essai ?

— Peu ! La logique mathématique est un monde ridiculement petit et, pour couronner le tout, une nouvelle choc est arrivée d'Amérique. Alonzo Church, un triste sire de Princeton, qu'Alan et moi avons eu comme professeur plus tard, avait trouvé une solution différente mais plus ennuyeuse à la troisième question de Hilbert. Alan a dû le mentionner en appendice.

— Il n'y a donc pas eu de chœur de louange ?

— Peu à peu, Alan s'est fait un nom. Il est devenu le type qui avait résolu le problème de la décision, *Entscheidungsproblem*. On l'admirait pour cela, pour ma part je l'ai toujours considéré comme l'égal de Gödel, mais…

— Oui ?

— En fin de compte, il ne s'intéressait pas plus que ça à ce problème. À la différence de beaucoup d'autres, pour lui c'était le moyen qui comptait, pas la réponse.

— La machine, tu veux dire.

— Ou sa tentative de trouver la trace des briques élémentaires de l'intelligence.

— Il a donc commencé à construire sa machine.

— En tout cas, il en a dessiné une ébauche. Mais le monde n'était pas vraiment réceptif. Je ne sais pas. Ce qui s'est finalement passé à Manchester était beaucoup plus triste que ce qu'il avait imaginé.

— Mais tu penses que ça peut donner quelque chose ?

— Ça, tu sais…"

Fredric Krause, pensif, baissa les yeux vers son sous-bock.

"Quand j'en ai entendu parler, au début, je n'y croyais pas trop, reprit-il. Je pensais qu'il était trop complexe de relier ensemble des machines. Mais maintenant, je me demande…

— Quoi ?

— Si ça ne pourrait pas donner quelque chose."

21

Dans le rêve, Alan Turing se levait de son lit et ce mouvement en lui-même était empreint de solennité, comme s'il était réveillé par un ordre lointain tandis qu'au loin résonnaient les cloches et les tambours d'une messe des morts. L'air était lourd et calme, comme juste avant un orage. Alan Turing essuyait l'écume de sa bouche, mais ses mains étaient trop raides et à présent, à présent il voulait parler. On n'entendait pas un mot, et pourtant il faisait des efforts. Ses lèvres tremblaient et Corell se penchait. Collant la main sur son oreille, il saisissait quelques bribes, c'était très curieux, ça allait avoir du sens, et Corell sortait un carnet ciré et notait ce qu'il entendait, mais il avait beau faire, le texte était illisible. Il serrait alors plus fort son stylo. Gravait les mots. Il appuyait, mais les lettres fuyaient comme emportées par le courant, il était alors transporté jusqu'à une voie ferrée et une chaise solitaire au bord de la mer, tout devenait indéfini et blanc, mais la sensation d'avoir écrit était pourtant si tangible qu'en se réveillant Corell chercha à tâtons ses notes.

Un instant, il crut les avoir trouvées. Sur la table de chevet, il y avait un de ses carnets. La première page était froissée et couverte de phrases mal écrites, mais ce n'était que quelques phrases de sa conversation avec Krause jetées là, et non quelque mystérieuse révélation d'outre-tombe. Quelle heure était-il ? Sans doute très tôt. Ça s'entendait aux oiseaux, au silence, et ça se sentait dans son corps, à son mal de crâne et à sa gueule de bois. Il tira le drap et la couverture sur sa tête.

Les souvenirs de la veille affluèrent. Il tenta de les refouler pour rester dans sa bulle. D'aussi loin qu'il se souvienne, il disposait de mondes imaginaires tout prêts où s'embarquer, certains relativement immuables, d'autres nouveaux, créés à partir de ce qu'il venait d'entendre ou de vivre. Certains n'étaient faits que de ce qu'il aurait dû dire ou faire dans la vraie vie. D'autres étaient la suite idéalisée de petits progrès de son quotidien ou de son travail, mais la plupart étaient absurdes ou incroyables, et pourtant ciselés dans le moindre détail. C'étaient des mondes où s'enfuir. Des nids où se réfugier à l'abri des soucis. Mais, ce matin-là, il ne trouva aucune échappatoire dans son imagination. La réalité s'imposait, mais sans son habituelle pesanteur. Le jour semblait lumineux. Il avait passé une bonne soirée la veille, non ? Le logicien et lui avaient eu une belle conversation, de celles qu'il espérait depuis des années et, bien sûr, les ombres d'inquiétude ne manquaient pas. Il n'était pas sans tourment. Ne l'était jamais. Mais hier, il n'avait pas bu pour oublier sa vie. L'ivresse avait au contraire fait ressurgir un peu de son ancien moi et, vers la fin, ils avaient discuté de tout à bâtons rompus. Il lui avait demandé…

Il s'assit dans son lit.

Il saisit son carnet. Pas facile de lire ce qu'il avait écrit, et ce qu'il parvenait à déchiffrer ne lui plaisait pas. C'était exactement comme si ce qui semblait grandiose lui paraissait à présent futile : *L'essentiel n'est pas la machine, mais les instructions qu'on lui donne*, c'était juste terne, hier ça avait une autre résonance, mais là… quelques mots et un point d'interrogation, la même question qu'à Gladwin dans la salle des archives : *Que fait-on d'un génie des mathématiques et d'un champion d'échecs pendant une guerre ?* Et en dessous une phrase prononcée par Krause à un autre moment de la conversation : *Alan, plus qu'un autre, savait que les paradoxes et les contradictions pouvaient être une question de vie ou de mort.*

Que voulait dire Krause par là ? Corell n'en avait aucune idée. Il se souvenait seulement qu'ensuite le logicien s'était montré évasif, pour ne pas dire fuyant. Il cachait quelque chose, c'était évident. Il avait regardé avec inquiétude le carnet de Corell. *La vie ou la mort…* Quoi qu'ait fait Alan Turing pendant la guerre, Krause ne pouvait-il pas avoir fait la même chose ? Comme l'idiot qu'il était, Corell ne lui avait à aucun moment mis la pression. Il ne voulait pas gâcher l'ambiance cosy, et autant que de secrets sur la guerre, c'était de mathématiques et de logique qu'il avait envie d'entendre parler. Et puis il avait du mal à gober qu'un universitaire de Cambridge gâche un soir de semaine à boire avec un simple policier sans une idée derrière la tête. Le logicien voulait-il lui tirer les vers du nez ? Non, Corell repoussa cette pensée, et à présent… il s'étira dans son lit en essayant de se souvenir davantage. Assez curieusement, il n'arrivait pas à évoquer le visage de Krause. Seuls ses yeux étroits brillaient dans son souvenir, avec l'éclat passionné de ses pupilles. Mais ça avait été une bonne rencontre, non ? Dieu, comme ils étaient restés longtemps ! La fin se perdait dans le brouillard. Il ne se souvenait correctement que de leurs adieux. Ils s'étaient embrassés et cela l'avait rendu nerveux. Ce type était après tout l'ami de Turing, et aucune explication de cette longue soirée passée avec lui n'aurait pu être pire, mais non, il n'y avait rien à craindre de ce côté-là, se persuada-t-il. L'accolade avait été brève, et Corell, muni d'un numéro de téléphone et d'une adresse à Cambridge, était rentré à pied chez lui, sans avoir la force de s'inquiéter pour son costume.

Il regarda autour de lui dans son appartement. Nom de Dieu, quel bazar ! Partout des vêtements et des saletés. Des graviers et des miettes crissèrent sous ses pieds quand il se leva, ce qui aurait encore pu passer s'il avait trouvé quelque agrément là-dessous, au-delà du désordre, mais son appartement était tout à fait privé de charme. La chaise Queen-Anne semblait avoir atterri là par erreur, la radio semblait trop chic pour cette pièce, et rien n'allait avec rien, mais d'habitude il y faisait à peine attention. Son domicile était juste un abri pour se protéger du monde extérieur, un prolongement des carapaces de son corps. La seule fois où il avait mesuré combien la situation était intenable, c'était quand il avait rêvé de séduire Julie. Il avait alors compris qu'il était impossible que cela ait lieu ici. Au mieux, il pouvait montrer la baraque au passage en disant : "C'est là que j'habite."

De l'extérieur, la maison était jolie, en briques brunes, avec son jardinet, ses pivoines et son pommier. Mais il n'avait aucun mérite. Sa logeuse, Mrs Harrison, y jardinait chaque après-midi le printemps et l'été. Elle était gentille et bavarde, mais il ne se sentait jamais à l'aise avec elle – il avait peur qu'elle ne lui reproche le désordre de son appartement – et il vécut comme une petite victoire, ce jour-là, d'avoir réussi à être sorti avant elle.

La journée s'annonçait belle et, partout, il croisait des gens qui ne se pressaient pas. Descendu au centre-ville, il acheta le *Manchester Guardian*. C'était un grand lecteur de journaux mais, ce matin-là, il ne regarda même pas la une. Il feuilleta impatiemment et, dans la colonne de gauche, page huit, il trouva ce qu'il cherchait. Il y en avait à peu près autant que la veille. Cela commençait ainsi : "Hier soir a été établi qu'Alan Mathison Turing, domicilié à Hollymeade, Adlington Road, Wilmslow, s'était suicidé en s'empoisonnant alors que son état mental était déséquilibré."

Alors que son état mental était déséquilibré. C'étaient les termes du juge d'instruction. Pas un mot sur l'esclandre de Corell, bien sûr, pourquoi serait-il mentionné ? Ce n'était pas un article sur les dissensions au sein de l'enquête. Et pourtant, il fut déçu. Il poussa un soupir. Il avait espéré quelque chose comme : *L'inspecteur criminel Corell a remis en question les conclusions du juge d'instruction concernant…* Il dut se contenter d'être cité à deux endroits, certes par des phrases qu'il ne reconnaissait pas comme siennes, mais il y parlait de la demi-pomme, de la casserole bouillante et de l'odeur d'amande amère. Il était du côté de l'objectivité, c'était déjà ça. Ferns, en revanche, débitait ses absurdités comme si de rien n'était. "C'était un acte intentionnel car, avec un homme de ce genre, on ne peut jamais savoir ce qui va se passer."

Ces mots semblaient encore plus étranges imprimés. On avait presque l'impression de lire que l'acte était intentionnel parce qu'il était impulsif. N'importe quoi. Les idiots, pensa-t-il. Pourtant, il se sentit un peu mieux. *Selon l'inspecteur criminel Corell… L'inspecteur Corell déclare…* Ce n'était rien, un camouflet, même, puisque son intervention principale, celle qui avait exigé du courage, n'était même pas mentionnée, mais il était malgré tout content et, lentement, retrouva un peu de sa bonne humeur du matin. Plongé dans ses rêveries, il prit Green Lane et passa devant le parc et la caserne de pompiers. De l'autre côté de la rue, une jeune femme lisait un livre tout en poussant un landau – Corell avait toujours aimé les gens qui lisaient en marchant – mais à sa vue il s'arrêta. La roue du landau lui faisait penser à Fredric Krause.

Krause lui avait expliqué qu'avant guerre la machine de Turing n'était qu'une esquisse, l'idée d'un ruban infini qu'on faisait avancer et reculer pour enregistrer des symboles, rien d'abouti, loin de là, juste un outil dans une discussion logique, et pourtant : dès 1945, Alan Turing avait formulé les lignes directrices pour la construction d'un monstre électrique grandeur nature. Quelque chose avait dû se passer pendant la guerre, qui lui avait permis de développer la machine. L'appareil semblait avoir eu un usage militaire. La question était juste lequel.

À quoi utilise-t-on une machine logique en temps de guerre ?

Au commissariat, Corell se fit passer un savon. Ce fut Richard Ross qui se sentit obligé de l'engueuler, mais visiblement pas seulement pour l'emmerder, même si c'était bien sûr son but principal. Le commissaire avait une idée derrière la tête. Le visage injecté de bile et les mains sur les hanches, il débaula dans la section criminelle et se campa devant le bureau de Corell. Ses lèvres claquèrent, comme s'il s'apprêtait à planter ses dents dans sa proie :

"Puis-je vous demander à quoi vous jouez ?

— Mais je viens d'arriver…

— Je veux dire hier. Après l'audience !

— Je ne vois pas à quoi vous pensez.

— Oh que si !" Corell voyait, bien sûr. "James Ferns m'a appelé pour me dire que vous aviez tenté de le tourner en ridicule, lui et le médecin légiste, devant une foule de journalistes.

— Ils n'étaient pas si nombreux que ça, le coupa Corell.

— Leur nombre ne fait rien à l'affaire, bordel. Tout ce que je vois, c'est que vous avez été arrogant et insolent et je vais vous dire, moi : je ne vous le permets pas. Vous représentez…

— Je sais, le coupa Corell. Mais vous auriez dû entendre ce guignol ! C'était un tel ramassis d'absurdités.

— Je m'en fous. Mettez-vous ça dans le crâne. Et en plus je n'y crois pas. Je suis convaincu que c'est vous qui avez raconté des conneries, et personne d'autre. Je vous ai à l'œil, Corell, et je vous ai bien vu le nez au vent. Avec vos manières de snob de Marl-borough. Bordel de merde ! Mais je ne l'accepte pas. À aucune condition. Vous n'avez pas à faire la leçon au beau monde. Vous devez rendre compte des faits et la boucler. Vous entendez ?

— Oui !

— Je ne comprends pas ce que vous avez ! Vous devez sûre-ment avoir un grain, tout simplement.

— Comment ça ?

— Ne la ramenez pas ! Contentez-vous de fermer votre gueule ! Car c'est votre jour de chance. Vous allez avoir l'occasion de vous racheter. Oui, aussi incroyable que cela puisse paraître, vous avez un soutien dans la maison. Ce bouffon visqueux de Hamersley a décrété que votre rapport était bien fait. Oui, oui, pas la peine de bomber le torse, tous ces trucs d'anciens des grandes écoles ne m'impressionnent pas. Mais maintenant, vous allez partir sur le terrain – ordre du surintendant.

— De quoi s'agit-il ?

— D'une mission délicate !"

Délicat voulait d'habitude dire sordide, et cela se vérifiait encore une fois. L'affaire avait un an. Le suspect était un homme de quarante-cinq ans, nommé David Rowan, ancien danseur et chorégraphe, désormais propriétaire de quelques entreprises de confection à Manchester. Rowan habitait Pinewood Road à Dean Row, avec une femme originaire de Glasgow et deux filles, huit et six ans. L'épouse, appelée "la pauvre femme" avant même que l'affaire soit éclaircie, allait parfois passer le week-end en Écosse avec ses filles.

Ces week-ends-là, son mari recevait souvent la visite d'un jeune homme "efféminé", "avec un air de folle" et, bien sûr, il avait le droit de fréquenter "tous les guignols qu'il voulait", selon l'expression de Ross, mais une voisine, une certaine Mrs Joan Duffy, s'était un jour aventurée dans le jardin de Rowan et, entre deux rideaux, avait vu "une terrible cochonnerie. Vous pouvez imaginer quoi." Le problème était que Mrs Duffy n'était que la modeste cuisinière d'une cantine scolaire, et David Rowan un monsieur d'une certaine classe. "À vrai dire, nous trouvions gênant d'intervenir. Il y avait sa femme, ses enfants. On ne voulait pas les faire souffrir inutilement.

— Mais on va ressortir l'affaire maintenant ?

— Hamersley estime que le moment est venu de refaire une tentative. La période est ce qu'elle est, une directive a été émise. Nous avons aussi le succès de l'affaire Turing.

— Drôle de succès !

— Arrêtez de prendre la mouche à tout bout de champ ! Je parle de sa condamnation, évidemment, pas de son suicide. Si on a pu coincer Turing, on devrait y arriver avec n'importe qui, non ? Vous saviez que ce type était à l'Académie royale des sciences ? Ah bon, oui ? Et ça vous impressionne sûrement. Alors permettez-moi de vous dire que je m'en fous complètement quand j'entends par ailleurs que la personne en question traverse l'Europe entière pour aller chasser le micheton.

— On ne doit considérer que le crime en lui-même, tenta Corell.

— Oui, parfaitement. Et pas s'exciter sur un tas de titres et de médailles ! Mais ce n'était pas de ça qu'on parlait, n'est-ce pas ? Tout ça, c'est désormais de l'histoire ancienne. Non, non, je ne veux plus en entendre parler.

— Je me demande juste pourquoi…

— Arrêtez avec ça !

— Mais il y a anguille sous roche.

— Foutaises, trancha Ross. Ne posez pas tant de questions. Vous venez de recevoir une nouvelle mission, et si j'étais vous, je m'y mettrais tout de suite. Dieu sait si vous avez besoin de remporter un succès."

Corell ne trouvait pas qu'il avait besoin d'autre chose que d'une journée de travail tranquille dans son coin pour soigner sa gueule de bois. Partir pour une mission impossible et dégradante était la dernière chose qu'il souhaitât. Il avait sa fierté, quand même. N'avait-il pas eu, pas plus tard que la veille, une conversation profonde avec un universitaire de Cambridge ? Je suis désolé, commissaire, aurait-il dû dire, vous n'avez aucun droit de me parler sur ce ton. Mais enfin… même si Ross était un idiot – et un beau jour il faudrait bien aussi qu'il l'apprenne – il lui avait transmis un message venu de haut

lieu : "Hamersley a décrété que votre rapport était bien fait."
Voyez-vous ça ! Corell ne s'en doutait-il pas ? Il y avait ajouté
un petit plus. Un trait de génie, tout simplement. Qui sait,
peut-être le surintendant était-il en ce moment même en train
de parler au directeur de la police en personne : *À Wilmslow,
voyez-vous, nous avons quelqu'un d'extrêmement doué que j'ai à
l'œil depuis longtemps, ses rapports sont excellents, avec même des
qualités littéraires, vous devriez vraiment lire son…* Il fut coupé
dans le cours de ses pensées quand Ross cracha : "Alors ?

— Je vais faire de mon mieux, lâcha-t-il.

— Des aveux, voilà ce qu'il nous faut, pas moins. L'ancien
dossier est chez Gladwin."

Il n'y avait pas grand-chose dans ce dossier, trouva-t-il, et il
ne voyait pas bien comment il pourrait avancer, mais il s'at-
tela aussitôt à la tâche et demanda à parler à Mr Rowan. Une
femme l'informa que monsieur serait rentré après cinq heures
et, sans même demander si c'était possible, il annonça qu'il
passerait alors poser quelques questions.

"À quel sujet ?

— J'en informerai Mr Rowan avec la plus grande clarté !"
rétorqua-t-il, satisfait de son sens de la repartie et de sa décision énergique.

À une heure et demie, le témoin Mrs Joan Duffy se présenta
au commissariat. Corell s'attendait à une vieille commère pincée,
mais c'était autre chose – non que Mrs Duffy fût à proprement
parler une beauté, mais elle avait à peine plus de trente ans, une
silhouette plantureuse et des yeux si provocants qu'il baissa instinctivement le regard. Mrs Duffy possédait un charme vulgaire
– qui sait, elle pourrait peut-être faire son effet au tribunal ?

"Bienvenue, dit-il.

— C'est un honneur de vous rendre service.

— Voulez-vous me raconter ce que vous avez vu ce jour-là
et, pour l'amour de Dieu, n'omettez aucun détail."

Il n'aurait pas dû prononcer cette dernière phrase. Il obtint
beaucoup plus de détails qu'il n'aurait souhaité. Y compris une
petite leçon sur le jardinage. Le mari de Mrs Duffy était jardinier.

Un artisan très doué. "Presque un artiste dans son genre, et, à vrai dire, auprès de lui j'ai appris deux ou trois choses.

— Comme c'est pratique !

— N'est-ce pas ? Vous comprenez, les Rowan et nous avons une haie commune. Elle sépare nos deux terrains et c'est moi qui me charge de l'entretenir, ce dont Mrs Rowan m'est très reconnaissante. Pauvre, pauvre Mrs Rowan.

— Laissons-la en dehors de cela pour le moment.

— Bien sûr, commissaire, bien sûr.

— Je suis inspecteur criminel.

— Quel métier passionnant, n'est-ce pas ?

— Oh, parfois. Voulez-vous continuer, s'il vous plaît ?

— Oui, bien sûr. Mais c'était il y a deux ans, vous comprenez. Je suis aussi venue déposer, à l'époque.

— Je suis au courant.

— Et ne croyez pas que tout cela ait cessé depuis. Loin de là !

— Je vous écoute !"

La haie était "le point de départ de l'histoire", dit-elle. Ce jour-là, elle l'avait taillée avec des ciseaux de jardin et avait dû passer du côté des Rowan. Sans quoi la coupe n'aurait pas été "bien régulière", ce qui était peut-être vrai, mais ce pouvait tout aussi bien être des bêtises. Joan Duffy avait de bonnes raisons d'être curieuse. "J'ai mes yeux pour voir", dit-elle, et elle s'inquiétait également pour ses propres enfants. Et puis elle avait entendu un bruit. Elle ne voulait pas préciser. Car enfin, elle était "bien élevée". Et pourtant, "Dieu me pardonne", elle avait jeté un œil, "avec la plus grande discrétion" et, bien entendu, avait détourné le regard dès qu'elle avait compris.

"Bien entendu, renchérit-il.

— Je suis gênée d'être là à vous raconter des choses pareilles.

— Il ne faut pas. C'est bien que vous soyez venue.

— Je vous aime mieux que celui avec qui j'ai parlé la dernière fois.

— Nous allons essayer d'aller cette fois au fond des choses.

— Vous pensez que je peux être tranquille ?

— Vous pouvez être tranquille.

— Mais s'il devient agressif, pourrez-vous alors organiser une protection ?"

Une protection ? Il n'avait encore jamais entendu ça.

"Une chose à la fois, dit-il. Peut-il y avoir d'autres témoins ?

— Je vais me renseigner dans le voisinage.

— Très discrètement, j'espère.

— La discrétion a toujours été un point d'honneur pour moi.

— Savez-vous le nom de cet homme qui venait en visite ?"

Klaus, lui semblait-il. Un nom étranger. Plus ou moins louche.

"Alors merci, madame", conclut-il en lui tendant la main.

Après coup, il lui sembla qu'elle lui avait fait un signe aguicheur avec ses cheveux, mais probablement se méprenait-il.

22

Il y avait chez Mrs Duffy une gloutonnerie qui ne le quittait pas, une vulgarité qui s'insinuait sous sa peau et mettait ses nerfs en vibration. Il avait beau faire, il ne pouvait s'empêcher de fantasmer sur son corps et sur les remerciements à venir : *Vous êtes le meilleur*, ou ce qu'elle trouverait à dire. Sa robe en tout cas la moulerait, son regard l'aspirerait à elle et, après tout, pourquoi ne réussirait-il pas ? Voilà peu, il s'était senti doué pour les interrogatoires, lui qui décelait facilement les faiblesses des autres et devinait l'inquiétude dans leurs yeux. Ne savait-il pas d'habitude très bien quand porter le coup de grâce ? C'était un des avantages d'être une pauvre âme sensible : il reconnaissait les signes chez les autres.

Mais où était-il à présent ? Là-bas, Pinewood Road. Il approchait et se mit à penser à Ron et Greg, les salauds, ce qui n'était jamais réjouissant mais qui, aujourd'hui, renforça sa résolution. Le visage de Mr Rowan prit pour Corell les traits de Greg, et il redressa le dos. S'imagina qu'il était un officier supérieur des services secrets en route vers une mission capitale. Pourtant, il n'avait rien d'un gros dur. Il envisagea de rebrousser chemin. Non, non ! Pourquoi n'arriverait-il pas à faire craquer un vieux danseur, quand ce crétin de Rimmer avait fait chuter Turing ? Il regarda les numéros. Une voiture passa, une Morris Minor, et il entendit alors une voix d'enfant.

"Papa, papa !"

Il entra dans le jardin. Une petite fille aux longs cheveux sombres et aux petits yeux sérieux éclaboussait dans une bassine remplie d'eau de pluie. Elle s'était affreusement trempée.

Derrière elle, une balançoire fraîchement repeinte pendait à un portique.

"Bonjour.

— Bonjour, répondit-elle sèchement.

— Tu devrais te changer.

— J'ai pas envie.

— Reste comme ça, alors", marmonna-t-il en levant les yeux vers la maison, une jolie baraque en pierres blanches avec un toit noir et une véranda vitrée près de la porte d'entrée.

La poignée était dorée. À droite de la maison, une haie pas exagérément soignée et une maison voisine bien plus banale : une bâtisse verte en bois, avec des plates-bandes bien entretenues mais un toit de tuiles usé et de petites fenêtres. Était-ce là que Mrs Duffy passait, dans ses robes criardes ? Il sonna. Un frisson traversa son corps et toutes sortes de pensées tournoyèrent dans sa tête. Mais quand la porte s'ouvrit, il se concentra d'un coup, comme un rideau qui se lève, et arbora son sourire le plus rassurant.

"Bonjour.

— Bonjour", répondit l'homme avec la même réserve obtuse que sa fille, et Corell comprit d'emblée que Mrs Duffy avait raison.

Cet homme était un pédé. Un pédé avec du style, si on voulait être généreux, des membres fins, un port droit, un regard clair et bleu, mais avec dans ses gestes quelque chose de gracile qui ne trompait pas. Sa seule façon de tendre la main pour saluer le trahissait. C'était comme si Mr Rowan vous invitait à danser, ou voulait graver un signe en l'air.

"J'ai appelé. Je m'appelle Corell, de la police de Wilmslow. Puis-je entrer ? demanda aimablement Corell.

— C'est que…

— Je comprends que vous soyez occupé. J'ai entendu dire que vous aviez quelques luxueuses boutiques de confection à Manchester. J'en suis ravi. J'ai toujours bien aimé les vêtements, même si mon salaire ne me permet pas de m'en offrir beaucoup. Quoi qu'il en soit, je ne pense pas qu'il soit sage de remettre ça à plus tard.

— Ça quoi ?

— Notre petite conversation", dit-il. Il n'aimait pas ces mots dans ce contexte, mais il s'efforçait d'avoir l'air autoritaire, et il n'était pas impossible qu'il y fût parvenu.

"Bien sûr, bien sûr, entrez."

L'homme était visiblement troublé, et ce pouvait être un bon signe. La sueur perlait sur sa lèvre supérieure et, en gagnant le séjour, au rez-de-chaussée, il semblait se forcer à marcher d'un pas plus décidé que d'habitude. La pièce avait un lustre de cristal, de beaux meubles anciens et toute une cloison couverte de livres. Corell ne s'attendait pas à ce genre d'intérieur. Il s'assit dans un fauteuil jaune pimpant en face de Rowan, lequel alluma une cigarette.

"Jolie maison ! dit Corell.

— Bah…

— Jolie petite fille, dehors. Vous en avez une autre, on m'a dit ?

— Une autre.

— Quelle pluie nous avons eue, continua Corell.

— Oui."

L'homme était laconique jusqu'à la caricature.

"Mais maintenant on devrait avoir un bel été.

— Espérons.

— C'est bien ainsi que cela fonctionne, n'est-ce pas ?

— Comment ça ?

— Que la pluie, c'est fini. Qu'une longue période de mauvais temps annonce une amélioration. Mais ça pourrait aussi bien être l'inverse. Que les ennuis ne font que générer d'autres ennuis. C'est souvent comme ça dans nos vies, non ? dit Corell.

— Parfois, oui.

— J'étais dans le coin l'autre jour. Une bien triste histoire. Oui, vous avez peut-être vu ça dans les journaux. J'ai trouvé le mathématicien Alan Turing mort dans son lit. Il avait croqué une pomme empoisonnée. Affreux, tout simplement. Vous le connaissiez peut-être ? Ou l'aviez croisé dans le voisinage ?"

Rowan secoua la tête avec exagération.

"Un homme extrêmement doué, ajouta Corell.

— Je l'ai entendu à la radio", dit Rowan.

C'était la première fois qu'il prenait l'initiative de dire quelque chose.

"De quoi parlait-il ?

— Je crois qu'il s'agissait de Norbert Wiener.

— Qui est-ce, déjà ?

— Un auteur, qui a écrit sur les robots et les machines pensantes.

— Et donc Turing a parlé des machines intelligentes ?

— Oui.

— Curieux, non ?

— Très curieux.

— Saviez-vous que tout cela a commencé par une petite controverse mathématique sur certains problèmes logiques ? dit Corell.

— Non." Rowan semblait interloqué.

"Mais vous vous doutez bien combien il est étrange qu'une subtilité très pointue dont ne se souciaient qu'une poignée de mathématiciens et que beaucoup considéraient sûrement comme l'archétype de la dispute universitaire stérile ait débouché sur une machine nouvelle. Mais peut-être que la logique ne vous intéresse pas ?

— Pas du tout.

— Vous êtes plutôt un esthète.

— Je ne sais pas.

— Vous recevez des visites le week-end.

— Bien sûr, pas vous ?

— Non, répondit Corell très sincèrement, sans pour autant avoir l'air de se livrer. Qui vient vous voir, d'habitude ? continua-t-il.

— Des amis.

— Quelqu'un en particulier ?

— Ça ne vous regarde pas."

Ces mots n'avaient au fond rien d'agressif et la lèvre supérieure de Rowan, déjà humide de sueur, trembla imperceptiblement.

"Vous savez très bien que nous sommes au courant de tout, dit Corell, bien conscient de voler cette réplique à l'inspecteur Rimmer.

— Que voulez-vous dire ?

— Vous avez des relations sexuelles illégales.

— Je n'ai pas…

— Nous avons des témoins.

— Si vous pensez à Mrs Duffy, vous devriez savoir que, tout aimable qu'elle est, elle passe son temps à répandre des contre-vérités sur ses voisins. C'est pour ainsi dire l'air qu'elle respire.

— Nous avons plus que Mrs Duffy", affirma Corell, lui-même persuadé.

Il avait si clairement perçu l'homosexualité de David Rowan en entrant, qu'un instant il s'imagina que c'était là une sorte de preuve et, soudain, il parlait comme quelqu'un qui a déjà gagné la partie.

"Co-comment ? bégaya Rowan.

— Nous avons beaucoup d'éléments.

— Pouvez-vous préciser ?

— Voulez-vous que je déballe tout ? Dans les moindres détails ? Si c'est ce que vous voulez, vous n'avez qu'à le dire, j'ai tout mon temps. Pour l'amour de Dieu, vous ne croyez quand même pas que je me serais déplacé ici si nous ne disposions pas de plus d'éléments, continua Corell, bien conscient qu'il poussait le bluff un peu trop loin.

— Non, bien sûr, je comprends ça. Mais je crois cependant que…

— Quoi ?

— Que vous avez tout mal… ce n'est rien du tout… pas au sens que…

— Allez, lâchez le morceau !"

Mais David Rowan était bloqué, c'était comme si sa bouche essayait de former une phrase impossible, tandis qu'il se tortillait sur son siège, le visage luisant de sueur. Il ne semblait pas loin de craquer. Corell sentit un avant-goût de triomphe et, pour cette raison – conformément à sa stratégie –, sa voix se fit plus douce, plus prévenante.

"Je ne veux pas vous stresser.

— Ce n'est pas ce que vous croyez.

— De quoi s'agit-il, alors ? Racontez ! Nous avons certaine-ment tort sur plusieurs points.

— C'est…"

D'un geste soudain, David Rowan cacha son visage dans ses mains.

"Allons… ce n'est pas si grave, au fond. Nous devons juste éclaircir les principaux malentendus. Si vous me dites exactement ce qui s'est passé, je vous promets de considérer les faits avec bienveillance. Peut-être même pourrons-nous fermer les yeux. Tout dépend si vous voulez être coopératif et sincère.

— Vous pourriez fermer les yeux sur…

— Dans la mesure où vous collaborez, nous avons cette possibilité", continua Corell en se demandant à quoi diable rimait ces promesses, mais il se contentait de suivre son instinct et sa conviction que, dans cette situation, une main tendue serait plus efficace qu'une menace : aussi souriait-il, non pas triomphalement, il ne le pensait pas, mais avec chaleur et empathie, ce qui semblait porter ses fruits.

L'homme s'affaissa. Je le tiens, pensa Corell, et il eut le temps d'imaginer les félicitations de Hamersley : *Excellent, jeune homme, brillant*, quand, soudain, quelque chose se passa. On entendit de petits pas légers dans le couloir et une voix stridente appela : "Papa, papa, Mary s'est complètement trempée. Elle va sûrement s'enrhumer."

Alors entra une fillette de huit ou neuf ans, vêtue de blanc, comme une elfe. D'abord, elle ne remarqua pas que son père avait de la visite, tout absorbée qu'elle était par le drame qui se jouait dehors, autour de la bassine d'eau de pluie. Mais elle changea alors. Elle regarda son père, et ses épaules remontèrent. Ses grands yeux sérieux se baissèrent vers le sol. Elle semblait effrayée.

"Pardon, je ne savais pas", dit-elle avant de disparaître.

*

Les pensées de David Rowan étaient en émoi. Pendant deux ans, il avait cru cette vilaine histoire jetée aux oubliettes. Ces derniers temps, il n'y avait plus repensé. Il avait même songé à ses penchants sans honte exagérée. Mais ce matin – ô combien étrange –, plusieurs heures avant d'apprendre que la police avait appelé, il avait été pris d'une angoisse soudaine. Il avait lu dans la presse l'annonce de la mort du mathématicien. Il détestait les journaux. Ils contenaient toujours quelque chose qui lui faisait du mal. Cet article-là l'avait ému à double titre, non seulement parce qu'il lui avait rappelé les mots prononcés par son père, voilà bien longtemps : "Je croyais que ce genre d'hommes se suicidait", mais aussi parce que David avait effectivement rencontré Alan Turing.

Ils avaient échangé un rapide regard à Oxford Road, à Manchester, et su alors qu'ils partageaient un secret, une croix. Quand, plus tard, ils s'étaient croisés sur Brown's Lane à Wilmslow, ils s'étaient arrêtés, dit bonjour et avaient commencé une conversation hésitante. David, qui était avec ses filles, avait dit quelque chose sur le temps et le quartier, une phrase banale et simple pour briser la glace, mais le mathématicien, abscons, avait répondu qu'il avait vu deux arcs-en-ciel côte à côte, "comme une redondance de la nature".

Qu'avait-il voulu dire par là ? Toute leur conversation avait consisté à tourner nerveusement autour du pot, de la question innommable de savoir s'ils pourraient se revoir plus en privé, mais ils étaient tous deux trop gênés et, avant qu'il ait pu se passer quelque chose ou qu'une parole sensée soit dite, le mathématicien était parti, au milieu d'une phrase. Cela aurait pu sembler d'une grande impolitesse, mais David ne l'avait pas mal pris. Il l'avait plutôt compris comme le signe de la lassitude de Turing devant toutes ces simagrées sociales. Combien de fois n'aurait-il pas lui-même voulu maudire ces faux-semblants ?

Mais avant tout, ces yeux… ils avaient un éclat si étrange, à la fois sourd et intense. Ils avaient quelque chose d'inaccessible, mais semblaient contenir une invitation. Ils pouvaient certainement mettre mal à l'aise, mais ils avaient piqué la curiosité de David : que se cachait-il derrière ? Aussitôt rentré chez lui, il avait essayé de trouver Turing dans l'annuaire. Non pas pour l'appeler, plutôt pour jouer avec cette idée, mais son nom n'y figurait pas, au lieu de quoi il l'avait entendu, à la radio, parler étrangement de machines. N'espérait-il pas qu'un jour elles pourraient penser comme nous ? Cela semblait si fou, si déviant. D'abord, David avait cru que le mathématicien n'utilisait les machines que comme une métaphore des homosexuels. Turing avait mentionné une sorte de jeu entre un homme, une femme et une machine. Chacun devait, d'une certaine façon, faire semblant d'être l'un des deux autres – oh, mon Dieu, qu'était la vie de David, sinon un jeu de faux-semblants ? –, mais la discussion à la radio était vite devenue trop scientifique pour avoir pu être symbolique, et David avait perdu le fil. Ce qui l'avait surtout marqué, c'était le bégaiement de Turing et son ton passionné : pendant plusieurs semaines, David avait pensé à lui matin et soir. Puis un beau jour, Alan Turing avait disparu de ses rêves. Dieu lui avait envoyé Klaus pour le remplacer.

Dès la première fois qu'ils s'étaient enlacés, il l'avait ressenti comme une faveur qu'il ne méritait pas. Klaus n'était pas seulement plus jeune et plus beau. Il était sans honte. Il s'estimait avoir le droit de jouir. Il vivait, c'était tout, et cela semblait grandiose et sauvage, même si ce n'était pas au point d'être contagieux : David, quant à lui, ne coupait pas à l'habituel fardeau de honte et d'angoisse et, quand l'enfer déclenché par Mrs Duffy avait éclaté, il l'avait presque trouvé justifié. Évidemment, qu'il fallait qu'on le punisse ! Il était tellement empêtré qu'il s'était senti coupable quand la procédure policière était restée en plan. Mais le temps avait passé et il avait pensé : *Peut-être qu'après tout même les gens comme moi ont le droit d'être heureux* – car, chose remarquable, avec Klaus dans sa vie, David s'était montré plus aimant aussi avec sa femme et ses filles. Tout était plus facile et plus lumineux. Comme si l'amour poussait de toute part.

Mais voilà qu'aujourd'hui – jour à marquer d'une pierre noire dans le calendrier – ils avaient rappelé et il avait ouvert à cette personne effroyable, qu'il avait eu la bêtise de prendre un instant pour quelqu'un de bien, mais c'était probablement seulement parce qu'il lui avait semblé percevoir une lumière dans ses yeux, une réflexion triste aux significations multiples. Cela s'était avéré ne pas être autre chose que la duplicité de la fausseté, la dissimulation policière bien lissée qui faisait miroiter sa traître mosaïque. Il ne comprenait pas pourquoi il était si peu armé contre. D'emblée, il avait été tenté de capituler pour abréger ses souffrances. L'envie de se battre l'avait abandonné, il n'avait pas de meilleure explication. Il voulait endosser sa culpabilité. Tout ce qu'on voudrait, pourvu qu'il n'ait pas à entendre comment une hyène s'était collée à la fenêtre et avait vu ce que personne n'aurait dû voir. Cette seule pensée était insupportable, et ce n'était que très vaguement, comme dans un rêve, qu'il avait remarqué que sa fille était entrée avant de disparaître aussitôt. Que voulait-elle ?

"Je vous conseillerais, pour ma part…, dit le policier.

— Euh… oui", murmura-t-il, avec le sentiment d'être irrémédiablement perdu.

Mais il perçut alors quelque chose : un nouveau glissement dans les yeux du policier, qui le remplit de confusion. L'homme semblait soudain le supplier, comme si c'était lui, et non David, qui avait besoin d'aide.

*

Les pas de la fillette s'entendaient au loin, et Corell baissa les yeux vers sa main. Les veines bleues s'y gonflaient, comme de petites rivières prisonnières et, sans en avoir conscience, il les caressa et se souvint de lui-même dans la cuisine de Southport, longtemps auparavant. Il avait baissé les yeux vers les chaussures brunes de sa mère. Qu'est-ce qu'il a, papa ? avait-il demandé. Rien, Leonard, rien ! Il n'a jamais rien eu.

"Où en étions-nous ? reprit-il.

— Vous alliez me donner un conseil.

— Je vous conseille de…"

Pour une raison quelconque, Corell vit sa tante devant lui. Il ne pouvait pas non plus cesser de penser à la fillette.

"Je vous conseille de ne rien reconnaître du tout, dit-il, étonné par ses propres paroles.

— Pardon ?" dit Rowan.

Corell eut envie de se lever. Mais il resta là.

"Comme je vous le disais, nous avons des éléments, beaucoup d'éléments.

— De nouveaux témoignages, vous voulez dire ?"

Que diable lui répondre ?

"Beaucoup d'éléments, comme je viens de le dire, répondit-il. Mais tant que vous niez, aucun tribunal ne peut vous condamner."

Il n'arrivait pas à y croire. Il était en train de se tirer une balle dans le pied, mais il n'avait pas la force de faire du mal à la fillette. Il n'avait pas la force.

"Mrs Duffy n'est pas non plus un témoin très crédible, s'enferra-t-il. D'abord, elle se trouvait sans autorisation sur votre terrain. Ensuite, elle semble motivée par la jalousie. Vous êtes mieux logé. Pour moi, il ne s'est rien passé du tout.

— Je ne comprends pas… !"

La voix de Rowan était stridente, fêlée.

"Je veillerai à ce que vous ne soyez plus inquiété, continua Corell. Je vais recommander le classement de l'affaire."

Tout comme il venait de voler les mots de l'inspecteur Rimmer, il vola à présent ceux de Vicky :

"Tant que nous ne faisons de mal à personne, nous avons le droit de faire ce que nous voulons", dit-il, se sentant un mauvais comédien, sentencieux et affecté, mais ses paroles semblèrent avoir de l'effet.

David Rowan se leva avec un sourire hésitant.

"Vous parlez sérieusement ?

— Oui.

— Et moi qui croyais… que dire ?… vous ne pouvez pas imaginer…"

Rowan semblait vouloir l'embrasser, et Corell recula d'un pas. Non, il n'irait pas jusque-là, jamais de la vie, et pourtant quelque chose l'emplissait, non, pas de la joie, mais ça bruissait en lui. Quel sacré hypocrite – mais grâce à lui quelqu'un était content, et il sentit son corps plus léger.

"Puis-je vous offrir quelque chose, quelque chose de fort ? Je suis en sueur. Il me faudrait…, commença Rowan.

— Non, non, le coupa Corell. Je ne bois pas…"

Rien n'aurait pu être plus faux. Il avait bu comme un idiot la veille et tout son organisme aspirait à un drink bien tassé, mais il voulait sortir, s'en aller, et il se dirigea vers la porte. Il ne se souvint que vaguement d'avoir à nouveau salué la plus jeune des fillettes, mais il eut alors une idée, sans doute aussi bizarre que sa précédente initiative.

"Il y a une chose pour laquelle vous pourriez peut-être m'aider, dit-il.

— Tout ce que vous voudrez ! Dites seulement !" Rowan sourit, à nouveau nerveux. On voyait qu'il était dans un état second.

"Vous êtes dans la confection ? dit Corell.

— C'est exact.

— Connaissez-vous par hasard la boutique Harrington & Sons sur Alderley Road ?

— Oh oui. Richard Harrington et moi sommes des amis très proches.

— Ils ont une employée, Julie quelque chose.

— Julie Masih, une fille charmante, mais un peu farouche. Elle a n'a pas été gâtée par la vie.

— Comment ça ?

— Sa mère est anglaise. Son père, indien musulman. Julie a grandi non loin d'ici, à Middlewich, mais elle a été mariée à un cousin de Karachi soi-disant très pieux, mais qui s'est avéré autoritaire et méchant. Pour une peccadille, je ne me souviens pas même quoi, il lui a jeté une louche d'eau bouillante, mais l'idiot l'a ratée et a touché sa fille. Pauvre petite ! Vous devriez voir…

— J'ai vu.

— Julie et sa fille ont réussi à s'enfuir. Je crois qu'elles ont reçu l'aide de l'ambassade et d'une infirmière anglaise. Depuis quelques années, elles vivent ici, à Wilmslow, mais Julie a toujours peur. Apparemment l'homme la menace.

— Donc elle n'est plus mariée ?"

Le visage de David Rowan, à l'instant si effrayé et sérieux, se fendit d'un grand sourire, qui exprimait non seulement le soulagement d'un homme qui comprenait qu'il ne serait plus traîné devant un tribunal, mais aussi quelque chose comme de la tendresse.

"Formellement, elle l'est sans doute, mais pas au sens que vous pensez. Elle aurait plutôt besoin d'un vrai ami.

— Bon, alors merci", répondit Corell, soudain maladroit – il se heurta le nez au chambranle de la porte –, et un instant il ne retrouva plus la poignée.

"Je lui parlerai volontiers de vous, si vous voulez", dit David Rowan, mais Corell était déjà dans le jardin et n'entendit rien.

23

Oscar Farley posa son stylo sur la table en acajou de la chambre d'hôtel. Pas de quoi pavoiser sur ce qu'il avait écrit, ce n'était qu'une nouvelle tentative stérile pour comprendre ce qui s'était passé mais, comme d'habitude, l'écriture ne pouvait rien résoudre quand les faits manquaient. Il avait lu tous les papiers qu'il avait trouvés à Adlington Road. Mais comme tout le reste, ces documents ne donnaient aucune piste pour répondre à la seule question qui les intéressait vraiment : Turing avait-il été imprudent avec des secrets d'État ?

C'était vrai, Alan n'était pas exactement un patriote. Il détestait le climat de méfiance actuel et cette façon de fouiller dans la vie privée. Déjà, la première fois qu'Oscar avait essayé de le recruter, Turing était furieux de voir les gens protester contre le mariage d'Édouard VIII avec Mrs Simpson : "Mais enfin, c'est une affaire privée, pestait-il. Ça ne regarde pas les évêques ni qui que ce soit !" Même le mariage d'un roi, pour lui, n'était pas une affaire d'État – dès lors, évidemment, il s'était indigné quand ses propres aventures amoureuses étaient devenues une question de sécurité nationale. La maudite politique, avec laquelle Alan ne voulait rien avoir à faire, l'avait rattrapé et pourchassé jusque dans sa chambre à coucher. Pas étonnant qu'il se soit senti blessé ! Mais enfin… de là à faire quelque chose d'illégal ?

Farley savait combien Alan était pointilleux sur la confidentialité, et s'indignait des négligences des autres. Après toutes les attaques sordides contre Turing qui avaient suivi son procès à Knutsford, Oscar avait pris une autre position que tous les autres, en continuant à chanter les louanges d'Alan et à l'élever au pinacle, mais il y avait quelque chose qui le dérangeait dans cette image qu'il avait de lui. En fait, il y avait chez Turing une zone à laquelle il n'avait jamais eu accès : si quelqu'un était un code inviolable, c'était bien Alan lui-même. Le stylo à la main, Oscar songea que Turing était allé chez un psychanalyste, qu'il avait noté ses rêves dans trois carnets (que son frère disait avoir déjà détruits), et avait probablement pour la première fois de sa vie fait une tentative littéraire : chez lui, Oscar avait trouvé une nouvelle dans laquelle un chercheur en fusées ramassait dans la rue un homosexuel mais, avant que rien de grave ou de sensible n'ait lieu, le texte s'arrêtait au milieu d'une phrase... probablement une tentative autobiographique. Pourquoi ce désir de confession ? Bien sûr, Turing avait traversé une crise et éprouvé le désir de se comprendre soi-même, mais en même temps, on disait qu'il s'était remis cette dernière année, qu'il fourmillait d'idées intéressantes et débordait d'envie de vivre. Et soudain... le poison, les câbles, la pomme. Farley ne comprenait pas.

Il y avait toujours des détails nouveaux, qui le troublaient. Par exemple récemment, devant le tribunal de Wilmslow. Au milieu du groupe des journalistes, il avait remarqué Fredric Krause, ce bon vieux logicien côtoyé pendant la guerre, qu'il n'avait pas revu depuis longtemps, et avec qui il aurait tant aimé parler – mais ils n'avaient échangé qu'une poignée de main et quelques formules de politesse, rien de plus. Le jeune policier – habillé avec une élégance si curieuse – avait fait sa sortie et s'était comporté avec une autorité si insolente qu'un instant Farley avait eu l'impression que Corell avait connu Turing ou, du moins, qu'il en savait plus que les autres, mais cela avait abruptement cessé, et le policier avait disparu le long de la rue, l'air crâne. Quelle scène étrange, non ? Pas seulement parce qu'elle sembla prendre tout le monde au dépourvu – personne n'avait l'air de s'attendre que le taciturne policier explose dans une pareille crise de raillerie et de morgue – mais aussi parce que, quand Farley s'était tourné vers Krause pour dire quelque chose comme : "Bien dit, quand même", le logicien n'était déjà plus là.

Comme soufflé – et qu'un des principaux collaborateurs de la baraque d'Alan durant la guerre se pointe à l'improviste à

Wilmslow pour ensuite disparaître tout aussi brusquement, Farley n'aimait pas ça du tout. D'un autre côté, dans ce métier, on risquait toujours de se perdre dans des détails sans importance et, en attendant de sortir manger avec Robert Somerset, Farley se replongea dans *La Ballade de la geôle de Reading*, d'Oscar Wilde, ce qui le fit se sentir mieux. Comme si la douleur d'un autre homme puni pour le même crime que Turing l'apaisait d'une certaine façon.

*

Elle n'est pas mariée. Elle n'est pas mariée. C'était comme une palpitation en lui, longtemps, Corell marcha sans but, juste pour purger son corps de cette énergie et, un instant, il se crut en route vers la boutique de Harrington & Sons pour sur-le-champ pousser son avantage, mais peu à peu il perdit courage. Il était veule, n'est-ce pas, plein de bonnes intentions, mais se dérobait au moment décisif : pourquoi réussirait-il mieux avec Julie ? Non, non, il ne voulait aller ni à la boutique ni au commissariat.

La solution fut de faire un tour à la bibliothèque. Depuis le matin, il avait eu envie d'en lire davantage. Mais il n'était pas simple de trouver ce qu'il cherchait. À l'accueil, un jeune homme aux lunettes rondes que Corell n'avait encore jamais vu le regarda d'abord interloqué, l'air de ne pas même comprendre sa question. "Que voulez-vous dire ? répondit-il comme s'il s'agissait d'une demande insolente, voire inconvenante.

— On les appelle aussi appareils digitaux, continua le policier. Ou calculateurs. Je ne sais pas. Ils travaillent à un gros projet dans ce domaine, à l'université de Manchester. Le MUC, ou quelque chose comme ça ?

— Ah, je vois… je crois bien que ça me dit quelque chose, dit soudain l'homme, tout de suite un peu plus enthousiaste. Attendez un instant."

Il alla consulter un collègue et revint peu après avec un document noir à couverture souple, peut-être une brochure publicitaire, ou un manuel scolaire. La prose en était simple, presque puérile. Corell s'installa à sa place habituelle, près de la fenêtre, et feuilleta le cahier. Il y avait en son milieu des planches photographiques ennuyeuses représentant une grande machine incompréhensible. L'une d'elles le fit pourtant frissonner et, un bref instant, avant de réaliser la banalité de la chose, il crut avoir fait une grande découverte. La photographie montrait deux messieurs d'un certain âge assis devant cc qui ressemblait à un poste de télévision, mais la chose intéressante de l'image était le troisième personnage : un homme plus jeune aux cheveux sombres, penché sur la machine. Cet homme était sans aucun doute Alan Turing. Le cliché était pris de loin, mais Corell reconnut le profil du mathématicien.

Il n'était par ailleurs jamais fait mention de Turing, ni dans la légende de la photographie, ni dans le reste du livre. Corell lut en revanche d'autres passages qui, du moins par moments, captivèrent son attention. Comme pour confirmer qu'il s'agissait d'un livre pour écoliers, on lisait que la machine avait été baptisée *Le Cochon bleu,* sans qu'il soit expliqué pourquoi. Elle n'avait pas l'air bleue. Elle ne ressemblait même pas à un cochon. Dans un programme radiophonique, elle avait chanté *Bêê, bêê, mouton blanc,* et la chanson de jazz *In the Mood.* Elle pouvait siffler des mélodies, et produire des poèmes d'amour ridicules :

Mon doux chéri.
Tu es mon bien-aimé. Ma chaleur est attirée curieuse par ton désir passionné. Mon appréciation te pénètre le cœur. Tu es ma sympathie brûlante, mon tendre amour.
Ta belle MUC.

C'était le côté amusant. L'autre était que la machine exécutait des mathématiques de haut niveau et était utilisée dans d'importants buts industriels et étatiques. La machine était l'avenir. Grâce à elle, la Grande-Bretagne reprendrait sa place légitime dans le monde. Il y avait beaucoup de boniments. Corell n'aimait pas ce ton, on aurait cru entendre parler un grand frère. Plus intéressantes que ces promesses d'un avenir radieux étaient les références au passé. Corell lut ainsi un passage sur un certain Charles Babbage, lui aussi mathématicien de Cambridge.

Il avait travaillé un siècle plus tôt, à l'aube de l'âge industriel, une époque que Corell connaissait assez bien, peut-être parce que son père et Vicky lui avaient tant parlé de Marx et Engels. Il savait que c'était une période terrible. Il en apprenait à présent davantage. Il y avait alors plus de morts dans les usines que de naissances dans les villes, lisait-on, et une des causes importantes du phénomène était les erreurs de calcul. Une immense coordination était nécessaire – entre le trafic ferroviaire, l'augmentation de la population, les effectifs des usines, les routes maritimes et tout le fatras imaginable – et on n'arrêtait pas de commettre des erreurs. Les horaires étaient faux, les calculs faux. Des trains entraient en collision. Des bateaux coulaient. Des personnes mouraient sur leur lieu de travail, et c'était un problème avec lequel le "vénérable Charles Babbage" luttait. "C'était un homme de la Renaissance", lisait-on, un touche-à-tout qui avait, entre autres, résolu le "chiffre de Vigenère", ce qui était considéré comme une des plus grandes avancées de l'analyse cryptographique. Il s'intéressait en outre aux machines à vapeur : imaginez si un jour elles pouvaient me faire des calculs, avait-il une fois plaisanté. Peu après, il avait découvert que ce n'était pas impossible. Certes, il avait abandonné l'idée de la vapeur. Mais le rêve d'une machine capable d'exécuter des tâches même intellectuelles le captivait toujours davantage, et il avait fini par se mettre à l'ouvrage. Une idée, principalement, l'avait fait avancer : l'intuition que la machine pourrait assimiler des informations, pourvu que la connaissance soit convertie en états et positions mécaniques. Mais visiblement, son ambition était trop grande. Ses machines n'avaient jamais vu le jour. Elles étaient demeurées des rêves.

Plus loin, Corell lut un paragraphe sur un personnage qui avait gagné un concours ouvert par les autorités américaines à la fin du XIXᵉ siècle, pour trouver le meilleur moyen de canaliser le flot des immigrants. Cet homme s'appelait Herman Hollerith.

Hollerith avait inventé une machine à cartes perforées capable d'enregistrer des données à l'aide d'un système de codage binaire. Le binaire était une autre façon de compter, ou de parler. Au lieu de nombreux chiffres ou lettres, on n'en utilisait que deux, un et zéro, et même si cela semblait primitif et compliqué, c'était un langage qui convenait aux machines. Le simple permet d'exprimer le complexe, comme l'avait dit Krause : dans le fini, on trouve l'infini. Les appareils de Hollerith avaient été vendus aux administrations et à l'industrie, et devaient être l'origine d'une société fondée en 1923, qui devait être baptisée IBM. Pourtant, les constructions de Hollerith étaient relativement simples, ce n'étaient nullement des appareils universels capables de tout faire, comme par exemple de chanter *Bêê, bêê, mouton blanc*, ou de chercher de nouveaux grands nombres premiers, comme la machine de Manchester. Plus il lisait, plus Corell était gagné par la conviction que l'évolution avait fait un bond dans les années 1930 et 1940, mais le livre le décrivait mal.

Il pouvait y avoir toutes sortes de raisons à cela, mais Corell – peu enclin aux explications banales – était persuadé que ce qui s'était produit pendant la guerre était trop sensible et secret pour être abordé dans une simple brochure publicitaire. La question, encore une fois, était juste de savoir ce qu'avaient fait ces maudites machines. Peut-être quelque chose d'encore plus strictement mathématique qu'on ne pouvait le deviner. Hardy avait eu *sacrément tort, autant que Wittgenstein*, en prétendant que les vraies mathématiques n'avaient eu aucune influence sur la guerre. Qu'avait voulu dire Krause par là ? Sûrement pas qu'on pouvait gagner une bataille en démontrant le théorème de Fermat ou la conjecture de Goldbach ! Il devait pourtant y avoir eu quelque chose… mais quoi ? Corell n'en avait aucune idée. Ses pensées tournaient en rond. Il essayait de raisonner rationnellement, mais n'était même pas certain que la raison soit une boussole très utile. Peut-être fallait-il plutôt, comme dans la physique nouvelle, chercher du côté de l'improbable… Idioties ! À quoi bon essayer ? Ça le dépassait. C'était absurde, et pourtant : la réponse semblait cachée sous ses yeux et, un bref instant, il avait eu la naïveté de penser pouvoir la trouver. En un rien de temps, il passait d'une réflexion assez sobre sur l'utilité possible des paradoxes en temps de guerre à des rêveries sur la récompense qu'il recevrait s'il perçait ce mystère, et l'effet que cette récompense aurait sur Julie. Puis il se dégonfla. Quel guignol il faisait ! Personne ne lui avait demandé de trouver cette réponse. Et puis il pouvait s'agir de n'importe quoi. Car ces machines étaient des machines universelles. Elles exécutaient les instructions qu'elles recevaient. Il pouvait s'agir d'une arme, de calculs de trajectoires, tout ce qu'on voulait. Il s'en fichait bien, et qu'est-ce que ça pouvait lui faire ? L'enquête était terminée. C'était fini. Il aurait dû laisser ça derrière lui, et pourtant… ces machines ainsi que les contradictions et problèmes qui les avaient fait éclore réveillaient les vieux rêves de ses années à Southport, oui, d'une certaine façon, il retrouvait un espoir lointain et oublié, et sentait qu'il aimait y réfléchir. Il s'imaginait même être doué pour cela, et serait volontiers resté des heures à la bibliothèque à raisonner avec lui-même, mais il fallait qu'il rentre au commissariat, il était vraiment épuisé.

Tandis qu'un instant il se cachait le visage entre les mains, il eut la sensation que ses doigts et son visage se confondaient, et peut-être hocha-t-il alors la tête. L'impression surréaliste de se trouver dans un état de somnolence éveillée le dominait quand il restitua le cahier à une jeune bibliothécaire. Cette femme lui dit quelque chose qu'il comprit complètement de travers comme "un rasoir et une fille", mots étranges, qui semblaient presque dans la continuité de sa rêverie, et il resta là, hésitant à lui demander de répéter. Puis il descendit l'escalier courbe pour retourner au soleil.

Le gravier de l'allée crissait sous ses pas comme quelque chose prêt à craquer, et son inquiétude augmentait. Qu'avait-il donc ? Il pensait une chose et en faisait une autre. Il n'avait pas seulement laissé David Rowan filer entre les mailles du filet. Il lui avait promis que les poursuites seraient abandonnées, ce qui ne relevait pas de ses prérogatives. Sandford lui-même pouvait reprendre l'affaire, à son retour de vacances. Corell ne voulait pas y songer, pas un seul instant. Devait-il filer prendre une bière dans un pub, pour rétablir son équilibre ? Non, il avait déjà perdu beaucoup de temps, et à présent il fallait qu'il… il se rappela un peu ce qu'il venait de lire et, soudain, il eut une pensée claire et nette qui dispersa les derniers restes de sa sensation de rêve. Certes, elle semblait venir subitement de nulle part, mais ses voies étaient tortueuses et ses racines plongeaient dans l'enfance de Corell, quand il s'amusait à inventer des langues imaginaires et parfois permutait les lettres de son nom, *ellroc eolarnd*, ce qui faisait magicien arabe. Mais sa pensée avait également effleuré Charles Babbage, le père de la machine mécanique à applications multiples, en partie à cause de son nom, qui était amusant en bouche, mais aussi en raison du code commençant par V que Charles Babbage avait percé.

Oui, Charles Babbage avait décrypté un code. Il s'était occupé de toute sorte de sujets, mais il avait tenté de construire une machine universelle puis avait cassé un chiffre spécifique – ce qui ne signifiait pas forcément que Turing avait fait la même chose. Mais on a besoin de codes pour communiquer en secret, et quand en a-t-on plus besoin qu'en temps de guerre ? Un effort important avait dû être consenti pour mettre au point un code, et encore davantage pour craquer celui de l'ennemi. À quoi l'Angleterre avait bien pu utiliser un génie des mathématiques et un champion d'échecs ?

Probablement au chiffrement et au décryptage, justement, et la machine, cette matérialisation de la logique, devait avoir servi à ça, et encore aujourd'hui, et sans doute plus que jamais. Une nouvelle guerre était en cours, se dit-il, une guerre froide qui pouvait à tout moment monter à une température inouïe, évidemment des plans étaient forgés en permanence, et bien sûr rien ne devait en filtrer, il y avait déjà eu assez de dégâts comme ça. Des espions avaient été démasqués, des traîtres homosexuels qui avaient fui par la mer et la route en Union soviétique. Diable, bien sûr, on voulait garder le secret, et évidemment, il était catastrophique ou fantastique – selon le bord où l'on se plaçait – qu'une partie de ce secret soit victime d'une fuite.

Un expert en cryptographie devait donc être une personne précieuse, se dit-il, non seulement pour ses compétences en la matière, mais aussi en raison de tout ce qu'il avait pu entendre ou lire pendant son travail. Alan Turing avait peut-être eu accès à des secrets d'État. Peut-être connaissait-il le nom d'espions et de sources soviétiques et, en tout cas, il avait fréquenté Oxford Road. Le top secret s'était mêlé à des criminels et des bavards, et la vérité avait très bien pu lui être extorquée. Ou lui échapper, par vantardise. N'avait-il pas parlé de son cerveau électronique à Arnold Murray ?

Corell se demandait si lui-même n'aurait pas pu dévoiler des secrets, s'il en avait possédé, pour séduire une jolie fille comme Julie, ou juste pour impressionner la bonne personne. Mais non, il ne voulait pas le croire. Non qu'il se crût exagérément fiable, mais il s'était si longtemps tu au sujet de tout ce qui était essentiel dans sa vie qu'il aurait sans doute là aussi gardé le silence, rien que sur sa lancée. Ou bien ? Il se pressa et marcha de plus en plus vite.

Ce n'est qu'en arrivant au commissariat qu'il ralentit le pas. C'était déjà le soir. La plupart avaient dû rentrer à l'heure qu'il était, et là-bas, à l'horizon, le crépuscule approchait. Mais dans la cour, juste devant l'entrée, deux jeunes gars en combinaison grise balayaient des détritus et des tessons de verre. Ils semblaient punis. L'un d'eux avait les joues rouges, comme s'il venait de prendre une gifle.

"Tiens, tiens."

Corell comprit pourquoi les deux garçons avaient l'air de souffrir. Au-dessus d'eux, sur le perron du commissariat, Richard Ross était campé, mains sur les hanches, l'air inhabituellement grand et autoritaire, en partie grandi par l'escalier, mais aussi parce que les visages penauds des deux types renforçaient ce qui en imposait dans son allure. Il grandissait tout simplement sur leur dos et il aurait été vraiment effrayant, si sa bouche n'avait été déformée en une sorte de petit sourire négatif, un ricanement à l'envers, comme une caricature de journal. Il semblait en croisade contre quelque chose qui ne méritait ni cette croisade ni cette gravité.

"Alors ? demanda Ross.

— Que s'est-il passé ?

— Ce foutu crétin est revenu.

— Il doit avoir un gros stock de bouteilles.

— Pas la peine de blaguer. Comment ça s'est passé, chez la tapette ? Vous l'avez fait craquer ?"

Corell secoua la tête.

"C'était un dur ?

— Pas spécialement !

— Mais il ne voulait pas avouer ?

— Il avait une autre version des faits.

— À laquelle vous avez cru ?

— Je n'ai pas pu la démonter."

Richard Ross le dévisagea.

"Et c'était quoi ?"

Quand il était gamin, Corell mentait avec une étrange facilité, il pouvait sans problème improviser une longue histoire inventée, mais ces dernières années, il avait tout simplement manqué de culot. Aussi fut-il étonné de la vitesse à laquelle il ficela un mensonge cette fois-ci.

"Il répétait une chorégraphie avec un collègue plus jeune.

— Et ? ricana Ross.

— Il pense que Mrs Duffy a confondu cette danse avec...

— Une séance d'enculage ? Allez, lâchez-vous.

— Malheureusement, son témoignage ne vaut pas grand-chose. À mon avis, ce sont des ragots.

— Enfin, pas besoin d'être Einstein pour comprendre que cette fiotte est une tapette. Rien que sa façon de bouger !

— Beaucoup d'hommes sont un peu féminins sans forcément..."

Comme renforcé par son mensonge, il se fit plus audacieux :

"Voyez seulement Hamersley. Il a des gestes un peu maniérés, non ? Mais cela ne veut pas forcément dire que..."

Ross sembla un instant perplexe. Puis son visage changea. Il s'ouvrit.

"Non de Dieu, vous avez raison. C'est vrai qu'on peut se demander", dit-il, l'air vraiment réjoui. Il regarda presque aimablement Corell, qui sentit instinctivement qu'il fallait profiter de la situation.

"Mais bien sûr, nous pourrions lui envoyer quelqu'un d'autre. Le problème, c'est qu'après la condamnation de Turing, tous les pédés veillent bien à se taire.

— Bah, je m'en fous. C'est l'affaire de Hamersley. Il parle de faire le ménage. On dirait un vrai prêche. Mais au fond, il ne comprend rien au travail de la police, non ? La petite fiotte. Ha, ha. Vous ne l'avez pas loupé, hein ! Et moi qui pensais que vous étiez le petit protégé de la Kommandantur. Non, je m'inquiète davantage pour ces dépôts d'ordures. Allez, allez les gars, l'escalier aussi, là...

— Bon…", fit Corell.

Il n'acheva pas sa phrase. Il se contenta de faire un signe de tête à Ross et jeta un regard compatissant aux deux éboueurs, ce qui lui valut un timide coup d'œil complice. Revenu à sa place au département criminel, il resta inquiet à tambouriner sur son bureau avec son stylo. Le bon vieux Gladwin, qui fumait sa pipe aux archives, le salua de la main. Il le salua à son tour. Ensuite il sortit la lettre et la relut une fois encore, ligne à ligne, comme s'il y cherchait des sous-entendus, ou comme s'il la considérait tout bonnement comme un code, un cryptogramme. Même s'il n'était pas franchement beaucoup plus avancé, il avait l'impression que la lettre avait changé – comme si après sa conversation avec Krause elle avait pris une portée plus dramatique. *Mais parfois, Robin, je me demande s'ils ne préféreraient pas me voir effacé, sorti de scène.* Robin… Robin Gandy, c'était bien ça ? Il était question de Leicester dans la lettre, Leicester… Corell décrocha son téléphone et demanda à l'opératrice de lui passer l'université, où il demanda si un certain Robin Gandy y était employé.

"Voulez-vous lui parler ?

— Non, non, dit-il. Je voulais juste savoir."

Puis il réfléchit au paradoxe du menteur et à la nouvelle machine. Il s'y absorba complètement, pas comme un détective ni un chercheur essayant de mettre à plat les questions, mais comme un homme désireux de comprendre quelque chose sur lui-même – *Pourquoi suis-je à ce point fasciné ?* – et, soudain, il eut envie de partir au loin, d'être comme emporté par le mystère qu'il pressentait, et il réalisa alors que cette lettre était, d'une certaine façon, un billet pour fuir Wilmslow et Richard Ross.

Il décida de s'en servir.

24

Quelques semaines plus tard, Leonard Corell arrivait dans son nouveau costume de tweed gris-rouge le long de King's Parade à Cambridge et, même s'il s'efforçait de paraître un homme du monde, il retenait son souffle, comme un gamin de la campagne découvrant le vaste monde. La ville lui semblait d'une beauté sidérante. Il marchait comme dans un tableau. Tout était joli et bien ordonné, et il espérait qu'on le prendrait pour un savant, peut-être un jeune professeur d'une matière humaniste, pourquoi pas l'histoire de la littérature ? Il essayait d'avoir le regard pétillant de quelqu'un qui a beaucoup lu, et il pensait, sans doute sans aucun fondement, donner l'impression d'avoir beaucoup voyagé, comme un éminent Méridional en visite. Quand un homme assez élégant lui rendit son regard dans le miroir d'une vitrine, il réalisa qu'il avait trahi cette apparence, qui ne tenait pas ses promesses. Il n'était qu'une façade, se dit-il, quelqu'un qui feignait d'être plus qu'il n'était.

Certes, il s'efforça de garder la tête haute mais, en apercevant King's College, il se sentit inévitablement minuscule, et ce n'était pas seulement dû à la rencontre qui l'attendait. L'entrée était vraiment magnifique. Même enfant, quand il était venu là avec son père, il ne l'avait pas trouvée aussi grandiose. L'herbe devant le porche était moirée et si bien taillée qu'on aurait dit du velours. Un grand châtaigner le jouxtait et, derrière, s'élevait l'immense chapelle avec ses créneaux et ses tours. Des vélos s'entassaient pêle-mêle à côté du porche et, au-dessus, on voyait la coupole et les dentelles de pierre de la façade. Corell entra, content quand un gamin qui devait l'avoir pris pour un autre le salua, mais saisi également du vague pressentiment de pouvoir être arrêté pour entrée par effraction. Bien sûr, c'était absurde, et pas seulement parce qu'il était policier. King's College était un site touristique. Personne n'était empêché d'entrer, mais la chapelle, la fontaine et le monde protégé derrière l'enceinte lui donnaient pourtant la désagréable sensation de ne pas être à sa place, et il songea : si seulement, si seulement, sans bien savoir ce qu'il voulait dire. Où aller, à présent ?

La description qu'il avait eue au téléphone ne lui disait rien et il remarqua que sa tante commençait à lui manquer, ce qui était évidemment pathétique, mais il ne pouvait s'empêcher de regretter que Vicky n'ait pas pu être disponible pour lui servir de guide. C'était grâce à Vicky qu'il avait obtenu un congé. Son culot avait tout facilité. "Raconte que je suis à l'article de la mort", lui avait-elle dit. "Mais je ne peux pas faire ça", avait-il répondu. "Mais si. Après, on dira que j'ai guéri miraculeusement." Elle avait alors rédigé une lettre d'une écriture particulièrement tremblante, où elle mentionnait la cause de sa mort imminente : cancer des ganglions. "Quand on ment, il faut des détails précis et un peu inattendus", et la chose marcha si bien qu'elle lui valut la sympathie de Richard Ross :

"Je comprends que cette tante compte beaucoup pour vous."

Il regarda autour de lui en se demandant s'il fallait qu'il demande son chemin. Il n'en eut pas le temps. Deux garçons surgirent du bâtiment situé juste sur sa droite. "Que cherchez-vous ?" lui demandèrent-ils en le regardant avec un respect qu'il ne pensait pas mériter, et il était si préoccupé par son apparence qu'il écouta à peine leurs indications. Il en saisit cependant assez au vol pour trouver son chemin. Bodley's Court était un vieux bâtiment en pierres ocre non loin de là, avec du lierre aux fenêtres et trois cheminées sur son toit de tuiles. Devant s'étendait une pelouse bien entretenue avec quelques bancs en bois. Sur l'un d'eux était assis un homme aux boucles sombres, blouson de cuir et pantalon noirs, un air de motard, de dur – il avait de petites plaques métalliques aux épaules – mais ce dur à cuire écrivait dans un carnet en fumant la pipe avec une bonhomie qui contredisait la première impression. Il devait tout simplement s'agir de Robin Gandy : tout le corps de Corell se contracta. Il est vrai qu'il avait éprouvé un immense enthousiasme à entreprendre ce voyage. Mais à présent, au moment de vérité, il était effaré de son audace. Il était comme poussé sur une scène où il ne voulait pas être, et il comprit qu'il lui fallait sur-le-champ mettre fin au malentendu plus ou moins volontaire qu'il avait laissé s'installer au téléphone où, en se présentant comme travaillant dans la police, il avait laissé entendre qu'il appelait aussi en qualité de policier.

"Docteur Gandy, je présume ?

— Inspecteur Corell ?

— Oui..."

Il n'alla pas plus loin. Il se sentait trop nerveux pour donner des explications – ce fut en tout cas l'excuse qu'il se donna – et il préféra plutôt bavarder sur le temps qu'il faisait et son voyage. Il y avait quelque chose de curieux à ce qu'ils se vissent là, à Cambridge. L'année précédente, seulement, Robin Gandy avait soutenu une thèse sur les fondements logiques de la physique et il enseignait à présent à l'université de Leicester, avec son *effroyable surabondance de maîtresses*, mais quand, au téléphone, ils avaient discuté d'un lieu de rendez-vous, Corell avait aussitôt mordu à l'hameçon lorsque Robin Gandy avait dit qu'il avait à se rendre ici. Sans Cambridge, cette rencontre aurait été tout autre, et pourtant, à présent qu'ils se dirigeaient vers le canal en contrebas de King's College, Corell aurait préféré un cadre moins grandiose. Tout semblait d'une solennité si inquiétante. Robin Gandy était silencieux et timide, au-dessus d'eux luisait un ciel taché de gris. Un peu plus loin passait un groupe d'enfants de chœur comme sortis d'une autre époque. *Maintenant, sans attendre, il faut lui dire que je suis ici à titre privé...* Encore une fois, cela ne donna rien : peut-être voulait-il vraiment profiter de son autorité professionnelle ?

"Vous aviez quelque chose pour moi ?"

Le pont suspendu au-dessus du canal craquait sous leurs pieds et le visage de Gandy se ramassa, avec des airs d'oiseau.

"Oui", dit Corell en portant ses doigts vers sa poche intérieure.

Pendant plus d'une semaine, il avait réfléchi à comment l'interroger au sujet de la lettre. Pourtant, il se sentait à présent complètement pris au dépourvu, et ses gestes se ralentirent.

Dieu sait ce qu'il espérait gagner, mais ce fut très lentement qu'il plongea sa main dans la poche. Son sang se figea. La lettre avait disparu. Il chercha fébrilement, mais il n'y avait rien, rien d'autre qu'une enveloppe de boutons de rechange pour le costume, quelques factures et une pièce. Il arracha le tout, manqua de le faire tomber dans le canal, mais là… Dieu merci. La lettre était dans sa main, encore plus froissée à présent, et il la tendit à Robin Gandy.

Gandy remercia, finit de traverser le pont, dépassa deux rhododendrons et s'assit pour lire sur un banc souillé de fientes d'oiseaux et de graffitis. Cela dura une éternité. Corell eut le temps de se remémorer la lettre deux fois, de penser à son père et aux oiseaux, et à toutes sortes de choses avant que Robin Gandy ne lève les yeux de la lettre. Elle tremblait dans sa main, ses yeux regardaient au-delà ou vers l'intérieur, mais il ne disait rien. Ses lèvres tremblaient.

"Alors ? dit Corell.

— Alors quoi ?"

Il y avait de l'irritation dans sa voix.

*

Depuis que le policier lui avait téléphoné, cette lettre avait pris une quantité de formes diverses dans ses pensées, jusqu'à apparaître dans ses rêves. Maintenant qu'il marchait là, sur cette allée, à côté de ce policier au costume bien trop luxueux – n'étaient-ils pas mal payés, dans la police ? –, il ressentait une violente impatience, atténuée seulement par la gêne croissante de la situation. Il comprenait que les enquêteurs devaient avoir tourné dans tous les sens chaque mot de la lettre, oui, elle contenait certainement un sujet sensible ! Pourquoi, sinon, se donner la peine de venir ? Le pire serait bien sûr si, dans un accès d'amertume ou de négligence, Alan y violait le secret militaire ? Non, non, Robin refusait d'y croire. Un simple policier local, ou quelqu'un prétendant l'être, était venu. Il ne semblait pas y avoir un grand déploiement de forces. Alan était prudent. Robin était le mieux placé pour le savoir. Aussi proches qu'ils aient été, Alan n'avait jamais dit un seul mot de son travail secret, mais Robin n'était pas idiot au point de ne pas se douter de ce qui se passait au-dessus de la gare de Bletchley Park, dans le Buckinghamshire. Pour ne pas gêner Alan, il ne l'avait jamais laissé paraître. C'était demeuré un des tabous de leurs conversations.

En général, il y avait des facettes d'Alan auxquelles Robin n'avait jamais eu accès, ce qui, ces dernières semaines, l'avait profondément chagriné. Tout ce qu'il aurait voulu faire différemment ! Il aurait dû poser les questions avec le plus grand sérieux, et ne pas se satisfaire avant d'avoir des réponses : comment vas-tu ? Comment dors-tu ? Que penses-tu de ta vie ? Mais, bien sûr, il y aurait eu dans ses réponses trop de logique, trop de science et trop d'humour. Avec Alan, il était difficile de ne pas s'adapter. Devant son refus de tout compromis, aussitôt on voulait être comme lui. Robin n'avait jamais admiré autant aucun de ses amis. Aucun d'eux n'avait non plus été si difficile à comprendre.

Avant son rendez-vous avec le policier, une ribambelle de souvenirs avait défilé à l'esprit de Robin : Alan et lui autour de l'échiquier à Hanslope, une dispute politique chez Patrik Wilkinson, à Cambridge, une tambouille des plus sérieuses dans des seaux, à Wilmslow, et de longues promenades dans divers paysages, toutes sortes de choses qui n'allaient pas ensemble. Avait-il vraiment connu Alan ? Quelqu'un l'avait-il connu ?

Quand Robin avait appris qu'Alan se serait suicidé, il aurait juste voulu crier : *Non, non ! J'y étais voilà peu. Il allait bien ! C'est impossible.* Une telle colère s'était emparée de lui qu'il s'imagina que les services secrets britanniques, ou pourquoi pas américains, avaient assassiné Alan. Robin n'avait-il pas entendu parler dans les journaux de *Lavender Scare*, ce terrible projet qui prétendait purger tous les homosexuels des postes importants, et les discours contre les non-conformistes et les déviants n'étaient-ils pas devenus de plus en plus haineux ces derniers temps ? Mais en se calmant, il avait compris que ces choses-là n'arrivaient pas ici, pas en Angleterre. Alan était une ressource. Il avait beau courir après les jeunes hommes, il n'était pas quelqu'un qu'on purge. Les personnes comme lui, les autorités étaient bien forcées de faire avec, si elles voulaient des résultats. Et puis – aussi douloureux fût-il d'y songer – il y avait autre chose : en particulier l'ombre qui allait et venait dans les yeux bleus d'Alan. Non, ce qui faisait mal, c'était plutôt que Robin n'avait rien vu venir avant qu'il ne soit trop tard, et jamais il n'en saurait la raison, à moins que…

"Vous aviez quelque chose pour moi ?" dit-il, et le policier lui aussi se crispa.

C'était un jeune homme dont les yeux sombres intenses tantôt regardaient ailleurs, tantôt le dévisageaient, mais voilà qu'il devenait étrangement gauche. Qu'est-ce qu'il fabriquait ? De ses longues mains graciles il lui tendit les papiers, et mon Dieu, ils étaient froissés. Robin osait à peine les regarder. Il reconnaissait les hampes arrondies qui contrastaient tant avec l'écriture par ailleurs serrée et, un instant, il imagina le mouvement de la main d'Alan en train d'écrire. La lettre lui brûlait les mains et c'est à contrecœur qu'il dirigea ses pas vers un banc, de l'autre côté du canal, et se mit à lire.

Le ton sombre de l'introduction le surprit. Ça ne ressemblait pas à Alan. Les commentaires personnels, ou même carrément privés, il les plaçait d'habitude plus loin. Mais ceci n'était peut-être pas une lettre ordinaire. Robin la parcourut rapidement pour voir si elle s'achevait par quelque décision dramatique… non, rien de tel, rien du tout. Alan semblait plutôt avoir renoncé, las de ses propres mots, mais c'était sans doute possible une lettre adressée à Robin, juste plus personnelle et nue que d'habitude.

En même temps, il y avait autre chose… il relut, plus attentivement cette fois, et alors il comprit. Il s'attendait à une lettre écrite récemment, ou même le jour de la mort d'Alan, mais ce n'était pas le cas, elle datait. Elle parlait de faire l'éloge de sa thèse et de partir en Grèce : cette lettre avait probablement un an, elle était assurément antérieure aux cartes postales que Robin avait reçues d'Alan en mars cette année, intitulées "message du monde invisible" et auxquelles il n'avait longtemps rien compris, sinon qu'elles parlaient en termes beaux et cryptiques du Big Bang et d'icônes lumineuses, et s'achevaient par une boutade en référence aux observations de Pauli sur les particules élémentaires :

"Le principe d'exclusion n'est créé que pour le bien des électrons, afin d'éviter qu'ils ne se corrompent (se transforment en dragons et démons) et ne s'associent trop librement."

En lisant cette phrase, Robin avait eu un petit sourire amusé. Il l'avait prise pour une plaisanterie, mais ce n'était peut-être pas le but. Les électrons étaient peut-être une métaphore d'Alan lui-même. Il y avait visiblement beaucoup de choses que Robin n'avait pas comprises. Rétrospectivement, la vie tout entière de Turing semblait remplie de signes aux multiples significations et, plus clairement que jamais, Robin réalisait qu'il les avait mal interprétés. Il ne s'était pas douté de la vraie souffrance d'Alan avant qu'il ne soit trop tard, et c'était alors dans une lettre que lui tendaient les forces de l'ordre. Ça ne rimait à rien. Qu'est-ce que c'était que ce document ?

Dedans, une partie était ancienne. Une partie nouvelle. L'histoire de l'amant français, Robin l'avait déjà entendue. Qu'Alan, même après guerre, avait reçu une mission secrète, probablement pour le compte du ministère des Affaires étrangères et qu'on la lui ait retirée en raison de son orientation sexuelle, en revanche, c'était tout nouveau. De quoi pouvait-il s'agir ? Sans doute quelque chose dans la lignée de ce qu'Alan faisait à Bletchley ? Quels idiots, pensa Robin. La lettre tremblait entre ses mains. Des mouches bourdonnaient autour de lui. Sa colère grandissait, mais aussi son inquiétude. La seule mention de cette mission était-elle une imprudence de la part d'Alan ? Était-il réellement surveillé par un homme avec une tache de naissance en forme de sigma ? *Cher, cher Alan !* Quelques minutes durant, Robin fut incapable de rien faire. Il resta juste là, la lettre à la main, et ce n'est que vaguement qu'il s'aperçut que le policier lui parlait :

"Alors ?"

*

Une sorte de douloureuse apathie s'était emparée de Robin Gandy et Corell se sentait désorienté. Il avait beau s'être soigneusement préparé à ce moment, il ne savait pas par où commencer. Il avait l'impression que, quoi qu'il dise, ce serait une erreur.

"Alors, qu'en pensez-vous ? fit-il.

— Je ne sais vraiment pas.

— Je comprends que ce soit dur.

— L'idée de vous interpréter cette lettre ne me plaît pas non plus beaucoup. Je devine qu'elle a été écrite dans un état d'esprit qui ne lui était pas habituel.

— La vie serait *une comédie pour en cacher une autre*. Qu'a-t-il pu vouloir dire par là ? tenta Corell.

— Et vous, qu'en pensez-vous ?"

Quelle foutue réponse. Comment Corell pourrait-il savoir ? "Aucune idée, dit-il. La vie est peut-être un théâtre, mais pas nécessairement une représentation qui en cache une autre.

— Pas nécessairement, non.

— Il avait peut-être plus à cacher que le commun des mortels.

— Je n'en sais rien, lâcha Gandy.

— Je ne veux pas dire qu'il avait des cadavres dans son placard. Plutôt qu'il avait tendance à cacher certaines choses, à faire du théâtre, pour ainsi dire.

— Alan était un mauvais acteur.

— Pourquoi dites-vous cela ?

— Parce que c'est vrai, continua Gandy, agacé.

— Comment ça ?

— Que voulez-vous que je vous dise ? Alan avait du mal à se fondre dans le moule. Il n'arrivait pas à jouer le jeu, tout simplement. Il restait à l'extérieur.

— Il attirait l'attention par d'autres moyens."

Robin Gandy soupira. Il se leva péniblement, ce qui, un instant, le fit paraître vieux, et se mit à marcher.

"Je crois plutôt qu'Alan n'a jamais vraiment réussi à se faire remarquer, dit-il.

— Pourtant, il y est assez bien arrivé.

— Ah oui ?

— Sur un plan purement intellectuel, tenta Corell.

— Oui, à défaut de culot, il avait autre chose.

— Quoi ?

— L'indépendance. Mais ça ne facilite pas vraiment la vie.

— Que voulez-vous dire ?

— Peut-être qu'un peu plus de théâtre et de conformisme lui auraient fait du bien, que sais-je ? Alan était trop franc.

— C'est tout à son honneur.

— Pas aux yeux de la société.

— Ah non ?

— Pour un homosexuel, il n'y a pas pire crime que la sincé-rité, n'est-ce pas ? Tant qu'il est hypocrite, il est hors de danger. Mais comme je disais, Alan n'était pas un acteur. Malheureu-sement pas."

Robin Gandy replia la lettre qu'il tenait à la main, et fit mine de la fourrer dans sa poche.

Corell l'arrêta.

"Désolé, mais ceci appartient à la police", dit-il en se deman-dant quelle mouche l'avait piqué. Au lieu de jouer cartes sur table, il s'enferrait dans son bobard, et c'était la dernière chose qu'il voulait, mais perdre la lettre, décidément, le chiffonnait.

"Ah bon… je… je pensais…" Gandy semblait dépité.

"Un grand merci. Nous apprécions. Turing y fait allusion à des secrets, continua Corell, d'un ton à présent plus formel, comme si la nouvelle situation l'exigeait.

— Et les secrets ont cette curieuse particularité qu'on ne sait pas ce qu'ils cachent !" répondit Gandy, tout aussi sèchement.

Il avait bien mérité ce commentaire, pensa Corell. Il n'espé-rait plus en tirer rien de valable. Il pourrait s'estimer heureux s'il parvenait à se sortir de là sans davantage d'embarras, et c'est du bout des lèvres, pour ne pas paraître trop indécis, qu'il posa encore quelques questions sur des points contenus dans la lettre, mais rien ne fut clarifié, à part l'information que Hanslope était un lieu, ce que Corell savait déjà, il avait vérifié. Il envi-sageait de prendre congé et de rentrer, mais s'efforça pourtant de bavarder un peu, pour détendre l'atmosphère. Robin Gandy se montra malgré tout fort poli en retour, il écouta avec atten-tion les précisions de Corell sur la maison d'Adlington Road et, finalement, la conversation arriva à un tournant, ou du moins prit un rythme plus calme, plus confiant. Ils revenaient vers le centre-ville et, au loin, on entendait une trompette.

"Vous étiez là-bas, juste avant, n'est-ce pas ?

— Oui… c'est vrai."

Robin Gandy se mit à raconter, comme si ce n'était pas du tout à un policier qu'il s'adressait.

Alan était comme d'habitude, dit-il, il avait plaisanté, ri de son rire staccato, parlé logique et mathématiques et, ensemble, ils avaient essayé d'élaborer un désherbant non toxique qu'ils avaient mis dans des seaux dans le laboratoire, à l'étage, sûrement les mêmes seaux que Corell avait vus. Robin Gandy n'avait perçu aucune allusion à une crise ou à un suicide imminent, expliqua-t-il, pas à ce moment-là, mais après coup, c'était clair, en mettant les choses bout à bout, des regards, quelques lignes sur une carte postale, et puis la pomme.

La pomme ? Corell sursauta.

"Quoi, la pomme ?

— Alan mangeait une pomme tous les soirs quand nous travaillions ensemble, pendant la guerre. C'est de ça qu'il parle dans la lettre", dit Robin – pas exactement le genre de révélation qu'espérait Corell, et visiblement pas non plus ce que Robin voulait dire : ce n'était qu'un prélude, une entrée en matière distraite.

"Et puis j'ai pensé à *Blanche-Neige*, continua-t-il.

— Blanche-Neige ?

— Oui.

— Blanche-Neige au sens blanc comme neige, innocent ?

— Non, *Blanche-Neige et les sept nains*. Ou plus spécifiquement le personnage du dessin animé de Walt Disney, sorti juste avant la guerre."

Corell ne l'avait pas vu. Juste avant la guerre, à Southport, ils n'avaient pas les moyens d'aller au cinéma et il avait une idée assez vague du conte, peut-être mélangeait-il avec *La Belle au bois dormant*. Miroir, miroir… qui disait ça ?

"Pourquoi avez-vous pensé à ça ?

— Alan l'adorait.

— Un film pour enfants ?

— Alan était assez puéril. Mais c'est un dessin animé plutôt amusant, dit Robin Gandy. Et il a aussi ses passages plus sombres, et l'un d'eux, je ne sais pas… je ne veux pas en faire tout un plat, je viens juste d'y penser. Ça n'a sûrement aucune importance, mais il y a une scène, dans le film, où la sorcière prend une pomme, qu'elle plonge dans un chaudron de poison tout en murmurant une sorte de comptine.

— Une comptine, répéta Corell, se souvenant de quelque chose.

— Oui, elle dit, attendez voir : *Plongeons la pomme dans le chaudron, pour qu'elle s'imprègne de poison.*"

Corell regarda Robin Gandy avec étonnement.

"Puis, en sortant du chaudron, la pomme se transforme en tête de mort, reprit-il, et la sorcière siffle à son corbeau – elle a un petit corbeau qui lui fait des courbettes : *Vois apparaître sur le fruit le symbole de ce qui détruit. Pomme, deviens rouge, pour tenter Blanche-Neige et lui donner envie de te croquer.*

— Vous connaissez ça par cœur !

— Alan me l'a plusieurs fois récité. Il aimait la musique de ce passage. Il chuchotait ça comme une formule magique.

— Et vous voulez dire…

— Je ne veux rien dire du tout. Je n'ai aucune idée de ce qui s'est passé, ni de ce qu'il a pu penser. Je dis juste que ça m'a fait me souvenir de cette scène, c'est tout, et puis…"

Une ombre d'inquiétude passa sur le visage de Gandy.

"Et puis j'ai reçu une lettre, continua-t-il.

— De qui ?

— D'une vieille connaissance d'Alan. D'après lui, Alan avait parlé de se suicider au moyen d'une pomme et de quelques câbles électriques, je ne sais pas bien comment. En fait, ça remonte à longtemps, mais enfin…"

Corell se rappela les câbles qui pendaient du plafond et la casserole de poison, et le sentiment de pénétrer dans quelque chose de maléfique et malsain.

"Y avait-il quelque chose de concret, au-delà de toute cette sorcellerie, qui ait pu le pousser à franchir le pas ?

— Je n'en sais rien.

— Si on en croit la lettre, il semble s'être senti cerné, acculé ?

— Peut-être."

Robin Gandy semblait avoir retrouvé son laconisme. On aurait dit qu'il regrettait d'avoir parlé.

"Turing a écrit qu'il craignait qu'ils ne s'en prennent aussi à vous", répliqua Corell en se trouvant lui-même sans-gêne, ce qui était sans doute une erreur.

Mais, à son grand étonnement, le logicien sourit, certes sans grande chaleur, mais sans sarcasme exagéré non plus. Plutôt un sourire fait de fierté et de défi :

"N'est-ce pas évident ?

— Quoi ?

— Que je suis un compagnon de route. Que j'ai été membre du parti communiste."

Corell ne comprenait pas du tout pourquoi ce devait être évident.

"Donc, vous…, commença-t-il.

— J'ai bu du gin tonic avec Guy Burgess. Absolument. Je représente tout simplement un sacré gros risque pour la sécurité nationale. Nos amis bien-pensants devraient s'en prendre aussi à moi, Alan avait tout à fait raison sur ce point, continua Robin Gandy sur un ton si sarcastique que Corell tenta instinctivement de prendre un air détaché. N'ayez pas l'air aussi choqué. Je n'ai rien fait de mal, ricana Gandy.

— Êtes-vous toujours communiste ? demanda Corell, sans aimer non plus son ton de voix, qu'il trouvait trop naïf.

— Oui, répondit Robin Gandy, je le suis sans doute, ou peut-être pas, ça dépend, mais vous comprenez, quand je suis arrivé à Cambridge, en 1936, des cellules communistes naissaient partout. Enseignants, étudiants, professeurs, tous en étaient. Où étiez-vous à la fin des années 1930 ?"

Corell sursauta. À la fin des années 1930, il n'était pas bien vieux et, si la question de Gandy concernait son engagement politique, il n'avait pas vraiment de quoi se vanter, aussi répondit-il très vaguement. Heureusement, Robin Gandy ne semblait pas écouter.

"Dans les années 1930, pour arriver à quelque chose, le communisme était la seule alternative. Voilà mon état d'esprit de l'époque, reprit-il. Les rouges étaient les seuls qui semblaient faire le poids, et vous savez, nous n'avions pas juste envie de parler. Nous voulions faire quelque chose. J'avais un ami, John Cornford, qui a filé en Espagne, et qui est mort à Cordoue quelques jours avant ses vingt et un ans. Imaginez-vous comment nous parlions de lui ?"

Corell opina.

"J'étudiais alors la physique, poursuivit Robin Gandy. Et la physique nous enseignait qu'on ne pouvait plus regarder le monde comme avant. Le temps n'était plus un absolu, l'espace non plus. Tant d'évidences s'avéraient fausses, ou n'être qu'une partie de la vérité, et on ressentait naturellement la même chose en politique.

— Vouliez-vous vivre comme en Union soviétique ?

— Certains le voulaient peut-être, dit Gandy. Mais la plupart d'entre nous considéraient le communisme comme une force indépendante de Moscou – une force qui se répandait à travers le monde pour le rendre plus libre et équitable. Certains y voyaient même une dimension religieuse."

Corell se souvint de ce que Somerset lui avait raconté.

"Et les Russes en ont profité.

— Je suppose."

Ils passèrent devant une petite église anguleuse, puis un panneau : "Vers Madingley". Ils semblaient sortir de la ville. Des champs jaunes s'étendaient devant eux, et ils marchèrent un moment en silence.

"Êtes-vous tombés sur des agents soviétiques ? demanda Corell.

— Pas que je sache", répondit Gandy, qui semblait vouloir clore là le chapitre. Mais, encore une fois, il changea d'avis et raconta que, bien sûr, on chuchotait qu'un tel ou un tel était membre du parti ou agent des Russes, et parfois il arrivait qu'un marxiste convaincu devienne d'un coup réactionnaire, ce qui faisait jaser de plus belle.

"Mais pourquoi ?

— Parce qu'on disait que c'était là le parcours obligé. Si on était recruté, il fallait prendre ses distances avec le communisme, et se rapprocher de la ligne gouvernementale pour faire carrière et avoir accès à des données sensibles. Un bon espion ne va quand même pas avoir l'étiquette communiste collée sur le front. C'est d'ailleurs ça qui est étrange avec Burgess.

— Que voulez-vous dire ? dit Corell.

— C'est que chez lui tout était tellement évident depuis le début : rouge, ivrogne et scandaleux. Il aurait dû être complètement disqualifié comme espion. Je ne comprends pas que les Russes aient voulu de lui.

— Il avait son programme à la BBC, *Westminster* quelque chose. N'a-t-il pas interviewé Churchill même ?

— Il n'était pas bête, loin de là. Mais rien à faire, tellement voyant.

— Et homosexuel, tenta Corell.

— En diable !

— Ils étaient beaucoup ?

— Quoi ?

— Les homosexuels devenus communistes, précisa Corell.

— Je ne sais pas, se renfrogna Gandy.

— J'ai entendu dire que beaucoup avaient été attirés par cette idéologie.

— Conneries !

— Oui, mais…

— Ce ne sont que préjugés et idioties. Mais peut-être avez-vous raison, continua Robin Gandy, à nouveau plus aimable, au sens où beaucoup d'homosexuels se sentaient rejetés aux marges de la société. Christopher Isherwood a écrit quelque part qu'il était si furieux de toutes les conneries que la société et ses parents exigeaient de lui qu'il avait voulu rendre coup pour coup, et tout renverser. La politique, l'amour, la littérature. Peut-être d'autres ont pu ressentir la même chose.

— Et Turing ?

— Il était sans aucun doute homo.

— Mais communiste ?

— Pas le moins du monde. Pas un brin. Mon Dieu, d'où sortez-vous ça ?

— Des gens ont suggéré que…

— Qui ? Quelles conneries ! Alan était tellement apolitique que c'en était gênant. Il était totalement en dehors de ça. Ce n'était pas le genre à se laisser emballer par un engagement partisan. C'était un parfait original.

— Je commence à le comprendre !

— Ah oui ? Parce que moi, c'est ce que j'ai le plus de mal à saisir. Comment pouvait-il toujours penser ainsi à contrepied de tous les autres ? Comment, par exemple, a-t-il pu arriver à l'idée si incongrue que le cerveau était calculable et devait pouvoir être imité ? Qu'en dites-vous, on fait demi-tour ?

— Pardon ?

— On retourne vers la ville ?

— Bien sûr, dit Corell, pensif. Mais qu'avez-vous dit ? Turing considérait que le cerveau était calculable et devait pouvoir être… ?"

*

Endosser un rôle de professeur était la dernière chose que voulait Robin Gandy. Des pensées bien plus inquiétantes occupaient son esprit, aussi garda-t-il le silence. Il tenta d'éluder la question mais, devant l'insistance du policier, il répondit à contrecœur, se cantonnant au plus bas niveau possible. Mais il fut surpris. Le jeune homme – qui tantôt l'irritait, tantôt éveillait chez lui presque un sentiment paternel – était déjà familier de *Computable Numbers* et d'un grand nombre de questions dans le champ de la logique. Il semblait tout assimiler avec une étonnante facilité et Robin se mit finalement à dire des choses qui l'étonnèrent lui-même :

"Alan était d'une certaine façon prédestiné à cette idée. Parfois je me suis demandé si elle n'était pas née de son vieil amour malheureux. Vous comprenez, à dix-sept ans, Alan est tombé amoureux d'un garçon, Christopher. Il disait qu'il vénérait le sol où marchait Christopher.

— Christopher, murmura pensivement le policier.

— Oui, Christopher Morcom. Christopher était vraiment doué pour les études, et il a poussé Alan à se retrousser les manches et à cesser d'être un cancre. Ils sont entrés ensemble à Cambridge. Peu après, Christopher est mort d'une sorte de tuberculose transmise par le lait. Ça a été un coup terrible. Alan était hors de lui. Il ne supportait pas l'idée que Christopher soit mort. Il voulait à tout prix que son ami continue à vivre, mais comme la guimauve chrétienne sur l'immortalité de l'âme n'était pas sa tasse de thé, il a résolu ce problème à sa façon. Il a rédigé un essai scientifique. Vous connaissez sans doute le conflit philosophique entre déterminisme et liberté : comment l'homme qui vit dans un univers régi par des lois physiques peut-il malgré tout être indépendant et libre ? Quand la mécanique quantique a été découverte, au début du XXe siècle, certains ont cru y trouver une réponse à cette question. Au cœur

de l'atome, les particules semblaient, au moins prises indivi-
duellement, ne pas avoir de mouvements prédéterminés. Cha-
cune semblait aussi imprévisible que nous autres humains.
Einstein, déterministe invétéré, avait pour cette raison du mal
avec la physique quantique. Il ne supportait pas le désordre. Il
voulait que le microcosme ait le même bel ordonnancement
que l'univers dans sa théorie de la relativité. Mais pour le jeune
Alan, cela a été une source d'inspiration. L'âme, écrivait-il, n'est
rien d'autre qu'une certaine configuration d'atomes dans notre
cerveau qui, grâce à son indépendance, gouverne les autres particules de notre corps. Après notre mort, elles nous quittent et
trouvent asile ailleurs. C'était un peu un tour de passe-passe :
abracadabra. Adulte, Alan a eu honte de cet essai, bien sûr. Mais
ce qu'il avait d'intéressant, c'était qu'il réfléchissait aux liaisons
des atomes dans notre cerveau, et qu'il a conduit Turing à aller
plus loin.

— Comment ça ?

— Il a développé une conception matérialiste de la biologie. Ou, devrais-je dire, mécanique, ou même mathématique.
Dans *Computable Numbers*, il décidait d'abord quels nombres
étaient calculables, quels nombres pouvaient être calculés par
un algorithme simple et, même s'il comprenait les limites d'une
telle méthode, il s'intéressait avant tout…

— À ses possibilités.

— Exactement ! Il avait compris que le calculable, ce qui
pouvait être entré dans une machine, avait un énorme poten-
tiel. Non qu'il soit tout de suite parvenu à cette idée saugre-
nue que même le cerveau est mécanique. Quand il étudiait
à Princeton, il tendait plutôt à considérer que notre pensée
avait une dimension intuitive d'un tout autre ordre. Mais il a
changé d'avis, et je pense que c'était lié à l'approfondissement
de ses connaissances en électronique. Il a compris combien le
processus gagnerait à aller à la vitesse de la lumière.

— Ainsi, par la simple connexion entre deux pôles, on attein-
drait la complexité et la subtilité, glissa le policier.

— Oui, le tic-tac sans âme d'un appareil parviendrait peut-
être même à exprimer l'âme. Quand, juste après la guerre, Alan
a commencé à concevoir les bases de ce que nous appelons

aujourd'hui machine informatique digitale, il n'était pas spécialement intéressé par ses applications pratiques, comme calculer de nouvelles bombes démentielles. Au tout début, il recherchait tout autre chose.

— Comme quoi ?

— Essayer d'imiter la pensée.

— Ça semble insensé.

— Ça l'était. Mais vous savez, quand il en a su davantage sur notre cerveau – des millions de millions de neurones interconnectés –, il y a vu des ressemblances avec sa machine, pas au point de pousser trop loin la comparaison, mais assez pour se dire que toutes ces connexions n'avaient aucune chance de fonctionner sans reposer sur une structure logique. Et ce qui est logique, par définition, peut s'analyser et s'imiter : c'est donc calculable. Il y avait peut-être là quelques aspects quantiques susceptibles de compliquer la chose, et je crois qu'à la fin de sa vie il était venu à y réfléchir en ces termes mais, à l'époque, il avait peu à peu acquis la conviction que tout, dans notre pensée, pouvait être considéré comme mécanique – même notre intuition et nos moments d'inspiration artistique.

— Mais comment diable…, l'interrompit Corell.

— Je crois qu'il pensait que les moments créatifs étaient des mécaniques cachées. Il parlait de machines discrètes. Prenez un interrupteur : vous appuyez sur un bouton, et vous avez l'impression que la lumière s'allume instantanément – magique, non ? Mais en fait, un processus a eu lieu. Des électrons se sont déplacés dans un câble. Il s'est passé une multitude d'événements, à notre insu. Alan pensait que le cerveau fonctionnait d'une façon analogue. Tout à coup, nous avons une idée, et nous croyons qu'elle arrive de nulle part. Mais, derrière, il y a tout un processus, un schéma, qu'il serait possible de décrire. Que cela aille trop vite ne signifie pas que ce n'est pas mécanique.

— Il ne pouvait pas être sérieux.

— Il était on ne peut plus sérieux. Il disait que, dans cinquante ou cent ans – il donnait cette fourchette –, nous devrions être capables de créer une machine intelligente, au sens que vous et moi donnons à ce mot, ou du moins une machine qui se comporte comme si elle était intelligente, ce qui avait bien sûr le don d'en agacer beaucoup. Certains disaient : « Bien sûr, il est possible que le cerveau suive certains schémas logiques imitables, mais son essence réelle, intérieure, est d'un tout autre ordre. » Alan répondait en parlant des oignons. Il disait que le cerveau est peut-être comme un oignon. Imaginez quelqu'un qui n'ait jamais vu d'oignon. Il pèle l'oignon couche après couche en se disant : je vais bientôt arriver au cœur, à ce qui compte vraiment dans ce légume – mais à la fin, il a tout pelé, et il ne reste plus rien. L'oignon n'était rien d'autre que toutes ces couches et, de la même façon, Alan pensait que le cerveau n'avait pas de noyau, de secret intérieur, mais n'était constitué que de ses parties liées entre elles. Alan refusait de croire que l'intelligence soit exclusivement humaine, et ne puisse se manifester qu'au sein de ce qui rappelle un gros bol de porridge.

— De porridge ?

— Il trouvait que notre cerveau ressemblait à ça : gris et peu appétissant. Il pensait que l'intelligence pouvait aussi bien naître d'autres structures, d'autres matières, par exemple de la logique binaire d'une machine électronique, et il se refusait à définir l'intelligence en termes trop restrictifs. Il était mieux placé que personne pour savoir que la normalité humaine n'était pas l'étalon unique.

— Comment ça ?

— Il était habitué à se sentir exclu. Aussi étrange que cela puisse paraître, il n'avait pas de mal à se mettre du côté de la machine."

Le policier parut interloqué et Robin s'efforça de trouver une formulation correcte :

"Il voulait dire que, s'agissant d'intelligence, nous n'avions pas le droit de discriminer les machines et j'avoue que parfois – et j'étais peut-être là injuste à son égard – je me demandais s'il ne rêvait pas de machines pensantes parce qu'il savait qu'il ne fonderait jamais une famille. Son rêve d'un appareil intelligent était son rêve d'avoir un enfant, non pas que ses théories aient été des rêveries, loin de là. Il était extrêmement concret, mais sa position d'exclu, son sentiment d'être toujours en marge le rendait tout particulièrement capable de voir les choses du point de vue d'une machine. Après la publication du livre de Norman Wiener *Cybernetics*, le débat a été lancé – sur un mode bien sensationnel, si vous voulez mon avis – pour savoir dans quelle mesure il était même possible de parler de machines pensantes. Un neurologue, Geoffrey Jefferson, a aussitôt pris la défense de l'humain, en disant que tant qu'une machine serait incapable de rougir, d'écrire un poème ou une symphonie, de jouir de la caresse d'une femme et de ressentir des regrets ou de la joie, nous ne pourrions la considérer comme intelligente à l'égal d'un humain. Alan trouvait cela profondément injuste.

— En quoi ?

— Pour commencer, Alan non plus ne pouvait pas jouir de la caresse d'une femme. Et écrire une symphonie ? Qui en est capable ? Vous ? Pour lui, on n'avait pas le droit de donner une définition trop étroite de l'intelligence. Il trouvait même que Jefferson était injuste à propos des sonnets, car qui mieux qu'une machine serait à même d'apprécier un sonnet écrit par une autre machine ?

— Pardon ?

— Si les machines peuvent apprendre à penser, il est probable qu'elles aient d'autres préférences que nous. Alan voulait montrer que nous n'avions pas le droit de nous considérer comme des modèles. Une machine peut être pensante sans pour autant être comme vous et moi. Elle n'a même pas besoin d'apprécier les fraises à la chantilly. D'ailleurs, il ne cherchait pas à créer une machine particulièrement douée. Il suffisait qu'elle soit maligne comme un homme d'affaires américain, disait-il. En tout cas, il avait mis au point un test.

— Un test ?

— Un test pour déterminer si une machine pouvait être considérée comme intelligente. Alan a publié un article à ce sujet dans la revue *Mind*. Si ça vous intéresse, je peux vous le faire lire, il est assez amusant", dit Robin en faisant preuve d'une bonne volonté qu'il ne comprenait pas bien, mais quelque chose chez ce jeune homme lui inspirait confiance.

Robin avait même cessé de redouter une surprise désagréable. Il avait plutôt l'impression que cet homme s'intéressait à Alan

Turing en général et qu'il tenait davantage de l'étudiant passionné que du policier, aussi Robin fut-il complètement pris de court quand la conversation prit un tour tout différent.

Ce n'est pas possible, pensa-t-il pendant quelques vertigineuses secondes.

25

La rue s'animait autour d'eux tandis qu'ils marchaient sur les pavés, parmi les tours et les belles maisons. De temps à autre, des gens saluaient Robin Gandy et Corell se laissa à nouveau enivrer par la situation, se demandant à quel point son costume et sa compagnie donnaient le change. Les femmes ne le regardaient-elles pas différemment ? Il le croyait, mais se sentait aussi comme un acteur qui n'est rassuré que tant qu'il reste dans son rôle. Le Dr Gandy lui parla d'un test censé déterminer si une machine était capable de penser.

"Je le lirais volontiers, dit-il.

— Très bien ! Je vous le ferai parvenir.

— Je m'intéresse particulièrement à ce qu'Alan a fait pendant la guerre.

— Ah bon ? dit Gandy.

— Je sais bien sûr qu'il a brisé le code des nazis avec ses machines", poursuivit-il comme si cela allait de soi. Il mit d'ailleurs un moment avant de réaliser lui-même le culot de cette affirmation.

Car il ne savait rien, rien de rien. Que Turing se soit occupé de cryptographie n'était qu'une intuition, une vague supposition. Non, cela ne pouvait tout simplement pas être vrai, l'hameçon était trop gros, Corell s'attendit à une question, ou même à ce que Gandy le prenne de haut et, en effet, il lui sembla deviner un sourire indulgent, et il se mordit les lèvres. Il rougit un peu. Mais il saisit alors autre chose : un rien, une ombre passant sur le visage du logicien. Gandy n'était peut-être pas si sûr de lui, après tout.

"Qui ?" dit-il, rien de plus, pas un mot, mais Corell comprit que la phrase complète aurait été : "Qui vous a dit ça ?" Un sentiment de triomphe l'envahit et il répondit, veillant bien à ne pas sembler sûr de sa victoire ni satisfait :

"Je ne peux pas le dire."

À l'entendre, pourtant, on aurait dit à coup sûr qu'il avait des relations haut placées.

*

Robin Gandy ignorait si Alan Turing avait ou non brisé des codes nazis. Il avait juste compris que son ami avait travaillé dans la cryptanalyse à Bletchley Park, ou Station X, comme on disait aussi. Pour le reste, Robin n'avait pas de détails, ou si : il avait compris qu'Alan avait eu du succès. Quand ils s'étaient vus à Hanslope en 1944, Turing avait accédé à un nouveau statut. Ça se voyait aux regards de ses collègues, aux ragots et aux surnoms. Il était le Professeur, on racontait qu'il était allé aux États-Unis, qu'on l'avait transporté comme un "trésor de guerre" et, quelque part, cela se voyait dans ses yeux. Non qu'il montrât de la morgue ou de l'arrogance, mais une meilleure confiance en lui. Comme s'il avait décidé de ne plus avoir honte.

Hanslope Park était un vieux manoir occupé depuis 1941 par les services secrets, qui l'utilisaient comme atelier expérimental pour toutes sortes de machines et d'appareils électroniques. Robin y avait travaillé à des recherches sur les communications radio et les radars au début de la guerre. À Hanslope, il avait été l'assistant de Turing dans son projet de construire un appareil de chiffrement vocal pour les conversations téléphoniques de Churchill et Roosevelt. Robin aimait ce travail. La guerre touchait à sa fin et il semblait qu'il allait y survivre – quand il avait été mobilisé, il y avait vu son arrêt de mort – mais, avant tout, il était stimulé. Alan comprenait si vite. Il abattait le travail en plaisantant et, souvent, tout semblait un jeu, un jeu certes extrêmement sérieux et susceptible de donner un résultat de premier plan. Parfois, le soir, Alan leur faisait des conférences de mathématiques. De temps en temps, ils allaient boire aux fêtes du mess des officiers. C'était la belle vie. Mais un jour, tout faillit s'effondrer.

C'était au début de l'été, au début de leur collaboration. La veille, ils étaient sortis cueillir des champignons. Alan avait cherché en vain une amanite phalloïde et, le lendemain, ils avaient comme d'habitude travaillé sur Dalila. Dalila était le nom donné par Robin à l'appareil de chiffrement vocal, d'après le personnage biblique Dalila, qui trompe Samson. Donald Bayley était là lui aussi. Donald était l'autre assistant du projet. Il avait fréquenté l'école ordinaire puis avait étudié à l'université de Birmingham pour être ingénieur en électronique, loin de King's College. Pour lui, les homosexuels n'étaient qu'une méchante blague à l'école ou des périphrases gauches dans les journaux, mais il allait à présent faire la connaissance directe de l'un d'entre eux. Tout à coup, Alan Turing déclara :

"D'ailleurs, je suis homosexuel."

À quel propos, Robin ne le comprit jamais bien. Peut-être Alan espérait-il créer une plus grande confiance, ou juste jouer cartes sur table. Donald Bayley afficha un dégoût immédiat :

"Putain, qu'est-ce que tu racontes ? Ça va pas ?"

Par la suite, Bayley devait expliquer qu'il ne savait pas ce qui était le pire, la nouvelle en elle-même, ou la façon dont Alan l'avait annoncée : "Mais enfin, il n'avait même pas honte." Donald Bayley fut si choqué qu'il voulut quitter le projet. Même Alan accusa le coup. Cette réaction était bien la dernière chose qu'il souhaitât. "Tu vois notre condition ? dit-il. Si on dévoile notre orientation, on peut, avec un peu de chance, passer un bon moment, mais le plus probable est d'être rejeté." Robin dit qu'il comprenait. Certes, il avait eu une expérience horrible avec un homme plus âgé quand il avait quinze ans – il faut laisser tranquille les garçons de quinze ans, admit Turing –, mais il avait aussi fait King's College, nom de Dieu, et avait été admis au club des Apôtres.

Il dut consacrer une énergie considérable pour garder Donald dans le projet et, assez laborieusement, y parvint. Qu'Alan soit si clairement différent et si évidemment brillant y contribua. Son homosexualité finit par apparaître comme une composante de son excentricité globale et, quelque part, Donald Bayley admettait qu'ils s'amusaient bien ensemble.

Alan Turing déménagea de la Crown's Inn à Shenley Brook à Hanslope Park, et avec Robin et un gros chat prénommé Timothy il vint occuper une petite maison en contrebas du mess des officiers. Au mess, il y avait Bernard Walch. Bernard Walch possédait The Wheelers, un restaurant d'huîtres à Soho, à Londres, et, à Hanslope, il faisait figure de magicien. Alors que le reste de l'Angleterre était strictement rationné, il veillait à fournir à Robin et à Alan des œufs frais, parfois des perdrix, et un approvisionnement constant en fruits.

Alan travaillait dur, et pas seulement sur le chiffrement vocal. Il réfléchissait aussi beaucoup aux matériaux élémentaires de l'intelligence et de la vie, en se posant des questions comme : comment se forme le cerveau ? Comment devient-il lui-même ? Il pensait que cela se produisait en suivant des modèles mathématiques, en suivant un système d'organisation. Mais le cerveau était bien sûr trop compliqué : il était plus facile de commencer avec une feuille, une branche et, bientôt, ils partirent dans la forêt ramasser des pommes de pin. Les pommes de pin croissent en suivant la suite de Fibonacci, et Alan voulait montrer comment cela se produisait. La génétique, selon lui, ne donnait aucune indication, puisque toutes les cellules ont les mêmes gènes et les mêmes enzymes. La génétique ne permettait pas de comprendre comment chaque cellule, prise isolément, sait former son motif, ni comment les cellules s'agencent les unes avec les autres. Alan voulait l'expliquer. Il voulait découvrir les mathématiques de la vie : Robin et lui passaient des heures à discuter des hypothèses et à noircir leurs carnets de calculs à n'en plus finir.

Ils parlaient aussi du rêve de construire une machine pensante et, même si Robin ne se sentait pas le droit de lui poser la question, ou en tout cas n'obtenait pas de réponse, il devinait qu'Alan y avait déjà réfléchi pendant la guerre. Ses exposés étant détaillés et visionnaires. Robin Gandy en avait conclu qu'Alan avait utilisé une forme de construction logique pour forcer les communications nazies : il eut donc un mouvement de recul quand ce policier au costume trop distingué avait affirmé au vol qu'Alan avait brisé les codes allemands à l'aide de sa machine ! Non que Robin fût indigné : ce n'était pas son problème de veiller à ce que les secrets militaires fussent bien gardés – mais parallèlement à l'embrasement de sa curiosité, il s'inquiétait : était-il en danger ?

"Vous semblez en savoir plus que moi", dit-il en s'efforçant de paraître nonchalant.

Corell ne répondit pas et remarqua que Robin avait disparu dans ses pensées. Comment continuer ? Il ne trouvait pas d'idée, et sentit poindre le malaise.

"Je ne crois pas, parvint-il à lâcher.

— Ou alors vous êtes autre que ce que vous prétendez.

— Franchement, ce sont surtout des suppositions."

Robin Gandy parut interloqué.

"J'ai fait quelques rapprochements en lisant le dossier de l'ancienne enquête, continua Corell, bien content de pouvoir s'en tenir à la vérité. J'ai compris que Turing avait fait quelque chose de secret pendant la guerre, puis j'ai lu qu'il avait eu une médaille OBE, et j'ai alors essayé de deviner ce qu'un type comme lui avait pu faire pour la mériter.

— Il pouvait y avoir de nombreuses raisons.

— Peut-être. Mais je me suis mis en tête qu'il s'était occupé de logique aussi pendant la guerre, et puis j'ai entendu et lu un certain nombre de choses. Alors j'ai eu cette idée, qui m'a paru vraie, d'une certaine façon. Que savez-vous à ce sujet ?

— Rien, comme je l'ai dit.

— N'avez-vous pas travaillé ensemble pendant la guerre ?

— Seulement à la toute fin, et sur un tout autre sujet, qui n'a même pas abouti. Alan n'a jamais dit un mot sur ce qu'il avait fait plus tôt pendant la guerre.

— Et pas non plus par la suite ?

— Non.

— Le sujet était sensible ?"

Robin Gandy hocha la tête. "Probablement.

— Et pourtant nous avons gagné la guerre. C'est fini.

— Sûrement pas", dit Gandy, de nouveau irrité ou presque en colère et l'instant d'après abattu et pensif.

Robin se sentit las et regarda la ville autour de lui. Ils passaient devant Trinity College et, parmi le flot de ceux qui passaient sous son porche, il remarqua le linguiste Julius Pippard. Il devait par la suite s'interroger sur cette coïncidence. Julius Pippard était une personne de petite taille. Mais, comme il se tenait le dos remarquablement droit, on le trouvait pourtant grand. Robin ne savait pas grand-chose à son sujet, à part qu'il avait travaillé avec Alan à Bletchley Park.

Il le savait car, un jour, Pippard s'était pointé à Hanslope Park pour s'entretenir avec Turing. Bien sûr, Robin n'avait rien su de ce qu'ils s'étaient dit, mais Alan ne semblait pas particulièrement apprécier Pippard et c'est peut-être ce qui donna du culot à Robin :

"Vous voyez cet homme, là-bas ?" dit-il en montrant Pippard.

Le policier opina.

"C'est Julius Pippard. Si vous voulez parler du passé d'Alan, vous devriez aller le voir", dit-il, réalisant au même instant que c'était un conseil insensé qui pouvait causer des ennuis à Corell. Robin corrigea aussitôt :

"Non, d'ailleurs, n'en faites rien", mais le policier semblait ne plus l'écouter.

Il avait l'air plongé dans ses pensées et, après un moment de silence, il dit quelque chose d'étrange.

"Je ne resterai sans doute pas longtemps dans la police, de toute façon."

Et comme Robin lui demandait ce qu'il envisageait à la place, le policier répondit :

"J'ai des projets d'études."

Robin eut l'impression que de tels projets n'existaient pas, sans pouvoir en être sûr. Le gros de son inquiétude avait beau s'être dissipé, il se sentait toujours nerveux. À quoi avait-il participé ? Un interrogatoire, une conversation, ou tout autre chose ? Quand, peu après, ils prirent congé et que le jeune homme disparut en descendant Trumpington Street, ce fut comme si le policier laissait une question derrière lui.

26

Corell était venu pour la première fois à Cambridge au milieu des années 1930 en compagnie de son père et, même s'il ne s'en rappelait pas grand-chose, c'était à la même saison qu'à présent, fin juin, et les gens semblaient libres et détendus. Il y avait de l'expectative dans l'air, et son père était jovial et tapageur, comme toujours à l'époque.

"Bonjour, bonjour, ravi de vous voir, saluait-il à droite et à gauche. Élégant, comme toujours. Un livre brillant, Peter. Merci pour votre lettre. Oh, quel honneur inattendu ! Je m'incline."

Il rayonnait, il était le centre du monde et, bien sûr, l'affichait bruyamment. De temps en temps, il se tournait vers Leonard, qui lui tenait la main.

"Toi, intelligent comme tu es, un jour sûrement tu étudieras ici."

Ces mots transformaient les rues pavées en autant de promesses. Ils avaient acheté du chocolat et des livres, regardé les rameurs sur le canal et parlé de ce qu'il fallait étudier à Cambridge. "C'est intéressant, les mathématiques, papa ?" C'était intéressant, mais son père préférait plutôt telle ou telle autre matière. Le mathématicien n'a personne avec qui parler hors de son cercle. L'humaniste, en revanche, peut toujours distraire les autres avec ses connaissances. "Comme toi, papa ?

— Comme moi", avait répondu son père, et Corell s'était imaginé un jour marchant là, parmi ces belles maisons, plein d'histoires et, lorsque les gens disaient ceci ou cela, peut-être une banalité, il répondait : "Ça me rappelle un peu le moment où Ulysse s'approche d'Ithaque…" Mais il n'en avait pas été ainsi. Son père l'avait trahi. Il s'était lui-même trahi.

C'était comme si cette ville lui ouvrait les yeux. Ce à quoi il n'avait plus pensé depuis des années revenait, et il se souvint comment il avait été chassé de Marlborough, ou devrait-il plutôt dire qu'il s'en était chassé lui-même ? Quel idiot il avait été… Oui, mon Dieu, il n'avait même pas répondu aux lettres de Vicky à Marlborough. Il avait essayé. C'était vrai. Mais ça n'avait rien donné.

Il était trop enfoncé dans sa paralysie. Même les professeurs qui l'avaient auparavant aimé le trouvaient de plus en plus absent, raison pour laquelle leurs efforts pour le retenir n'avaient sans doute pas été assez tenaces. Que sa mère ne payait pas ses frais de scolarité, il le savait depuis un moment, et si elle n'avait donné que cette raison-là, il se serait peut-être battu pour trouver un financement. Mais sa mère en appelait à sa conscience. Elle ne demandait pas même qu'il rentrât. Elle disait plutôt : "Bien sûr, Leonard, que tu vas continuer."

Il y avait juste qu'elle ne s'en sortait plus elle-même, que la maison se dégradait, que personne ne s'occupait du jardin et que personne ne venait la voir. Tout se mêlait. La guerre, les voisins, le long chemin jusqu'à la boutique et, surtout, la solitude. "C'est dur, écrivait-elle, dur."

Entre les lignes, ses lettres étaient des appels à l'aide à la limite du chantage, et il s'y était plié, pas seulement par culpabilité. Marlborough était en train de l'étouffer et, quand Vicky avait écrit : "Tu ne dois à aucun prix abandonner. Je vais payer ta scolarité", il n'avait jamais répondu. Juste vidé son armoire. Il avait fait ses adieux à Marlborough et, depuis, était resté loin du monde des études, sans comprendre avant aujourd'hui, à Cambridge, le mal que cela lui avait fait. Il aurait tellement voulu appartenir à cette ville, et il n'était pas impossible que tout ce voyage soit une tentative de compenser ce qu'il avait manqué.

Grâce à l'appui de Robin Gandy, il étudiait à présent les écrits d'Alan Turing dans la salle des archives de King's College et, même s'il s'en réjouissait réellement, il était tristement conscient de ne faire qu'imiter les savants. Le seul fait de jouer la comédie pouvait l'amuser – *Ils croient sûrement que je viens toujours là me plonger dans des ouvrages d'un haut niveau d'abstraction* – mais il avait le sentiment croissant d'être un voleur entré là par effraction et qu'on pouvait d'un moment à l'autre jeter dehors. Curieusement, il trouvait une certaine consolation dans les écrits du mathématicien.

Ce n'était pas seulement dans sa lettre qu'Alan Turing parlait de théâtre et de comédie. Il semblait en général fasciné par l'imitation de l'humain. Quand Corell attaqua l'article dont Robin lui avait parlé, *Computing Machinery and Intelligence*, il venait de déchiffrer *Computable Numbers*, et s'était donc préparé aux équations et symboles nouveaux, mais il se contenta de le parcourir, même s'il le trouvait également curieux. Alan Turing ne semblait pas seulement croire que les machines pourraient un jour penser : il espérait qu'elles deviendraient un jour aussi intelligentes que nous, ce que Corell trouvait très étonnant. Si les machines peuvent devenir les égales de l'homme, elles peuvent tout aussi bien nous dépasser, ce qui devrait être aussi effrayant qu'une attaque venue de l'espace. Mais Turing, exactement comme l'avait évoqué Gandy, prenait le parti des machines. Elles ne devaient pas subir de discrimination parce qu'elles étaient différentes, écrivait-il. Pour déterminer si quelqu'un était intelligent, on ne devait pas se baser sur l'apparence ou le sexe ou, dans le cas des machines, sur la matière, mais sur la capacité à agir. Sur l'art de jouer du théâtre. Alan Turing imaginait un jeu d'imitation, où une machine ferait semblant d'être une personne humaine. Un interlocuteur pourrait lui poser les questions qu'il voudrait, puis lire les réponses sur une sortie papier et, si l'interlocuteur, sur cette base, s'avérait incapable de dire s'il s'entretenait avec une personne humaine ou une machine, la machine devait être considérée comme intelligente, écrivait Alan Turing, semblant vouloir dire que ce qui est capable de nous imiter pense.

Dieu sait ce que Corell y comprenait réellement, mais Alan Turing se défendait élégamment contre diverses objections, par exemple celles qui disaient que ce qui nous distinguait essentiellement comme êtres pensants était d'être conscients, d'éprouver plaisir et douleur et d'être en vie. Ces arguments étaient mauvais, écrivait-il, car tout cela, nous ne le savons que de nous, pas de nos congénères. D'eux, nous ne jugeons que d'après ce qu'ils semblent penser et sentir, et il serait injuste d'exiger autre chose d'une machine.

Ce n'est qu'en étant nous-mêmes une machine que nous pourrions prouver qu'elle est consciente. Si elle a une expérience, une sensation, nous n'y aurons jamais accès, voilà pourquoi, selon lui, le jeu d'imitation était la seule voie et, par conséquent, la question de savoir si une machine pouvait penser devait être remplacée par : une machine peut-elle réussir au jeu d'imitation ? Alan Turing pensait que oui, pas maintenant, mais au siècle prochain. Bien entendu, il voyait bien qu'il pouvait paraître étonnant, voire insensé, qu'après une longue conversation – au cours de laquelle nous pouvions poser toutes les questions que nous voulions – nous puissions prendre une machine pour un humain. Mais nous sommes toujours pris de court par ce qui est différent, écrivait-il, et c'est un mauvais argument que de mettre en avant les défauts actuels des machines pour préjuger de leurs capacités futures. Les choses changent. Ce qu'un nourrisson est capable de faire aujourd'hui ne nous dit rien de ce qu'il pourra accomplir dans vingt ans.

Corell lisait avidement et ce n'est qu'au bout d'un petit moment qu'il remarqua que quelqu'un le dévisageait. Durant la matinée, il y avait eu du va-et-vient, les gens remplissaient des fiches blanches pour consulter livres et documents, puis restaient lire une heure ou deux avant de disparaître – il supposait que beaucoup d'entre eux suivaient des cours d'été à Kings College –, et même si Corell avait observé ces allées et venues plus attentivement que la plupart, il n'avait pas remarqué le type qui lui faisait face à la table d'à côté. C'était un gamin, il n'avait pas vingt ans, l'air indien, les yeux pétillants et amusés. Ce garçon désigna ce que lisait Corell :

"C'est puissant, non ? chuchota-t-il.

— Quoi ?

— Alan Turing. Je me suis moi-même intéressé au théorème de Gödel.

— Ah, je vois", fit Corell, mal à l'aise.

Il voulait à tout prix éviter une discussion, et ne voyait pas d'autre moyen que de faire semblant d'être dérangé et de le renvoyer à l'obligation de silence dans la salle de lecture. Le garçon hocha la tête, quelque peu dépité, et Corell en souffrit. Il aurait tellement voulu faire une bonne impression et, même s'il avait du temps devant lui pour continuer à lire, il saisit l'occasion pour quitter les lieux. Il rendit les ouvrages et descendit l'escalier de pierre pour ressortir dans la cour, l'œil farouche. Comme il était différent de son père ! Au bon vieux temps, James considérait les autres – même les parfaits étrangers – comme chanceux de pouvoir rencontrer une personne comme lui. Mais à son fils il n'avait légué qu'un manque d'assurance et de confiance en soi.

Corell, qui était loin de paraître comme il se sentait – il dégageait plutôt une extrême détermination –, se mit à rêver qu'il marchait là, levant les yeux vers King's Chapel, après avoir imaginé quelque chose d'absolument nouveau, comme une nouvelle sorte de machine. Comme il aurait alors la tête haute ! Il distribuerait des petits sourires à droite et à gauche en prenant une mine pensive et sévère. Les grands penseurs n'avaient-ils pas tous l'air sévère ?

Il se mit à pleuvoir. D'abord un crachin. Puis le ciel se vida et il s'abrita sous une porte cochère. Ensuite il hâta le pas. Au loin sonnait une trompette qui lui sembla la même que celle entendue lors de sa rencontre avec Robin Gandy, les mêmes notes tristes qui se mêlaient à présent au bruit de l'eau dans les caniveaux et teintaient la ville comme la musique d'un film, et il songea à la pluie qui tombait sur Adlington Road ce fameux jour, et à diverses autres choses, tandis que passait un bus à deux étages portant le numéro 109 et le texte publicitaire DULUX dans l'intervalle entre les fenêtres. Le bruit du moteur noya la musique, mais elle réapparut bientôt, et il dirigea ses pas dans sa direction, parmi les maisons en pierres ocre et les arbres luxuriants et, peu à peu, il devint nerveux. Le rendez-vous qui l'attendait n'avait rien d'agréable. Il devait rencontrer Julius Pippard, l'homme que lui avait montré Robin Gandy, et, quelque part, il trouvait invraisemblable d'avoir osé prendre contact. Ça ne collait pas avec l'image du gamin effrayé qui n'osait pas regarder les gens dans les yeux ! Mais enfin… ivre de sherry et de l'envie d'avancer, il avait, la veille au soir, feuilleté l'annuaire et trouvé son numéro. Sans songer à le composer – ce qu'il avait pourtant fait, et ce n'est qu'une fois empêtré dans un tissu de mensonges qu'il avait réalisé son erreur. Et voilà qu'il marchait dans la rue, alors qu'il aurait mieux fait de regagner son hôtel et de tout laisser tomber. Pourtant, il continua son chemin.

Passé l'arrêt de bus, il vit la trompette : même si c'était inconscient, il avait perçu ces notes comme masculines, imaginant une épave, un pauvre type abandonné chantant sa solitude. Mais, adossée à un mur de briques, il y avait une jeune femme en robe bleu clair, les cheveux coupés court, à la garçonne. Même si faire la manche sous la pluie ne devait pas être une partie de plaisir, elle semblait contente, presque malicieuse, ce qui lui donnait une aura de fierté. Corell laissa tomber une pièce dans son chapeau posé sur le trottoir, mais elle rebondit et, quand il la remit comme il fallait, leurs yeux se croisèrent. Ce fut extrêmement fugace. Son cœur se serra pourtant et il pensa à Julie. Un jour, il oserait l'inviter. Tandis qu'il s'éloignait, la musique sonnait comme une promesse à ses oreilles. Même la pluie semblait différente et, quand les notes s'estompèrent derrière lui, il les regretta, comme une porte ouverte un instant, laissant échapper le bruit d'une fête.

Il tourna dans Emmanuel Street et passa devant Emmanuel College. Il était alors quatre heures cinq. Vingt-cinq minutes avant son rendez-vous avec Julius Pippard, et il comprenait déjà que cette rencontre ne lui apporterait que des problèmes. Si son mensonge à Robin Gandy était d'une certaine façon involontaire, fruit d'un malentendu, dans ce cas, empêtré dans sa confusion ou sa gêne, il avait déclaré qu'en tant que policier enquêtant sur la mort de Turing, il souhaitait lui poser quelques questions. Quelle folie… Toute la journée, Corell avait été convaincu qu'il ferait mieux de suivre son instinct et de renoncer à cette visite, mais voilà à présent qu'une sorte de force le contraignait à avancer, et c'est presque en colère qu'il consulta sa carte. Il ne pouvait plus être loin : il s'engagea dans Burleigh Street.

Burleigh Street était en grande partie une rue commerciale, et Corell aurait pu en profiter pour s'acheter un parapluie, ou prendre une tasse de thé. Ou mieux, changer d'avis et tourner les talons, mais il se sentait impatient, comme si cette visite était une dent douloureuse qu'il fallait vite arracher, et il hâta le pas. L'adresse qu'on lui avait indiquée était un bel immeuble de briques rouges, abstraction faite de son porche blanc voûté qui semblait artificiel, et de la sombre cage d'escalier derrière. Il la trouvait menaçante. Le bruit de ses propres pas résonnait bien trop nettement, il frissonna. Au deuxième étage, il trouva la porte, exactement comme on le lui avait expliqué. Au-dessus de la fente de la boîte aux lettres était inscrit : *Julius Pippard*. Ce nom lui semblait à la fois fuyant et dur, et il envisagea ressortir pour revenir un quart d'heure plus tard, à l'heure exacte, mais non, la chose semblait à présent inévitable et, une seconde après, il sonnait. Il appuya du bout du doigt, et attendit. Rien ne se passa, à part l'ouverture d'une porte à l'étage du dessus, comme si la sonnette y était en fait reliée. Peut-être Corell sombra-t-il dans une sorte de somnolence nerveuse, car il sursauta de peur quand des pas rapides retentirent enfin de l'autre côté de la porte. Une lueur fantomatique sortait de la boîte aux lettres, la serrure cliqueta et Julius Pippard apparut devant lui, en chemise à carreaux rouges. Aucun doute, il était irrité.

"Vous êtes en avance."

Corell ne trouva rien de mieux à dire que : "Il pleuvait", comme si la pluie avait un quelconque rapport.

27

Julius Pippard se regarda dans le miroir de la salle de bains et sourit. Les années ne le rendaient pas moins séduisant ! Regardez seulement ces yeux ! N'y voyait-on pas son intelligence et sa force de caractère ? Certes, il avait ses défauts. Il s'irritait facilement, montait sur ses grands chevaux, mais il savait contrôler ses sentiments. C'était une des clés de ses succès, non ? Il avait beau conserver son appartement à Cambridge et ses liens avec Trinity College, il occupait un poste central au GCHQ, Government Communication Headquarters, à Cheltenham : souvent, il se délectait du sentiment que son travail était important, non pas comme une thèse pouvait être importante, ou une entreprise ou une université l'étaient, mais important au sens *qui protège l'Angleterre*.

Déjà, juste avant la guerre, Pippard avait été rattaché au Government Code and Cypher School, l'ancienne salle 40, et posté à Bletchley Park dans le Buckinghamshire. Il n'était peut-être pas un Turing, mais ses traductions et ses analyses des documents décryptés dans la baraque quatre avaient cependant eu une grande importance, et il avait rapidement joué un rôle de premier plan dans le système des contrôles de sécurité, ce qui lui convenait très bien. Avec l'œil qu'il avait pour déceler les faiblesses humaines, il découvrait des dangers et des risques là où d'autres ne voyaient rien du tout : avant que quiconque ne se préoccupe sérieusement des tares de caractère à l'origine des perversions sexuelles, il en avait compris l'importance. Il était devenu le roi sans couronne de la discipline.

Après 1945, il avait continué à évaluer la fiabilité de ses collaborateurs – ce qui, avec le début de la guerre froide, a rempli une fonction encore plus centrale – et, bientôt, il avait occupé un poste de responsabilité dans le travail top secret sur les messages soviétiques doublement codés. Le projet se nommait Venona et avait été initié en 1943 parce que Carter W. Clarke, le chef du renseignement militaire américain, ne faisait pas confiance, à juste titre, à Staline – pourtant à l'époque un allié. Le système de codage avait été forcé une première fois en 1946 et, peu après, les Américains avaient compris que les Russes avaient espionné leur travail pour la production de la bombe atomique à Los Alamos. Pippard et ses collègues n'étaient pas encore impliqués, et la toute première fois qu'il avait vu une mention obscure du programme Venona, c'était dans le *Times* – pas exactement le canal habituel où il s'informait des nouvelles du monde du renseignement – mais, même si Pippard avait tiqué, ni lui ni personne au sein des autorités n'y avait vraiment attaché d'importance. Pourtant, c'était une grande entreprise, peut-être la plus grande qu'il ait connue, il l'avait compris dès que le GCHQ avait été associé à ce travail. Pippard s'était retrouvé faire partie du cercle très étroit de spécialistes et de décideurs amené à décider qui serait initié, et Dieu sait quelle pression il avait sur les épaules. Dans ce domaine plus que dans aucun autre, il ne fallait prendre le moindre risque.

Dans les messages soviétiques revenait une série de noms de code qui semblaient les couvertures d'espions anglais et américains ayant, entre autres, fait fuiter des informations sur la bombe atomique. Par exemple, les noms de code ANTENN et LIBERAL, qui semblaient désigner la même personne, dont l'identité avait fini par être découverte quand un officier soviétique imprudent avait indiqué que l'épouse de cette personne se nommait Ethel, Ethel comme Ethel Rosenberg, ce qui avait conduit à son arrestation, avec son mari Julius. Puis il y avait eu CHARLEZ et REST – qui s'est avéré être l'espion Klas Fuchs – et beaucoup d'autres, comme PERS, encore non identifié, mais avant tout HOMER, ou GOMER, selon la transcription de l'alphabet cyrillique. Pendant la guerre, cette signature avait envoyé six télégrammes au NKVD depuis l'ambassade britannique à

Washington et Pippard s'était profondément engagé dans sa traque. Ses collègues et lui avaient reconstitué le puzzle pièce à pièce. Devant leurs listes de noms, ils raisonnaient : pouvait-ce être Untel, ou Untel ? Et lentement – pourrait-il jamais l'oublier ? – ils avaient commencé à cerner le coupable, qui s'avéra n'être autre que Donald Maclean, homme politique libéral et illustre diplomate.

Malheureusement, ils avaient transmis ces informations aux collègues du MI6, non qu'ils eussent pu faire autrement, mais les idiots… Pippard ne voulait même pas y penser. Le MI6 avait tout fait capoter. Par voiture et bateau, Maclean et Guy Burgess avaient réussi à fuir en URSS et, depuis, Pippard était convaincu que le véritable service de renseignements compétent se trouvait chez eux, à Cheltenham. Qui avait levé le lièvre, et qui avait ensuite tout saboté ?

Ce fichu nid de la haute société qu'était le MI6 était sûrement infesté d'espions, ou si infesté était exagéré, il en abritait visiblement d'autres que Burgess et Maclean, il ne pouvait pas en aller autrement au vu de toutes ces fuites, et ils ne faisaient pas grand-chose pour y remédier. C'était une bande de branquignols qui croyaient qu'on pouvait faire confiance à quelqu'un dès lors que la personne en question avait fait Eton ou Oxford, et Pippard était tout bonnement fier d'avoir parfois omis de rendre compte au MI6. D'accord, eux-mêmes, au GCHQ, avaient commis quelques erreurs. Mais ce n'était pas sa faute ! Par exemple, ils avaient voulu utiliser la machine de Manchester pour du travail cryptographique, et avaient donc contacté Alan Turing. Pippard était contre. Il avait très tôt su que non seulement Alan était homosexuel, mais qu'il avait la cuisse légère. Tout simplement une traînée, au masculin.

"On ne peut pas le reprendre. On sait bien comment les Russes travaillent !" avait-il argué.

Mais il n'avait pas eu gain de cause. Turing était encore considéré comme un pur oracle. Pourtant, il avait beau avoir joué un rôle important pendant la guerre, ses connaissances n'étaient plus incontournables. Et puis il manquait de respect à ses supérieurs, ne se pliait pas aux procédures, blessait les gens par sa franchise – et brillant, il ne l'était que si son travail le stimulait.

Tout cela, Pippard l'avait souligné, mais personne ne l'avait écouté à l'époque. La suite lui avait donné raison, comme d'habitude. Alan Turing s'était fait prendre, ce qui avait bien sûr fait des vagues au bureau. Mais même alors, ils n'avaient pas voulu le virer. Le vieil Oscar Farley — cette maudite mauviette — s'était obstiné à le défendre :

"Virer Alan, après tout ce qu'il a fait pour nous ?"

Comme si Turing n'avait pas suffisamment montré son absence de jugement et comme s'il n'y avait pas des directives claires d'éliminer les homosexuels de l'organisation. La plupart, sur le principe, étaient d'accord avec Pippard. Mais on mettait en avant le fait qu'Alan était un cas spécial. On racontait ceci et cela en enjolivant les histoires de Bletchley Park, et ce n'est que lorsque Pippard avait hurlé : "Vous voulez qu'il nous entraîne tous dans sa chute ?" qu'ils étaient à contrecœur tombés d'accord pour couper les ponts avec Turing. Pippard, qui ne reculait jamais devant les tâches pénibles, avait proposé de lui parler, mais on avait finalement convenu qu'Oscar Farley s'en chargerait. Évidemment, il fallait jusqu'au bout prendre des pincettes et Dieu sait ce que Farley avait raconté à Turing, mais il ne semblait pas avoir été suffisamment précis. Alan avait continué ses voyages scabreux à travers l'Europe. Pourquoi Seigneur ne lui avait-on pas signifié une interdiction de voyager, et pourquoi ses anciennes histoires sentimentales n'avaient-elles pas été passées au peigne fin ? Non, rien n'avait été fait convenablement, et il ne fallait pas s'étonner que les nuages inquiétants s'accumulent même après la mort du mathématicien. Par exemple, qui était ce policier ?

Il n'avait aucun droit de venir fouiner ici. Un simple coup de téléphone au commissariat de Wilmslow avait suffi pour lui apprendre que l'homme était en congé car sa tante se trouvait sur son lit de mort à Knutsford. Et voilà qu'il venait ici. Sa tante avait-elle guéri ? Un inspecteur de police sorti de sa cambrousse pouvait difficilement être bien nuisible. D'un autre côté, on ne savait jamais. Pippard en avait discuté avec Robert Somerset à Cheltenham. Somerset l'avait précédemment rencontré, et l'avait trouvé un peu bizarre, "louche, d'une certaine façon, comme s'il cachait quelque chose".

"Je n'ai qu'à lui faire peur, avait dit Pippard. Lui faire comprendre qu'il s'aventure en terrain miné !"

Oui, il allait remettre à sa place cet idiot. Il allait lui montrer qui commandait, et lui tirer les vers du nez. Ça pouvait même s'avérer intéressant. Il y avait juste que… comment ce policier connaissait-il son nom, et comment avait-il pu savoir que Turing et lui avaient travaillé ensemble ? Cela l'inquiétait un peu. Quelle heure était-il ? Dans vingt minutes, l'homme allait arriver et, en attendant, Pippard commença une lettre parsemée de certaines propositions prudentes, adressée à une jeune femme à la poitrine proéminente rencontrée lors d'une conférence à Arlington, mais il n'eut pas le temps d'en écrire plus de quelques lignes. On sonna à la porte.

*

Leonard Corell n'aimait pas le regard qu'il reçut. Il n'aimait pas non plus l'appartement. Pas seulement parce qu'il était impersonnel et froid. Il y flottait quelque chose de maniaque qui le rendait nerveux. Les crayons sur le bureau acajou étaient bien alignés et les meubles, qui manquaient de lustre et de caractère, étaient disposés de façon trop symétrique. Oui, même les mégots dans le cendrier sur le rebord de la fenêtre paraissaient ordonnés. En face de lui pendait une scène de chasse au renard extrêmement médiocre qui aurait peut-être fait l'affaire en petit format mais qui, en raison de sa taille – le tableau faisait-il plus de deux mètres ? –, semblait grotesque.

"Comme c'est gentil d'être venu me voir depuis Wilmslow ! dit Pippard dans un brusque accès d'amabilité.

— Wilmslow n'est pas vraiment au bout du monde.

— C'est joli, là-bas, n'est-ce pas ?

— Nous sommes connus pour avoir beaucoup de salons de coiffure et de pubs.

— Comme c'est pratique ! Comme ça, on peut être à la fois ivre et soigné !"

À part qu'il s'empressa de cacher un papier qui traînait sur la table basse, ses gestes étaient calmes. L'évidente irritation montrée à l'ouverture de la porte semblait complètement disparue, mais Corell n'en était pas rassuré pour autant. Il avait l'impression d'être devant une personne qui savait exactement ce qu'elle faisait, jusqu'au moindre clignement d'yeux et ce n'est que prudemment, comme s'il voulait s'assurer que c'était permis, que Corell s'assit sur une chaise en bois gris-brun tandis que Pippard allait préparer du thé.

"Et donc vos supérieurs vous ont envoyé ici ?" dit Pippard en revenant avec son plateau.

Corell hocha la tête.

"Peut-on demander pourquoi ?

— Nous voulons rassembler le plus d'informations possible.

— L'affaire n'est-elle pas classée ?

— Euh… oui… mais il reste quelques points à clarifier. Nous ne voulons rien laisser au hasard, voyez-vous.

— Ne pourriez-vous pas m'en dire davantage, que je comprenne ? Je ne suis pas très familier des méthodes policières. Comment travaillez-vous, en fait ?"

Avec de petits moyens – comme s'il s'était assis sur un siège légèrement plus haut, ou laissait deviner un mépris presque imperceptible dans ses yeux et le ton de sa voix, Pippard prit un avantage écrasant. C'était une forme d'art invisible. Sans que Corell comprît bien comment, Pippard prit le contrôle de la conversation et, plus il s'exprimait poliment, aimablement, plus il manifestait sa supériorité : Corell eut bientôt du mal à regarder Pippard dans les yeux. Quand il parlait, ses phrases lui semblaient creuses.

"Pour comprendre pourquoi une personne est morte, il faut savoir quelle a été sa vie, dit-il.

— Et pourquoi êtes-vous venu me voir ?

— Nous nous entretenons avec beaucoup des personnes que le Dr Turing a connues.

— Je suis donc l'une d'entre elles ?

— N'avez-vous pas travaillé ensemble pendant la guerre ?

— Qu'est-ce qui vous a fait imaginer cela ?"

Corell aurait voulu partir, partir.

"Simple routine policière.

— Pardon ?"

Il répéta et sentit physiquement – comme une vague de nausée – l'arrogance de Pippard redoubler.

"Voyez-vous ça ! Vous semblez en savoir plus que moi. Mais puisque vous êtes si bien informé, peut-être pouvez-vous me dire ce sur quoi nous avons travaillé ?

— Sur des missions sensibles, et pour cette raison…

— Quel genre de missions sensibles ?

— De la cryptologie. Vous avez déchiffré le système de codage nazi à l'aide de machines créées par Alan Turing", dit Corell en regardant ses mains, gêné. En relevant les yeux, il s'attendait à trouver le même air de supériorité qu'avant, mais c'était tout autre chose qu'il avait en face de lui : dans le regard de Pippard brillait la concentration de celui qui pressent un grand danger.

*

Que diable était-il en train de se passer ? Voilà celui que Pippard pensait être un simple policier inculte qui parlait ouvertement des secrets les mieux gardés de la guerre et, le plus curieux, cette personne qu'il pensait si facilement étriller dégageait à présent sinon de l'assurance, du moins du culot et ne se contentait pas de s'exprimer avec une grande netteté : elle semblait dangereusement initiée, comme si elle connaissait très bien le travail de Bletchley et peut-être aussi le programme Venona. Julius Pippard n'était même pas rassuré par son comportement parfaitement idiot : il commençait à redouter que le policier n'eût un but, une arrière-pensée qui se refermerait sur lui comme un piège à renard, et il ne lui vint même pas à l'idée d'abattre son atout, cette histoire de tante soi-disant sur son lit de mort.

*

Leonard Corell n'avait pas la moindre idée de ce que pensait son interlocuteur, mais sa concentration augmenta réellement, comme si l'incertitude de Pippard lui faisait retrouver des forces et la parole et si, au début, il se débattait dans une sorte de bavardage nerveux pour garder la tête hors de l'eau, il prit bientôt de l'assurance. Il ressentit aussi comme une libération de ne pas se laisser piétiner comme par Ross, au commissariat. Il rendait les coups et il avait beau être en colère, il ne perdit pas le contrôle.

"Vous semblez un peu inquiet, dit-il. Il n'y a pas de raison. Je suis parfaitement conscient de l'importance de la discrétion. Je n'aborderais jamais le sujet avec quelqu'un qui ne serait pas déjà au courant. Mais vous comprenez… non, comment pourriez-vous… mais je commettrais une faute professionnelle si je ne vous demandais pas si le travail d'Alan Turing pendant la guerre pouvait avoir un rapport avec sa mort. J'ai bien sûr compris l'importance de son rôle. Il pensait différemment.

— Vous avancez en terrain miné, je peux vous l'assurer.

— Peut-être bien. Mais la chose amusante, c'est que j'ai passé la journée à lire ses écrits à King's College, et j'ai remarqué qu'il écrivait lui-même…

— Quoi ? le coupa Pippard.

— … qu'il était connu que les personnes les plus fiables trouvaient rarement des méthodes nouvelles.

— Où voulez-vous en venir ?

— Alan Turing a écrit cela dans un raisonnement sur la capacité des machines à devenir intelligentes, continua Corell. Il était frappé par le fait qu'une condition pour trouver quelque chose de nouveau était la capacité de se tromper, de sortir du cadre. Celui qui pense toujours comme il faut ne crée rien. Celui qui s'en tient aux valeurs communes, ou qui suit le programme, pour utiliser le langage des machines, ne trouve jamais rien de vraiment novateur, il ne peut même pas être considéré comme intelligent, au vrai sens du terme. Voilà pourquoi Turing voulait faire intervenir le hasard dans ses machines, elles ne devaient pas toujours suivre la stricte logique, un générateur de hasard devait parfois décider de leurs actions. Ainsi, il voulait imiter le libre arbitre, non qu'il pense qu'une touche de hasard suffise, mais la seule possibilité d'un acte irrationnel et inattendu était malgré tout un début.

— Je ne comprends absolument pas où vous voulez en venir.

— Je veux seulement dire qu'Alan Turing pensait que notre cerveau, de la même façon, a une dimension aléatoire. Une roulette russe. De temps à autre, nous faisons des folies. Des faux pas. Mais c'est en une partie la condition qui nous permet d'avancer.

— Venez-en au fait !

— Le fait est qu'en aucune façon je ne veux dire par là que votre sens de l'ordre et votre peur exagérée de commettre une erreur ici et maintenant affecteraient votre liberté de penser. Je cherche juste à dire qu'Alan semble avoir été un autre genre de personne, non ? Il sortait du cadre. Il était créatif. Sa pensée semblait affranchie des conventions et il prenait des risques. En conséquence de quoi il a commis des erreurs. Peut-être qu'une sorte de roulette russe tournait en lui, vers la fin, que sais-je ?

— Mais non de Dieu, que voulez-vous dire ?

— Rien, à part qu'il me semble important de chercher si, juste avant sa mort, il aurait fait quelque chose d'inattendu, ou même de risqué, ou si quelqu'un d'autre l'aurait fait, quelque chose qui l'aurait troublé et l'aurait conduit à sa décision. Il a écrit dans une lettre…

— Une lettre ?

— Ou plutôt une ébauche de lettre, un brouillon", répondit Corell, perdant d'un coup son assurance. *Pourquoi diable avoir mentionné la lettre ?*

"Et cette lettre, vous l'avez ?

— Pas moi personnellement, bien sûr.

— Qui l'a, alors ?

— Elle est au commissariat.

— Si j'ai bien compris, vous avez rencontré MM. Farley et Somerset, répliqua Pippard, soudain de nouveau offensif.

— Euh… oui… comment le savez-vous ?

— Je suis assez bien informé, figurez-vous, continua Pippard.

— Je n'en ai jamais douté.

— Je sais même que Somerset vous a expressément demandé de lui remettre tous les documents trouvés dans la maison.

— C'est aussi ce que j'ai fait.

— Visiblement pas !

— Au sujet de ce brouillon, il n'y a vraiment pas de quoi…

— Oui ?

256

— … pas de quoi s'énerver.

— Ah non ? Et à propos d'être bien informé, comment va votre tante ?"

Un profond malaise déferla sur Corell.

"Ma tante ?

— A-t-elle guéri ?

— Mais elle n'a jamais…" *été malade*, allait-il dire, mais il se figea alors en réalisant son erreur totale. Venir trouver cet homme et l'interroger sur des secrets d'État dépassait probablement toutes ses autres idioties. Peut-être tenta-t-il d'ajouter quelque chose. Il ne parvint pas à articuler un seul mot. Il se sentait paralysé, ce qui l'empêcha de remarquer que Pippard lui aussi se comportait bizarrement.

*

Pippard était saisi d'un sentiment d'urgence et, dans son esprit aux abois, ce brouillon de lettre était devenu un danger de mort tombé entre les mains d'un joueur doublé d'un plaisantin. Il était dans les affres : comment faire ?

"Je vous remercie de m'avoir accordé de votre temps. Mais c'était visiblement une erreur, et maintenant je dois y aller", dit le policier, ce qui ramena Pippard à la vie.

Allait-il le forcer à rester ?

"Vous comprenez bien qu'il faut me dire qui d'autre a connaissance du contenu de cette lettre.

— Nous avons bien sûr cherché à limiter le nombre de personnes y ayant eu accès. Mais encore une fois… je dois y aller."

*

Corell se sentait perdu, aussi souriait-il. Le sourire crispé avait toujours été un de ses mécanismes de défense, et comme réaction de crise dans une lutte pour le pouvoir, ce n'était pas un mauvais truc, après tout. Pippard sembla l'interpréter comme un signe de force.

"Vous semblez content de vous."

Que répondre ? Il se réfugia dans la provocation.

"Vous n'auriez pas par hasard un parapluie à me prêter ?"
Dans une autre situation, il aurait été fier de sa repartie. C'était
d'un culot ! Cet humour noir au pied de la potence produisit
son effet. Pippard se contenta de marmonner, et Corell saisit
l'occasion. Il se dirigea vers la porte.

"Il ne me reste qu'à vous souhaiter une bonne soirée", dit-
il avec une curieuse impression d'étrangeté, sans recevoir de
réponse.

Il ne demanda pas son reste. Il ouvrit la porte et s'enfuit dans
la cage d'escalier, où l'obscurité s'empara de lui. Mais une fois
dans la rue, la pluie eut un effet rafraîchissant et il se dirigea
vers la trompettiste. Il lui semblait entendre ses mélodies au
loin, mais elles ne devaient résonner que dans son imagination car, une fois sur place, il n'y avait plus d'instrumentiste,
rien qu'un trottoir vide et mouillé battu par une pluie oblique.

28

Le lendemain de sa visite chez Pippard, Leonard Corell resta dans son lit d'hôtel de Drummer Street à suivre les rayures du papier peint jaune, comme si ses yeux s'étaient perdus dans le labyrinthe des murs, sans avoir le courage de se lever avant l'heure du déjeuner. Il ne libéra pas sa chambre comme il l'avait prévu. Il y laissa ses affaires et sortit dans la foule. C'était une belle journée. C'était la veille de la grande éclipse, il y avait des cerfs-volants dans le ciel et des couples d'amoureux dans la rue, mais il n'en était pas plus heureux pour autant. Il se sentait exclu de la vie des gens, et pensait à Alan Turing. Il avait sûrement atteint le bout du chemin. Il n'arriverait pas beaucoup plus loin et il était sûrement plus raisonnable de rentrer chez lui, et pourtant...

Comme guidé par une force qui lui échappait, il se rendit à la bibliothèque de King's College pour relire *Computable Numbers* et un essai intitulé *Systems of Logic Based on Ordinals*, auquel il ne comprit pas grand-chose. Il se délectait du crissement des stylos, des pages tournées et des quintes de toux gênées, mais son malaise ne le quittait pas. Même ses rêveries éveillées, aussi séduisantes les modelait-il, ne chassaient pas les pressentiments qui le poursuivaient depuis sa rencontre avec Pippard. Il imaginait la conversation de Ross ou de Hamersley avec Pippard, envisageant son renvoi ou des mesures disciplinaires, mais il se voyait aussi comme un pauvre poivrot paumé de Wilmslow, qui déversait des ordures et des bouteilles vides dans la cour du commissariat, et il pensait à la mort, la mort comme une pomme empoisonnée, une casserole qui bout et un train qui s'élance dans la nuit. En rentrant à l'hôtel, il acheta huit bouteilles de Mackeson's Milk Stout qu'il but dans sa chambre, ce qui eut le bon effet de transformer son inquiétude en apitoiement sur son sort. Quelle désolation !

Il n'avait pas seulement renoncé à l'amour. Il avait tourné le dos à l'amitié. Les rares amis qu'il avait eus avaient disparu, pas tous d'un coup, ni même l'un après l'autre, mais si lentement qu'il s'en était à peine rendu compte. Le déclin avait été si insidieux qu'il ne l'avait pas remarqué et, au fond, se dit-il, il avait à peine vécu, juste tristement piétiné sur place et, quand pour une fois il entreprenait quelque chose, tout tournait mal.

Il alluma la radio de sa chambre. Une voix annonça un coup d'État au Guatemala. Il éteignit et resta un moment immobile au milieu de la pièce, vacillant un peu, légèrement ivre, et se mit soudain à aller et venir entre le lit, le lavabo, le portemanteau. Il s'échauffa alors au point qu'il se mit à imaginer que les gens le voyaient depuis la rue et que ces gens pensaient qu'il était au bord d'une grande décision ou d'une grande découverte… Ainsi vous connaissez Alan Turing ? Figurez-vous que j'ai enquêté sur sa mort. On pourrait même dire que c'est ce qui a lancé ma carrière. Certes, une triste histoire, vous comprenez, il était homosexuel, mais brillant, il a jeté les bases de la machine informatique programmable, une machine qui… Ah bon, vous la connaissez ? Il est vrai qu'elle a fait parler d'elle. Peut-être savez-vous alors aussi que j'y ai moi-même contribué par quelques améliorations. J'en ai eu l'idée en lisant son essai à King's College. C'était en juin 1954, cet été horriblement pluvieux. Vous vous souvenez ? Roger Bannister avait battu le record du monde sur un mile. Il y avait eu cette éclipse fin juin… Ah, vous l'aviez observée ? Comme c'est intéressant. Moi-même, je venais de rencontrer Julius Pippard, ce nom ne vous dit sûrement rien, c'était une personne totalement insignifiante, ses travaux scientifiques ont été un échec total, c'était aussi quelqu'un de désagréable, un plouc… je suis peut-être un peu dur. Loin de moi l'idée de frapper un homme à terre. Mais vous comprenez, Mr Pippard m'a causé bien des ennuis. Il a téléphoné à mon supérieur. Ça a été un cirque terrible – mais au fond je devrais l'en remercier. Grâce à lui, j'ai quitté la police… absolument, je suis d'accord avec vous, c'est un métier honorable, mais je n'y trouvais pas assez de stimulation. Oui, bien sûr, c'est bien différent aujourd'hui, maintenant, j'ai du mal à me suivre moi-même. Merci, merci… heureux d'apprendre que vous appréciez mon travail. Bonne chance à vous également… et rappelez-vous, on n'a jamais rien gratuitement dans cette vie, voyez-vous, un jour j'étais complètement désespéré, j'allais et venais dans une chambre d'hôtel, en rêvant que…

Il interrompit le fil de ses pensées et ressortit, sans savoir où aller. Dans le pub juste en face, il entendit David Whitfield chanter dans le juke-box *Cara Mia, why must we say goodbye?* et il regarda le ciel. Le temps était nuageux et frais, le soir tombait déjà, mais il se sentait mieux et, un instant, il en oublia même sa paranoïa, ironie du sort car, s'il avait mieux regardé à l'intérieur du pub, il y aurait vu un homme imposant avec une tache de naissance au front et cet homme, Arthur Mulland, fonctionnaire sans grade du GCHQ, se leva alors et suivit Corell dans Saint Andrew's Street, où se dressait un peu plus loin l'église catholique romaine.

Corell n'aurait même pas eu besoin d'être exagérément attentif, car comme Alan Turing l'avait écrit dans sa lettre, Mulland se fondait mal dans la foule. Avec son physique grossier et sa démarche chaloupée, il attirait trop l'attention et, souvent, il négligeait de se cacher. Avec les années, il était las et imprudent. Et puis les instructions étaient claires : "Regardez ce qu'il mijote" – et personnellement, il n'y croyait pas trop. Mais l'époque voulait ça, il fallait tout contrôler et Arthur Mulland se contentait de faire son boulot, d'une certaine façon en traînant les pieds, car, quelque part, il ressemblait à Corell : ils marchaient tous deux, pleins d'idées de révolte, aucun des deux n'avait bien dormi ni n'était particulièrement sobre. Mulland avait beau être marié, avoir trois enfants, il se sentait aussi seul que Corell, et ne comprenait pas pourquoi, ces derniers temps, son humeur était devenue si capricieuse et fragile. Il se doutait que son alcoolisme y était pour quelque chose. Son abstinence avait des hauts et des bas. Elle lui mettait les nerfs en pelote et lui jouait des tours. Il était expert en la matière. Il discourait doctement sur quel type d'alcool exigeait telle ou telle crampe spirituelle. Mais pour le reste, son ignorance était crasse, et ces filatures qu'on lui confiait n'arrangeaient rien. Ces heures d'attente devant des portes et des fenêtres le rongeaient et, souvent, il éprouvait de la colère envers ceux qu'il était chargé de surveiller. Il n'oublierait jamais les regards hautains qu'il avait reçus de cet homosexuel de Wilmslow, et il n'aimait pas voir ce policier fouiller son cas, pour autant que ce soit bien ce que Corell faisait. Arthur Mulland regarda sa montre. Six heures et demie. Ce type qu'il filait pouvait être louche ou non, son costume était bien trop cher, et voilà qu'il entrait dans un pub, le Regal. Mulland resta dehors, sirotant sa flasque argentée.

*

Corell commanda une bière de la même marque étrangère que Krause à Wilmslow et, tandis qu'il buvait, les images d'Adlington Road lui revinrent, et pas seulement les images extérieures. Il se rappela ses pensées indécentes dans l'escalier et ses souvenirs de son père, ses rêveries sur un train maléfique dans la nuit, et il revit le mathématicien devant lui, mort dans son lit étroit, de l'écume autour de la bouche, et cela lui sembla soudain si étrange. Alan Turing pensait, puis plus rien. Un monde avait disparu, une question... Dans son article de la revue *Mind*, Alan Turing écrivait que la conscience se trouvait quelque part dans notre cerveau, mais où ? Comment se localiser soi-même ? Comment un mystère trouverait-il lui-même sa solution ? Comment le paradoxe du menteur pourrait-il se détacher de sa propre contradiction ?

Corell ferma les yeux et tenta de sentir où, dans son cerveau, il pensait – cela lui sembla être un endroit situé tout à l'arrière de la tête – mais il rejeta tout ça, c'étaient des idioties et, avant d'avoir fini sa bière, il paya et se hâta de sortir. Il pleuvait à nouveau. Où aller ? Il décida de flâner mais s'arrêta au bout de quelques mètres. Y avait-il quelqu'un derrière lui ? Non, il devait se tromper. Il n'y avait personne, ni nulle part où aller, pas de ruelle, pas de porte où se glisser. Je me fais des idées, se dit-il, et c'était le cas. Arthur Mulland était à une vingtaine de mètres de là, protégé par un groupe de touristes, devant l'église Saint Andrew, mais Corell avait bien sûr aussi raison, et il pressa le pas. Plus loin, sur King's Parade, il salua quelques étudiants, juste pour voir, ils hochèrent eux aussi la tête, et il s'essaya à quelques idées positives – comme : *Me voici, moi, Leonard Corell, en train de réfléchir au paradoxe de la conscience* – mais n'y réussit pas bien et se retourna encore, pris d'un nouveau malaise. Il vit Arthur Mulland pour la première fois. Le fonctionnaire était à présent tout près, et Corell se fit à peu près cette réflexion : *Il est grand, ce type, son pantalon ne serait pas un peu trop court ?* Mais cette idée disparut et, même s'il avait remarqué la tache de naissance au front, il ne fit pas le rapprochement avec la description de la lettre, et pourquoi l'aurait-il fait ? Il n'avait plus pensé à l'homme de la lettre depuis longtemps. Et puis cette marque de naissance ne ressemblait en rien à un sigma. C'était une tache de vin ordinaire, dont Arthur avait eu honte enfant.

Ce n'est qu'à la trentaine bien avancée que Mulland avait cessé de porter une longue frange très visible, et ce contre son gré : une calvitie naissante rendait cette coiffure impossible et, avec le temps, il avait développé une certaine hostilité à l'égard des gens aux cheveux épais. Le policier avait les cheveux épais. Il était jeune et bien habillé. Les femmes lui adressaient des regards curieux et Mulland, que personne ne regardait gentiment, décida de boire un coup. Mais sa flasque était vide et il pleuvait. Il pleuvait toujours quand il était en planque, et il fixa un œil aigri sur le policier arrêté à l'entrée de King's Chapel. Il semblait pensif.

On entendait de l'orgue et un chœur. Corell était attiré par la chaleur, la lumière et l'odeur d'encens mais, tel un athée endurci luttant contre une pulsion religieuse, il tourna ses pas vers le canal, traversa sur une passerelle suspendue et à peu près alors se mit à trembler. C'était peut-être la pluie, ou l'alcool, ou même un pressentiment, et il se dirigea vers des chemins déserts. Il aurait fallu du monde autour de lui, mais rien ne laissait supposer qu'il allait être brutalisé. Même les espions confirmés n'étaient pas passés à tabac en Angleterre, alors pourquoi casser la figure à un simple policier qui avait juste fait quelques rapprochements ? Il n'y avait aucune raison, sinon l'animosité d'Arthur Mulland à l'égard du policier et de la vie en général, et parce qu'il se sentait floué : encore une fois, il surveillait une de ces personnes indignes de confiance qui n'avaient aucun respect pour les secrets d'État. Il se rappela l'hystérie qui régnait à Cheltenham au sujet de fuites supposées, et cette hystérie légitimait en quelque sorte sa colère.

Un chat roux ébouriffé traversa le chemin, provoquant chez Corell et Mulland des pensées diamétralement opposées. Le fonctionnaire aurait voulu le chasser à coups de pied alors que le policier désirait seulement lui caresser le dos. Il aurait voulu le presser contre son visage, comme un ours en peluche qui console. Il passa devant un banc et un grand arbre et entendit alors une branche craquer derrière lui. Un frisson lui parcourut le corps. Il eut peur. Pourtant il ne se retourna pas, pas encore. Il continua. Qu'entendait-on ? La pluie, bien sûr, le vent dans les feuillages, et aussi des pas. Ils étaient à présent juste derrière lui et, étant donné la lenteur à laquelle marchait Corell, ils auraient dû le dépasser. Il n'y avait sans doute pas lieu de s'inquiéter. Et pourtant… la lourdeur de ces pas et la respiration trop forte pour une allure si lente firent monter sa peur. Fallait-il se retourner ? Il était pris de court. Les pieds accélérèrent dans son dos, Corell se retourna et vit pour la deuxième fois Arthur Mulland, toujours sans remarquer que la tache de naissance était une piste, un lien avec une autre situation. Tout ce qu'il comprenait, c'était que les choses allaient mal tourner pour lui.

Cependant, Arthur Mulland n'avait aucune intention de blesser quiconque. Il s'était assuré qu'ils étaient seuls, puis avait hésité à engager la conversation, ce qui en soi était déjà contraire à ses instructions, mais la violence ? Jamais ! Cela le mettrait dans de sérieuses difficultés. Et pourtant, quelque chose dans le visage de Corell, l'effroi dans ses yeux, ses traits fins, sa jeunesse qu'accentuait la peur, et ses mots "Je n'ai pas d'argent !" provoquèrent Arthur Mulland. *Cet idiot croyait-il que j'allais le détrousser ?*

"Je suis policier, dit l'homme.

— Un joli policier.

— Quoi ?

— Qui se répand partout comme une passoire.

— De quoi parlez-vous ?"

Corell ne comprenait vraiment pas. Sa rencontre avec Pippard lui traversa l'esprit, mais quelque chose chez lui se refusait à faire le lien avec le forcené qu'il avait devant lui. L'homme semblait bien trop brutal pour les mathématiques et les mystères : il avait l'air d'un voyou ordinaire, ce qui ne l'en rendait que plus dangereux. Mulland se sentit sous-estimé. Il vit l'effroi dans les yeux de Corell et, quand il s'avança et souffla sur lui son haleine fétide, le policier fit une grimace de dégoût et c'est alors que cela se produisit. Le cerveau d'Arthur Mulland disjoncta. Il frappa le policier à la poitrine et, comme Corell titubait, il lui asséna un autre coup, plus fort que le premier.

Corell garda son équilibre de justesse et pourtant, entre deux pas titubants, il remarqua toute une série de détails : l'homme semblait avoir un œil plus gros que l'autre, ses dents étaient jaunes, son menton plissé mais, surtout, Corell vit la marque de naissance, qui lui donna une impression de déjà-vu, pas au point cependant de faire le rapprochement avec la lettre. Mais cela le mit sur ses gardes.

Il feinta à droite et à gauche, comme un footballeur, et se précipita quand il vit une ouverture, passant devant son agresseur. Près d'un rocher qui devait se colorer de son sang, Arthur Mulland le rattrapa pourtant, conscient quelque part de ce que son comportement avait d'insensé, voire de ridicule. Cependant, il n'y avait presque plus aucun espoir qu'il laisse Corell s'en aller. Dans son état d'hystérie, Mulland avait commencé à voir en lui une menace, et même un réel risque pour la sécurité nationale et, un instant, il sembla qu'Alan Turing et le policier se confondaient dans ses pensées, renforçant sa fureur. Il attrapa Corell et le plaqua dans l'herbe, de plus en plus humilié par sa colère et sa gaucherie.

Oui, à ce moment déjà, il était évident que le danger de la situation provenait en partie de son caractère insensé. Non loin de la messe qui se déroulait dans la vénérable chapelle de King's College, Arthur Mulland, père de trois enfants, rampait dans les taillis comme un écolier bagarreur et quand, fugacement, en plein effort pour renverser Corell sur le dos, il s'aperçut qu'il s'était sali les genoux, sa colère redoubla, non qu'il se souciât de son pantalon, mais parce que ces taches d'herbe lui rappelaient les brimades de son enfance. Certes son humeur était de plus en plus capricieuse avec les années, mais pour cette raison, justement, il faisait tout pour garder sa dignité : quand il n'y parvenait pas, son désarroi redoublait. Il se mit alors éperdument en colère.

Toutes ses déceptions, toutes les failles dans son image de soi, toutes les contradictions entre ses pulsions et ses obligations se fondirent en pure énergie destructive : il frappa, encore et encore, d'abord la main ouverte tant qu'il lui restait encore un peu de raison, puis poings fermés et enfin, quand Corell lui cracha au visage, il cogna la tête du policier contre le rocher, comprenant quelque part très bien que ce n'était pas seulement Corell qu'il était en train de démolir, mais aussi sa propre vie, et il était au fond étrange qu'il pût continuer aussi longtemps. Ils n'étaient pas loin du canal et du chemin, mais Mulland était aidé par la pluie. Il n'y avait pas grand-monde dehors. La ville était silencieuse. Les cimes des arbres se penchaient au-dessus du canal et, au loin, l'orage grondait. Le seul élément étrange du paysage sonore était deux petites filles qui, au loin, chantaient l'*Ave Maria* de Schubert. Pour Corell, c'étaient deux voix célestes d'un monde en train de mourir, mais pour Mulland elles n'étaient qu'une lointaine source d'irritation, et il était vrai que les voix de ces filles n'étaient pas travaillées, ni même sérieuses. Leur chant avait quelque chose d'ironique mais, quand Arthur Mulland se réveilla de sa fureur et contempla avec un étonnement croissant ses grosses mains et le sang qui coulait des cheveux noirs bouclés du policier, ces voix agirent comme un réveil, le chant de sirènes venues d'un monde meilleur.

Qu'avait-il fait ?

Le sang parut quitter aussi son corps, et il se retint de se coucher par terre près du policier. Il aurait voulu prier ou se frapper, mais ne fit rien, rien d'autre que haleter lourdement. Avoir frappé si fort et avec une telle précipitation l'avait vidé de ses forces et, inconsciemment, il tendit l'oreille. Le chant avait cessé et, bien que l'instant précédent il l'eût irrité, il lui manquait déjà. Il avait bien sûr peur que quelqu'un ne les vît ; en même temps il avait un besoin intense de compagnie et songea – il ne savait pas pourquoi – à une jolie petite boîte en ébène qu'il avait trouvée dans une ruelle d'Ankara, et qu'il caressait parfois du bout des doigts, mais nulle part il ne trouvait de consolation.

Il se leva et s'éloigna dans le noir.

29

Le lendemain, une attente fiévreuse régnait non seulement en Grande-Bretagne, mais aussi dans une grande partie du monde. Une éclipse totale devait avoir lieu à 13 h 29 heure anglaise, et des millions de personnes fumaient des verres et déroulaient des pellicules négatives. On racontait que Galilée en personne s'était abîmé les yeux en regardant une éclipse sans protection. Les lunettes de soleil ne suffisaient pas, écrivaient les journaux, et beaucoup se demandaient – comme si les mises en garde provoquaient les pensées obsessives – s'ils allaient vraiment résister à la tentation de fixer directement le soleil obscurci.

D'autres avaient l'impression d'être plus vivants. Une atmosphère solennelle flottait sur Cambridge, et beaucoup avaient du mal à se concentrer sur leurs études. D'autres ne se laissaient pas entraîner par toute cette agitation. Quelques-uns, heureusement lotis, étaient si absorbés par leurs travaux intellectuels qu'ils se fichaient totalement des curiosités de la voûte céleste. D'autres n'étaient pas au courant, ce qui en soi était un exploit. Les journaux, la radio et cette télévision de plus en plus populaire rabâchaient l'événement. Dans les rues, sur les places, on ne parlait que de ça. Mais la sélectivité de l'humain ne doit pas être sous-estimée. On rate souvent ce qu'on a sous les yeux. On ne voit que ce qu'on a l'habitude de voir. En général, on n'est pas prêt aux grands changements, et même à Cambridge, quelques-uns furent surpris par l'obscurité.

D'autres, plus snobs ou enclins à penser à contre-courant, et dont les villes universitaires réputées produisaient un nombre particulièrement important, considéraient comme un devoir d'ignorer royalement ce qui intéressait tous les autres. Selon eux – même s'il existait des variantes dans leur raisonnement – une personne indépendante devait se libérer des hystéries collectives. Une éclipse, après tout, n'était rien d'autre qu'une ombre, et n'aurait dû intéresser que les astronomes et les poètes. Quand tout le monde regardait en l'air, mieux valait regarder par terre ou de côté. Il s'agissait de se distinguer, pas uniquement pour se rendre intéressant, même si, bien entendu, c'était une composante importante de cette posture, mais aussi parce que ces personnes estimaient que seul celui qui se met à l'écart découvre ce qui échappe à ses contemporains. Les grands talents n'ont pas de temps à perdre dans les psychoses de masse.

Certains étaient trop maussades et malades pour s'en soucier, tandis que d'autres étaient tellement en colère qu'ils se fichaient de ce spectacle. Oscar Farley en faisait partie. Assis dans son fauteuil ergonomique – récemment installé – devant son bureau, à Cheltenham, il raccrocha son téléphone avec un geste théâtral, comme pour montrer à un public invisible combien il était contrarié. Oscar Farley s'était dès le début opposé à la mise sous surveillance du jeune policier. Pour lui, c'était une idiotie. Mais il n'avait pas eu gain de cause et avait accepté, à contrecœur. S'ils voulaient éviter et découvrir de nouvelles fuites, il fallait se concentrer sur l'essentiel. Certes, certes, ce policier pouvait être un joueur, un plaisantin, mais lui envoyer Arthur Mulland, non. Arthur Mulland n'était pas stable… Farley ne comprenait pas pourquoi il jouissait d'autant de soutiens dans la maison. Son indignation au sujet de l'orientation sexuelle d'Alan Turing lui avait à elle seule paru malsaine – le moralisme, c'était la dernière chose qu'il souhaitait lire dans un rapport de filature. Mais, surtout, il y avait ce coup de téléphone. Ce n'était pas l'échec en soi qui le dérangeait. Les bavures faisaient partie du métier. C'était le ton, et les détails, ou plutôt l'absence de détails. La mine maussade, Farley sortit dans le couloir. Il était encore tôt, et il n'était pas certain que Robert Somerset soit arrivé. Depuis son divorce, Somerset avait pris l'habitude d'arriver et de partir tard, mais si, Robert était dans son bureau avec une tasse de café. Il s'éclaira en voyant entrer Farley.

"Salut, Oscar. Tu as vu ça ?"

Robert Somerset chaussa une paire de lunettes amusantes qui lui donnaient un air de parodie d'agent secret.

"Spécialement faites pour regarder l'éclipse.

— Mulland a appelé de Cambridge.

— Tu ne peux pas me laisser souffler un peu ? Je bois mon café.

— Il a perdu le policier, continua Farley.

— Ça, c'est ballot. Il était ivre ?

— Je ne sais pas. Mais il prétend que Pippard avait raison, qu'il y a du louche chez ce policier.

— C'est drôle, comme Pippard et Mulland sont tout d'un coup comme cul et chemise.

— Pratique, non ?

— Ton dos a l'air d'aller mieux. Tu as essayé cet exercice que je t'ai montré ?

— Mulland dit que le policier a fait exprès de le semer ; qu'il se savait suivi.

— Et tu n'y crois pas ?

— Il a aussi parlé d'autre chose. Il a dit qu'il y avait quelqu'un d'autre qui suivait le policier, un jeune homme d'apparence slave, avec quelque chose de brutal dans le visage. Mulland a donné son signalement.

— Bizarre.

— Moi aussi, ça m'a semblé bizarre.

— Alors il a inventé ?

— Ou bien il a donné trop d'importance à ses observations.

— Qu'est-ce que tu vas faire ?

— J'y vais. Visiblement, Corell n'a pas encore quitté son hôtel, il devrait se montrer tôt ou tard.

— Tu emportes un bon livre, je suppose.

— Je prends tes lunettes. Elles me vont mieux", dit Farley d'un ton badin en les enfilant.

Somerset n'avait pas l'air amusé.

"Donc, il ne peut pas s'agir de quelqu'un qui cherche à entrer en contact avec le policier ?

— Ça peut être n'importe qui. Mais je ne suis pas rassuré de laisser Mulland et Pippard s'en occuper.

— Pippard a fait du zèle.

— Du zèle…, ricana Farley en ôtant les lunettes.

— Et fait preuve d'engagement.

— Tous autant que nous sommes, avec notre foutu engagement et notre zèle, nous sommes en prime devenus fous", cracha-t-il avant de quitter la pièce et de regagner son bureau.

Zélés et fous… Depuis la disparition de Burgess et de Maclean, l'ambiance était devenue de plus en plus hystérique, et ce n'était bien sûr pas difficile à comprendre. Il pouvait y avoir un troisième, un quatrième, un cinquième espion dans la nature, peut-être ce maudit Philby qui avait connu Bletchley et qui avait hébergé Burgess à Washington, et il était bien entendu de la plus grande importance que ces personnes fussent arrêtées, et que plus aucun élément non fiable ne fût introduit dans le saint des saints. Mais il était tout aussi évident que le soupçon était un poison qui poussait les gens à persécuter tous ceux qui étaient déviants et différents, oui, ne flottait-il pas un climat de lynchage latent dans toute cette inquiétude à vif ? Farley avait vu avec effroi la colère s'emparer de la maison et, plus que jamais, il voulait fuir tout ça. Malgré tout, il prépara une petite valise, avec entre autres un recueil de poèmes de Yeats et une chemise blanche repassée qui pendait depuis plusieurs jours à un cintre dans son bureau.

Puis il demanda à Claire de lui réserver un billet de train pour Cambridge.

"Je ne serai pas absent longtemps", dit-il.

*

Assis dans sa chambre d'hôtel, Arthur Mulland buvait à sa flasque. On pouvait aisément dire que c'était une chance que Farley ne le voie pas. Même boire n'empêchait pas ses mains de trembler, et il puait l'alcool et la sueur. Il était pâle et abattu. Pourtant, il n'avait aucunement baissé les bras. "C'est une époque dangereuse", marmonna-t-il, comme si le passage à tabac n'avait été qu'un combat nécessaire, un épisode d'une croisade : il n'avait de cesse de trouver une façon de se sortir de ce mauvais pas. Les mensonges qu'il avait servis à Farley, il y avait réfléchi pendant la nuit. Il savait qu'ils avaient des défauts et que la description du suiveur fictif – *slave et brutal* – avait quelque chose de trop évident, et pas seulement par son allusion au péril russe. Elle prêtait aussi le flanc à d'autres reproches, mais il estimait qu'elle ferait l'affaire, et même qu'elle était assez habile. Il songea à Pippard. Pippard était sa bouée de sauvetage, son espoir. *Julius va régler tout ça.* Globalement, Mulland n'avait pas les idées particulièrement claires et, quand les images de la veille déferlèrent, il les regarda comme de loin, comme si elles ne le concernaient pas vraiment.

Après le passage à tabac, il avait éprouvé une brève délivrance, comme si le concentré de colère qu'il portait en lui avait enfin trouvé à s'épancher, mais c'était un sentiment trompeur, un faux soulagement. La panique avait planté en lui ses griffes et, dans son souvenir, il avait à peine regardé le policier. Il avait juste compris qu'il était salement amoché et avait détourné les yeux, aussi son souvenir le plus distinct n'était pas Corell mais ses propres mains ensanglantées et la pluie qui tombait dessus, et la conscience qu'il fallait s'en aller au plus vite. Il était parti en titubant et avait erré en ville jusqu'à se ressaisir et rentrer à l'hôtel, où il s'était lavé tout le corps et avait sombré dans un profond mais court sommeil.

Mon Dieu, qu'avait-il fait ? Il se leva. Se rassit. Il buvait une gorgée après l'autre, alternativement eau et whisky et se dit qu'il devrait téléphoner à Irene, sa femme, pour dire que tout allait bien, mais c'étaient des bêtises. Rien n'allait bien, et leur relation battait de l'aile depuis quelques années. Oui, il fallait bien un événement de cette nature pour qu'il fût pris d'un tel sentimentalisme. Il laissa ses pensées glisser vers ses fils – en particulier Bill, qui avait commencé la médecine – et tenta d'évoquer leurs visages, mais en vain. À leur place, c'était le policier qui apparaissait, avec ses yeux tombants. *Serait-il resté là-bas ? Serait-il…* Mulland prit son téléphone et demanda à l'opératrice d'être connecté à l'hôtel Hamlet de Drummer Street. Quand une voix masculine répondit, il raccrocha, saisi d'un malaise. *Non, non, il ne peut pas être là. Il doit…* il se leva d'un bond et se regarda dans le miroir, d'abord totalement terrorisé – *Putain de quoi j'ai l'air !* – puis pas totalement mécontent. Il essuya la sueur de sa lèvre supérieure, rajusta ses fins cheveux et s'adressa un sourire naïf, comme pour se tromper lui-même. Ensuite il se précipita en ville et se dirigea vers King's College. Puis ralentit le pas. *Il n'y a pas le feu !* Et quand, dans Market Street, il vit une enseigne, Regency Café, et comprit que c'était un établissement simple, une cantine ouvrière, il s'y arrêta et commanda un pot de thé et un sandwich à l'œuf. *Il faut d'abord que je me calme !*

*

Oscar Farley était assis dans le train ; même s'il essayait de lire son Yeats – Yeats était le paysage rassurant vers lequel il revenait toujours –, ses pensées papillonnaient et, au fil du trajet, il songea de plus en plus à Alan Turing. Il n'y avait pas si longtemps que cela que le mathématicien avait été assis en face de lui, à Cheltenham, et avait dit, avec un bégaiement résigné :

"Alors vous ne me faites plus confiance.

— Bien sûr que si. C'est juste que…"

C'est juste que… quoi ? Farley ne se rappelait pas sa réponse – il s'était probablement lancé dans des excuses alambiquées – mais ça avait fait mal. Alan et lui avaient une longue histoire ensemble. Farley avait participé à son recrutement à Bletchley. Déjà, à l'époque, ils cherchaient des mathématiciens et des scientifiques plutôt que des linguistes et des humanistes, son ancien réseau de Cambridge lui avait fait remonter plusieurs recommandations indépendantes d'Alan, le jeune homme qui avait résolu le fameux *Entscheidungsproblem*, étudié à Princeton et s'était de son propre chef intéressé à la cryptologie. On savait que c'était une bonne recrue, mais on ne pouvait pas deviner… Farley se souvint de la première fois qu'il avait remarqué Alan à Bletchley. C'était dans le manoir, dans la salle de bal qui servait de point de ralliement et de centre de commandement. Ils étaient une petite bande à boire, sur les fauteuils. Ce devait être l'automne 1939 mais, malgré le tour que prenait la guerre, l'atmosphère était gaie. Lui-même n'était pas loin du bonheur. Bridget était là elle aussi. Ils formaient depuis peu un couple mais, comme ils étaient tous deux mariés, ils jouaient leur petite comédie, feignant de ne pas se connaître, ce qui avivait entre eux le feu de la passion. Depuis ses jeunes années, Oscar Farley avait toujours été un pivot de la vie sociale. Il veillait toujours à ce que personne ne soit oublié ou ignoré. Il assumait une sorte de responsabilité paternelle dans toutes les conversations : il avait bientôt remarqué qu'Alan Turing se taisait, mal à l'aise sur son siège quand la conversation prenait un tour léger. Les gens riaient, Alan aussi, mais avec un léger retard, comme un gamin qui ne comprend pas la plaisanterie mais veut faire semblant que si. Il semblait perdu et gêné et Bridget – qui devait s'être fait les mêmes réflexions – lui avait poliment demandé :

"Pardon, docteur Turing, sur quoi travailliez-vous à Cambridge ?

— Je…, avait-il commencé. Je m'occupais de quelques questions simples concernant…"

Puis il s'était fermé. Plus un mot n'avait franchi ses lèvres. Il s'était juste empressé de se lever et de disparaître – et, à l'époque, personne n'avait compris pourquoi. Mais rapidement, tout le monde allait comprendre que lorsque Alan pensait que les gens ne saisissaient pas ce sur quoi il travaillait, il devenait incapable de parler, ce qui pouvait passer pour du snobisme, pour de l'arrogance, alors que l'explication était sans doute qu'il ne savait tout simplement pas comment prendre les gens trop éloignés de sa sphère. En général, il ne comprenait rien aux femmes. Il baissait les yeux sur leur passage. Il attachait son mug à thé à un radiateur pour ne pas le perdre, car il égarait sans cesse les choses, et s'habillait de façon excentrique. Mais à l'époque, tout ce qui était différent chez lui était considéré comme faisant partie de son talent. C'était avant que… Farley regarda par la fenêtre du train et, en voyant Cambridge approcher, il éprouva une pointe de nostalgie. Cambridge était son véritable foyer. Comme il aurait aimé être en congé ! Quand il se leva de sa place, son dos l'élança. Il jura et descendit sur le quai. Il allait bientôt être une heure de l'après-midi. L'éclipse approchait et la ville commençait déjà à se figer.

*

Arthur Mulland, dans tous ses états, marchait dans la même direction que Farley. Il respirait la tension, mais son regard était plus clair, à présent. Il lui était arrivé beaucoup de choses. Après son petit-déjeuner sur Market Street, il avait filé à King's College – sans réaliser à quel point il faisait tache dans le paysage – et continué jusqu'à l'endroit où il avait passé à tabac Corell. En approchant, il avait ralenti le pas et repris son souffle. Même s'il s'attendait à ce que ce soit pénible – quelque part, il avait conscience d'être un meurtrier revenant sur les lieux du crime –, il n'avait pas prévu ce malaise purement physique et, si ce n'était pas devenu à ce point une idée fixe au cours de la matinée, il aurait certainement fait demi-tour. Mais il avait continué. Il trouvait curieux de se souvenir aussi bien des lieux. Chaque buisson, chaque arbre lui semblait étrangement familier, comme si la colère et la folie avaient en fait aiguisé ses sens, et il se rappelait la trompette qu'il avait entendue, l'*Ave Maria* des fillettes et les pensées qu'il avait eues. Il avait déjà compris qu'il ne trouverait rien. L'endroit était d'une innocence choquante. Pas de corps. Rien. Ce n'est qu'en regardant de près qu'il avait vu le sang sur le rocher et la terre foulée. Il avait entendu un chat – le même qu'hier ? – mais là... dans l'herbe à côté du chemin, un simple bloc, sans reliure. Il l'avait ramassé et s'était figé en découvrant sur la première page une tache qu'il avait identifiée comme du sang. Honteux, il avait lorgné alentour, fourré le bloc dans sa poche intérieure puis était revenu sur ses pas le long de la fontaine et de la chapelle. À la fin, il n'y tenait plus.

Il s'était assis sur un banc en face de l'entrée de King's College pour feuilleter le bloc. Parmi les premières choses qu'il y avait vues, le nom *Fredric Krause* souligné de deux traits. *Krause.* Ce nom avait quelque chose qui l'excitait. *Le plus important n'est pas les machines, mais les instructions qu'on leur donne.* Qu'est-ce que ça signifiait ? *Comment des contradictions peuvent-elles être une arme de vie ou de mort ? Comment le paradoxe du menteur peut-il être l'épée pour gagner une guerre ?* Plus loin dans le bloc, on trouvait les mots *décodage* et *Bletchley*, puis un raisonnement selon lequel l'art de se tromper était une condition de l'intelligence. *Est-ce pour cela que Turing laisse la machine se tromper dans son test ?*

Ce serait beaucoup dire qu'Arthur Mulland comprenait ce qu'il avait trouvé mais, dans son état d'excitation, il était persuadé qu'il s'agissait d'un document capital, quelque chose même qui pourrait justifier sa brutalité. Il avait longtemps marché à droite et à gauche avant d'apercevoir une cabine téléphonique. Il avait fourré nerveusement quelques pièces dans l'appareil puis indiqué à l'opératrice le numéro direct de Pippard.

"C'est Mulland.

— Qu'est-ce qui se passe ? avait répondu Pippard.

— Vous aviez raison, à propos du policier. J'ai des preuves. J'ai son bloc secret."

Il savait que son ton était exagéré et que le mot *secret* ne sonnait pas naturel dans le contexte.

"De quoi parlez-vous ? Somerset m'a dit que vous l'aviez perdu. Farley est en route pour Cambridge.

— Vraiment ? Où va-t-il ?

— Où ? Je n'en sais rien. À l'hôtel de Mr Corell, je suppose. Le policier ne devrait-il pas s'y pointer tôt ou tard ?"

Mulland avait dit que c'était possible. La venue de Farley ne lui plaisait pas, et d'un ton absent, il avait tenté de dire quelques mots crédibles sur l'homme slave censé avoir suivi le policier. Probablement en vain. En guise d'appât, dans une tentative de changer de sujet de conversation, il avait alors lancé le nom de Fredric Krause.

"Ça vous dit quelque chose ?

— Oh que oui !

— Qui est-ce ?

— Une vieille connaissance, de la guerre, avait dit Pippard.

— Krause semble avoir été l'agent de liaison du policier. Il a souligné deux fois son nom dans son bloc.

— Qu'est-ce que vous dites ?

— Je vous raconterai plus tard. Il faut que je file.

— Non, non... il faut vous expliquer. Vous le comprenez, quand même ?

— Pas le temps.

— Mais enfin, nom de Dieu, qu'est-ce qui est si pressé ?

— Je dois trouver le policier.

— Il n'avait pas disparu ?

— Euh... si, mais je crois pouvoir le retrouver, avait menti Mulland.

— D'accord, d'accord. Retrouvez sa trace, alors, et veillez à ce qu'il reste à Cambridge ! Il est absolument nécessaire que nous puissions lui parler ! Ce n'est pas que je comprenne grand-chose à vos salades. Mais Fredric Krause, mon Dieu… si c'est ce que vous dites, ça m'inquiète vraiment.

— Krause, ça ne sonne pas très anglais.

— Justement."

Je le savais. L'idée avait traversé l'esprit de Mulland.

"Je vous tiens au courant", avait-il dit, puis il avait entendu Pippard ajouter quelque chose, mais il avait quand même raccroché et s'était dépêché de partir. Pour s'arrêter dix mètres plus loin, une ou deux secondes, balançant le haut du corps, avant de retourner à la cabine. Il avait sorti une nouvelle pièce, et demandé à l'opératrice de lui passer l'hôtel Hamlet. Cela s'éternisait. Mon Dieu… ce n'était pourtant qu'une communication locale. Était-ce si difficile que ça ? Il avait dû rajouter quatre pence et, quand il avait fini par avoir la ligne, il avait demandé à parler à Mr Corell et, même si de vagues pressentiments traversaient son esprit, il ne s'attendait pas une seconde à ce que le policier fût là. Ce coup de téléphone faisait plutôt partie de sa propre thérapie. Mais la voix masculine qui lui répondit était hésitante et bizarre. *Était-il au courant… ?*

"Je ne sais pas.

— Comment ?

— Il a demandé à ne pas être dérangé.

— Passez-le-moi quand même. C'est important.

— Il s'est passé quelque chose ?

— Laissez-moi lui parler", avait dit Mulland avant d'écouter les sonneries s'égrener une à une, jusqu'à ce qu'il perdît patience.

Hors de lui, il était alors sorti du kiosque, marchant à vive allure en contraste avec tout le reste de la ville – les gens alentour étaient étonnamment immobiles – mais il n'y prêta pas attention. Les mots de Pippard résonnaient à ses oreilles, *si c'est ce que vous dites, ça m'inquiète vraiment,* et Mulland murmura tout seul : "J'avais raison, n'est-ce pas ?"

30

Le téléphone sonna. Corell aurait voulu répondre mais n'en eut pas la force et ne parvint qu'à ouvrir douloureusement la main, comme s'il s'attendait que quelqu'un vînt y placer le combiné. Puis il retomba dans sa torpeur. Il y avait de la terre et du sang sur l'oreiller. Une chemise à carreaux entourait sa tête. Ses yeux et ses joues semblaient tuméfiés et déformés. Si en cet instant quelqu'un lui avait demandé ce qui s'était passé, il aurait répondu qu'il n'en savait rien, qu'il était peut-être tombé de son lit et s'était fait mal, et peut-être qu'il était bien content que la nuit tombât, car il voulait dormir. Il avait besoin de se recroqueviller pour apaiser les douleurs de sa cage thoracique et de son front et il y serait peut-être parvenu s'il n'avait pas perçu quelque chose d'étrange : une immobilité, un silence s'abattant sur la ville, et pour une raison inconnue il pensa à sa mère. Sa mère faisait fondre de l'étain dans la cheminée de Southport pour prédire l'avenir, un souvenir étrangement heureux, quand on pensait à ce qui s'était passé, mais aussi à la façon dont il pensait à elle d'habitude – mais ce souvenir s'estompa.

Dehors, l'ombre envahit bien trop vite le ciel, il prit peur et, dans sa confusion, il renifla même pour s'assurer que l'odeur d'amande amère ne s'était pas aussi glissée là, il sentit en effet une densité dans l'air, sans comprendre ce que c'était. Puis il réalisa que les voitures, les oiseaux et les hommes s'étaient tus, non pas progressivement comme chaque soir, mais d'un coup, comme à un signal donné, alors il comprit : c'était l'éclipse et, peu à peu, la mémoire lui revint. Il se souvint de la pluie.

Il se rappela l'agression, comment il était resté couché dans l'herbe, pensant que sa vie s'échappait. Plus tard dans la nuit, il s'était relevé et avait vomi dans un buisson. Il avait râlé, craché du sang et senti qu'il était vital de ne pas bouger sa tête. Il avait pourtant continué à avancer, mû par l'instinct de rentrer chez lui – de rentrer à l'hôtel. À un moment, il avait rencontré quelques oiseaux de nuit qui avaient insisté pour l'aider, mais il avait catégoriquement refusé. Comme un animal blessé, il voulait être seul avec ses blessures. Arrivé ici – comment avait-il fait pour trouver son chemin ? –, il n'y avait personne à la réception. Avec la clé restée dans sa poche, il avait ouvert la porte de sa chambre et s'était laissé tomber sur le lit, ou plutôt il avait d'abord bu de l'eau, avait entouré sa chemise autour de sa tête, mais après… cela se perdait dans le brouillard. Il se sentait terriblement mal, et il avait dû avoir des moments d'hallucinations. Quand la femme de ménage avait frappé à sa porte, il avait craché qu'il ne voulait pas être dérangé – pourquoi ? –, sur quoi elle avait marmonné et était repartie. Il avait l'impression qu'elle allait revenir. Il voulait qu'elle revienne. Il avait besoin d'aide. Maintenant que ses idées se clarifiaient, il se sentait terriblement à plaindre et passa la main sur la chemise autour de sa tête, tâta la croûte en dessous et pensa : c'est grave, non ? Il avait mal. Il était raide et, en plissant les yeux, il regarda par la fenêtre… *Le monde entier est réuni par un grand événement et me voilà étalé là. Comme c'est triste, moi qui ai étudié…* Il se vit à King's College, et imagina qu'un admirateur venait le voir… *Pas si fort, mon cher monsieur. Là, là, merci du compliment, vous comprenez, les mathématiques, pour moi, c'est comme de la musique…* il n'était peut-être pas tout à fait d'attaque, mais les événements lui revenaient peu à peu et il se rappela Pippard et la lettre ; oui, mon Dieu, la lettre. Il plongea la main dans sa poche intérieure, fouilla nerveusement, mais si, elle était là, toutes ses pages semblaient intactes, il était tenté de la relire. Mais son bloc-notes ? Où était-il passé ? Ses mains parcoururent son corps, mais non, pas de bloc. Il regarda vers la table de nuit et sa valise. Il ne le voyait pas, et cela le chagrinait. Il se rappela l'homme qui l'avait frappé. Qu'est-ce que c'était que ce type, et pourquoi s'en prendre spécialement à lui ?

Il avait une marque de naissance au front, un pantalon trop court… ce devait être l'homme dans la lettre de Turing… soudain ce fut clair pour Corell. Il fut interrompu dans ses pensées. Il entendit des pas dans le couloir. Sûrement la femme de ménage. Peut-être revient-elle avec un médecin. Ce serait bien. On frappa à la porte. Plus fort qu'il ne s'y attendait.

*

Oscar Farley était de mauvaise humeur et il avait mal au dos. Des flèches de douleur le criblaient des reins à la nuque et, dans la rue, il étonnait les gens non seulement par sa grande taille, mais aussi à cause de sa tête que la raideur de son corps l'obligeait à pencher vers la gauche, comme s'il regardait un point difficilement accessible loin au-dessus de sa tête. En fait, il regardait à peine le ciel. Enfermé dans sa douleur, il se contentait de jeter de temps à autre un coup d'œil impatient à l'éclipse, comme si tout cela n'était qu'un caprice météorologique agaçant. En s'engageant dans Drummer Street, il vit par terre les tripes d'un animal mort et, même s'il détourna vite la tête, il en fut affecté. Ce cadavre renforçait son malaise, et ni le retour de la lumière ni le réveil du monde alentour ne suffirent à le mettre de meilleure humeur. Il pensait à Pippard. Pippard ne pouvait quand même pas avoir raison ! Pippard était un crétin. Le policier avait-il découvert tant de choses ? Était-il seulement possible qu'il communique des informations sensibles à de mystérieuses personnes ? Et puis Mulland : *Un homme d'apparence slave me suivait !* Non, non !

Il était vrai que, dès le premier instant, Corell avait quelque peu interloqué Farley avec ses contradictions, et qu'il avait fait preuve devant le tribunal de Wilmslow d'un culot et d'une autorité remarquables. Il avait certainement aussi un côté imprévisible, et un besoin de prendre sa revanche. Il avait une hérédité chargée, ils en avaient parlé au bureau : son père et sa tante étaient des éléments subversifs, disait-on, oui, oui, avait pensé Farley, en d'autres termes des personnes sympathiques. Si seulement vous saviez ce que je pense de toutes les conneries que vous débitez. Mais c'était clair, l'un dans l'autre, il y avait lieu d'être un peu inquiet, malgré tout. Cette lettre, par exemple, qu'est-ce que c'était, et pourquoi le policier l'avait-il gardée pour lui ? Il hâta le pas et, un moment, crut voir Mulland un peu plus loin, mais il se trompait sans doute et, en tout état de cause, était profondément absorbé par ses pensées.

On racontait que Mulland avait perdu les pédales lors d'une course hippique à York. On disait l'avoir vu pleurer après que le cheval sur lequel il avait misé eut chuté dans le dernier virage, puis rosser un pauvre diable venu lui demander ce qui lui arrivait. Personne n'avait approfondi cette histoire – on la disait très exagérée – et on avait certainement eu tort. Sentimentalisme et violence ne font pas bon ménage. En plus, Mulland buvait trop. Pourquoi coupait-il à l'enquête interne ? Était-ce grâce à la bénédiction de Pippard, ou parce qu'il répétait comme un perroquet toutes les opinions communes ?

Oscar Farley regarda les numéros et trouva l'hôtel, un établissement modeste dont il n'avait jamais entendu parler et qui n'avait même pas de marquise sur la rue. De l'extérieur, il ressemblait à un immeuble d'habitation, l'intérieur était vieillot et assez peu engageant. Il y avait aux murs des photos d'acteurs ayant incarné Hamlet, entre autres Laurence Olivier qui serrait presque amoureusement un crâne gris contre sa joue, et, juste à droite de l'entrée, une grosse plante en pot qui semblait avoir besoin d'eau, mais il n'y avait personne à la réception. Farley agita la sonnette argentée du comptoir.

"Ma parole !"

Même alors, personne ne vint, et il sonna à nouveau, saisi par l'impression absurde que l'endroit était abandonné depuis longtemps. Ce n'est qu'au bout de plusieurs minutes qu'arriva de la rue en courant un jeune type en chemise blanche et veste noire, avec un énorme espace entre les dents du devant. Il avait quelque chose de touchant, dégingandé et gauche.

"Pardon. Pardon, je regardais l'éclipse. Fantastique, n'est-ce pas ?

— Mouais.

— Que désirez-vous, monsieur ? dit-il.

— Je désire rencontrer Mr Corell.

— Vous aussi ?

— Comment ça ?

— Je viens de croiser quelqu'un dans la rue qui voulait absolument lui parler.

— Mr Corell est donc ici ?

— Je crois. Il ne répond pas au téléphone, mais il a parlé à la femme de ménage. Il a demandé à ne pas…

— Quelle chambre ?"

C'était la 262. Il y avait un vieil ascenseur mais, malgré ses problèmes de dos, Farley prit l'escalier. Il pensait que cela irait plus vite. La nouvelle que quelqu'un d'autre cherchait à parler avec le policier lui mettait les nerfs en pelote. Il ne savait pas ce qui l'inquiétait le plus, mais il commençait à avoir vraiment peur que le policier n'ait commis l'inexcusable. Quel revers ce serait, n'est-ce pas ? Il détestait voir des gens comme Pippard avoir raison à tort, ou, comment dire, quand des attitudes malsaines donnaient de bons résultats. Qui sait pourquoi, il songea alors à Alan, Alan caressant son lingot d'argent dans la forêt.

Au deuxième étage, l'obscurité était surprenante. Une lampe avait-elle grillé ? La moquette était brune et effilochée. Il eut l'impression de marcher dans un couloir de prison, mais il s'arrêta alors, ou probablement se contracta, ou fit un mouvement imprudent. La douleur lui traversa l'omoplate et il gémit : "Oh mon Dieu !" Il parvint pourtant à se concentrer sur tout autre chose. Il avait perçu un bruit qui ressemblait à un soupir qui, bien qu'il ne fût ni bruyant ni particulièrement dramatique, le mit mal à l'aise, sans qu'il comprenne pourquoi – c'était peut-être ses nerfs –, et il entendit alors encore autre chose : un chuchotement indigné, suivi d'un choc sourd. Farley hâta le pas, convaincu que quelque chose de grave était en train d'arriver, et il se mit à agiter bruyamment et nerveusement les clés dans sa poche.

31

Cette nuit-là, Corell avait refermé la porte à clé après avoir regagné en titubant sa chambre d'hôtel. Aussi crier "Entrez !" ne servait à rien. Il fallait qu'il aille ouvrir. Mais il avait à peine la force de se lever. Il allait mal, et son corps semblait lui ordonner : "Ne bouge pas !" Pourtant il fallait bien qu'il se lève. Il fallait qu'il boive et aille aux toilettes. Autant essayer. Mais Dieu que c'était pénible. Ses yeux se troublaient, son crâne était comprimé.

"J'arrive, j'arrive !"

Au prix d'un énorme effort, il se leva et garda son équilibre. Il considéra cela comme un triomphe et, plié en deux, il s'avança. Dans la rue, la vie reprenait. Les oiseaux et les hommes se réveillaient, ce dont il s'efforça de se réjouir, mais la lumière le faisait souffrir.

"Qui est là ?" fit-il.

Il ne perçut pas de réponse. L'effort qu'il faisait pour marcher exigeait toute sa concentration et, pour autant qu'il se demandât qui frappait, il pensa que c'était la femme de ménage ou le portier, ou un docteur qu'on aurait fait venir. Il ne lui vint pas à l'esprit que la femme de ménage ne l'avait jamais vu. S'il s'inquiétait de quelque chose, c'était de savoir s'il parviendrait jusqu'à la porte. Rien que cela lui semblait un exploit. Le vertige redoubla et il pensa : *Je ne vais pas y arriver*, mais il s'accrocha et constata avec soulagement que la clé était sur la porte. Mais la serrure résistait et il n'avait pas assez de force dans les mains. *Allez, quoi !* Et il réussit. Il ouvrit en s'apprêtant à s'effondrer de manière un peu théâtrale – il voulait montrer combien il était à plaindre – mais, dehors, il ne trouva ni femme de ménage ni personne de l'hôtel. Un autre personnage se tenait devant lui, qui sentait la sueur et l'alcool.

*

Arthur Mulland avait reçu un ordre : veiller à ce que le policier reste à Cambridge. En outre, il voulait précéder Oscar Farley et donner sa version des faits. Il était obsédé par l'idée de régler la situation et de la retourner à son avantage. Il n'arrêtait pas de lorgner le bloc-notes dans sa main, comme si c'était un atout majeur. Tandis que le ciel s'assombrissait et qu'autour de lui les gens devenaient de plus en plus solennels, lui, de plus en plus découragé, imaginait le policier sous toutes les formes possibles, comme un fantôme même, et commençait à se sentir aux abois. Le temps semblait lui filer entre les doigts et il chargeait de plus belle, comme s'il n'y avait pas de retraite possible. Longtemps, il ignora ce qui se passait autour de lui. Devant l'hôtel Hamlet, un jeune homme tenait un morceau de verre fumé devant ses yeux. L'homme dit quelque chose d'incompréhensible au sujet de la folie.

"Pardon."

Ce type n'avait quand même pas parlé de lui ?

"Monsieur ! Attention ! Vous n'avez rien pour regarder ?

— Je ne regarde pas. Mais qu'est-ce que vous avez dit ? Je vous ai entendu parler de folie.

— Que… euh… je disais juste que je comprenais pourquoi les gens autrefois devenaient croyants ou fous en voyant quelque chose comme ça.

— Possible. Vous travaillez à l'hôtel ?"

C'était le cas et, oui, il avait un Mr Corell, dont il lui communiqua le numéro de chambre, un peu réticent, sembla-t-il, et peu après Mulland marchait dans le couloir sombre. En frappant, il se murmura à lui-même : "Du calme, du calme !" mais comme rien ne se passait – pas un seul pas à l'intérieur –, il tambourina à nouveau. Il en avait presque assez, quand il entendit une voix et un mouvement, il sentit alors son corps se tendre et il se mit automatiquement à compter à rebours, *six, cinq, quatre,* comme s'il attendait une explosion, sur quoi la porte s'ouvrit.

Le policier était l'être le plus pitoyable qu'il ait jamais vu. Corell tremblait, voûté et brisé.

"Non, non, je vous en prie", siffla-t-il en portant les mains à sa tête, d'où un chiffon sanglant, ou plutôt une chemise, lui pendait sur ses épaules comme une coiffe insensée. Arthur Mulland referma la porte et s'avança, sans doute pour dire quelque chose ou tendre une main secourable, mais ses pas étaient trop rapides et violents, si bien que le policier vacilla. Il s'appuya contre le mur et lentement, comme quelqu'un qui a décidé de se coucher, il glissa à terre. C'était à fendre le cœur. Les jambes ramenées contre la poitrine, il tenait toujours sa tête et la chemise dans ses mains. Mulland sentit qu'il fallait tout de suite faire quelque chose. De là où il était, il dit d'une voix qui lui parut contrefaite :

"Je ne vais pas vous faire de mal. Je vais vous aider. Mais vous devez comprendre…" Il allait dire quelque chose sur ce qu'il y avait de grave à conspirer avec des personnes comme Fredric Krause, mais il trouva ça absurde et balaya plutôt la chambre du regard. Il y avait une bible rouge sur la table et, par terre, une valise ouverte. Mulland s'efforça de rassembler ses idées, il conclut qu'il fallait remettre le policier au lit et qu'il devait quant à lui s'asseoir sur la chaise dans le coin et lire tout le carnet. Il voulait être fin prêt avant de lui parler, mais il entendit alors des pas dans le couloir. Ou bien ? Oui, des pas approchaient. Ils avaient quelque chose de familier. N'est-ce pas étonnant tout ce qu'on peut deviner à partir de quelques bruits sur un plancher ? Il sut aussitôt avec certitude que c'était Farley — peut-être parce qu'il n'avait pas quitté ses pensées ces derniers temps et parce que Farley avait toujours eu une place particulière dans sa vie. Longtemps, Mulland avait admiré Oscar Farley pour sa dignité et son indépendance. Mais dernièrement, ces mêmes raisons l'irritaient. Farley le faisait se sentir inculte et étriqué et, désormais, Arthur préférait avoir affaire à des supérieurs comme Pippard, qui pensait et raisonnait davantage comme lui. Peut-être même portait-il en lui une fureur latente contre Farley. Quand on frappa à la porte, il jeta un regard désespéré vers la fenêtre.

"Bonsoir, docteur Farley !"

Ce salut n'avait rien d'accueillant. Non seulement le ton était glacial, mais la phrase avait été prononcée avant même que la porte fût entièrement ouverte et qu'ils se fussent vus. Farley fut pourtant rassuré : il reconnaissait cette voix et trouver là Mulland lui paraissait un bon signe, malgré tout, mais cet espoir ne dura qu'un instant. Le visage d'Arthur dans l'embrasure de la porte l'effraya. Son regard était aux abois, mais aussi… comment Farley pouvait-il l'expliquer… triste et perdu, impossible à interpréter. Son haleine était infecte, imbibée d'alcool et, par-dessus le marché, il agitait un carnet, comme quelque chose d'une importance capitale.

"Regardez ça. Ce sont des preuves. Des preuves claires. Il nous trahit, et nous devons prendre ça très au sérieux… c'est notre plus grand secret, notre secret absolu, non ? Même moi, je n'en sais pas grand-chose, rien du tout, mais lui… il a pris contact avec des étrangers", insista Arthur Mulland, hors de lui. Farley l'écouta d'abord attentivement – estimant que c'était ce carnet qui avait provoqué l'indignation de Mulland – mais se figea bientôt.

À terre gisait un homme au visage démoli, une chemise ensanglantée nouée autour de la tête.

*

En comprenant qui avait fait irruption dans sa chambre, Corell avait eu si peur qu'il avait presque eu le souffle coupé et s'était effondré à terre, alors que c'était bien la dernière chose à faire. Persuadé d'être à nouveau battu, il attendait en se protégeant la tête de ses mains. *Il… il va me donner des coups de pied ?* Mais, comme rien ne se passait, il se prit à espérer, et même à prendre ses désirs pour la réalité et, peu à peu, perdit connaissance, ou plutôt plongea dans des limbes aux confins de l'inconscience. Au départ, il ne sentit rien d'autre que sa douleur. Puis, comme au loin, il perçut quelque chose, une présence, un bruit, auxquels il ne fit d'abord pas attention, mais qui, lentement, lui rappelèrent son enfance à Southport. Il lui sembla même entendre grincer le parquet de la maison, mais non, c'était impossible. Il se souvint du danger et de l'homme à la tache de naissance. En vain. Il perdit le sens de l'orientation et se laissa emporter. Les hallucinations prirent le dessus et alors, très nettement, il entendit un bruit de clés, son père était vraiment là, et il songea : il était temps, et essaya de dire quelque chose.

*

Farley arrivait à peine à le croire. Avant tout, il ne comprenait pas pourquoi Mulland ne lui avait pas d'emblée parlé de cet homme à terre, préférant divaguer sur ce maudit bloc-notes. Quel imbécile… Farley se pencha, posa la main sur le dos de l'homme et comprit alors : c'était le policier. Il semblait mal en point et Farley lança à Mulland un regard furibond. Mais Arthur se contenta de faire un geste d'impuissance, et Farley se tourna vers Corell.

"Comment ça va ? Parlez !

— J'ai trouvé le gant !

— Que dites-vous ?

— Il était près des rails. Je l'ai toujours. Je crois que je l'ai toujours", dit le policier, et ce n'était pas seulement l'incohérence de ses propos qui montrait clairement qu'il délirait.

Sa voix était voilée et absente : Farley se dit qu'il fallait remettre Corell au lit et faire venir un médecin. Mais son dos, *son foutu dos* ! Il souffla à Mulland : "Venez m'aider !" et, comme Mulland n'obéissait pas aussitôt, il se figea, saisi à nouveau par la peur, mais il la chassa et Arthur finit par lui venir en aide. Ils portèrent, ou plutôt traînèrent le policier jusqu'au lit, lui donnèrent un verre d'eau, puis Farley écarta la chemise et tenta d'examiner la plaie, mais ne vit qu'un fouillis de boucles, de terre et de sang séché.

"Là, là. Nous allons nous occuper de vous, à présent.

— J'ai…, commença Corell.

— Pouvez-vous appeler la réception, qu'ils fassent venir un médecin ?", continua Farley, maintenant tourné vers Mulland.

Mulland resta immobile.

"Et que ça saute !"

Mulland se dirigea vers le téléphone, mais s'arrêta aussitôt et resta quelques secondes planté là, courbé et apparemment perdu au milieu de la chambre, ses yeux révulsés tournés vers la rue en contrebas, et Farley aurait juste voulu crier : *Mais qu'est-ce que vous avez fait ?* Mais il voyait bien qu'il fallait rétablir le contact et il essaya sur un ton plus doux :

"Je comprends que quelque chose d'horrible a eu lieu. Nous aurons l'occasion d'en parler à tête reposée, et je promets d'examiner de près votre carnet. Il y a sûrement beaucoup de choses intéressantes dedans. Mais nous devons avant tout avoir la situation sous contrôle, n'est-ce pas ?"

Arthur Mulland hocha la tête à contrecœur, mais ne faisait toujours pas mine de décrocher le combiné. Farley se tourna vers Corell, qui était d'une pâleur inquiétante. Ses yeux paraissaient minuscules à côté des joues enflées.

"Voulez-vous plus d'eau ?

— Qui êtes-vous ?

— Je suis Oscar Farley. Nous nous sommes vus au commissariat de Wilmslow", dit-il, et le visage du policier s'illumina.

Il sourit comme s'il revoyait un ami très cher, ce qui pouvait bien sûr être considéré comme un autre signe de délire – ils n'étaient pas plus que de vagues connaissances – mais pour Farley ce fut un premier soulagement. Peut-être n'était-il pas si mal en point, malgré tout, pensa-t-il. *Maintenant je m'en occupe. Je vais régler ça.* Mais ce n'était pas le moment de pavoiser. Il se retourna et découvrit que Mulland semblait hors de lui. Qu'est-ce qu'il avait, ce type ?

*

Farley avait qualifié d'indigne la surveillance d'Alan Turing par Mulland et d'autres – "Avez-vous la moindre idée de ce que Turing a fait pour nous ?" – et ces mots remontaient à présent à l'esprit aux abois d'Arthur. C'était comme si toute son ancienne admiration pour Farley se muait en déception et en colère et, lorsque non content de le regarder avec dégoût, il se mit à adresser au policier des sourires chaleureux, quelque chose d'autre se brisa en Mulland. Il se sentait exclu et rejeté, il aurait voulu dire quelque chose, quelque chose de sérieux et de sensé qui fasse comprendre à Farley qu'il sympathisait

avec un homme dangereux, un traître, même, mais il ne réussit qu'à lâcher :

"Vous devez comprendre…

— De quoi parlez-vous ? Qu'avez-vous fait ?

— C'étaient… certaines circonstances…

— Certainement. Je n'en doute pas une seconde, le coupa
Farley. Mais franchement, je n'ai nullement envie d'écouter ça
pour le moment. En revanche, je suis assez bête – quelle couche
je tiens – pour m'échiner à vous sauver la peau.

— C'est vrai ?

— Oui, car nous sommes dans le même bateau. Nous trem-
pons tous les deux dans cette maudite soupe. C'est le soupçon
qui est en train de nous ronger. Mais cela suppose que vous filiez
d'ici, sur-le-champ. Vous entendez ? Tranquillement, sagement,
vous allez partir d'ici, et tout de suite.

— Mais le carnet, alors ? Vous ne voulez pas que je vous dise
ce qu'il y a dedans ?

— Donnez-le-moi, je le lirai.

— Mais…

— Pas de mais, donnez-le-moi !"

*

Il aurait sûrement dû écouter ce fou. Comprendre ce qui s'était
passé. Mais il lui semblait impossible d'avoir les idées claires
en présence de Mulland. L'air nerveux d'Arthur lui donnait
des sueurs froides et il répéta : "Donnez-le-moi !" Et, de fait,
la brute avinée et dérangée hésita. Puis il hocha la tête, buté, et
donna le carnet à Farley.

"Bien. Très bien. Partez, maintenant !

— Vous me promettez…

— Je vais faire ce que je peux. Mais maintenant, vous devez…

— Pippard veut que je reste. Il dit que ce policier doit être
interrogé.

— Appelez Pippard et dites-lui que je contrôle la situation.
Je vais interroger le policier. Mais maintenant vous allez…

— Partir ?

— Oui !"

Mulland resta à se balancer sur place comme tiraillé entre plusieurs directions, il semblait vouloir dire quelque chose, mais finit par attraper son chapeau et s'ébranler. Il passa la porte d'un pas traînant et Farley souffla. Tout son corps s'affaissa, et il aurait voulu boire un verre. Trois, quatre verres, de longues vacances et un bon spécialiste du dos, mais il fallait serrer les dents. Il regarda Corell. Le policier était salement amoché. Mais ses yeux étaient plus clairs à présent. Farley approcha une chaise et feuilleta le carnet. D'après ce qu'il voyait – mais il ne fit que survoler – il s'agissait de notes éparses sur Alan Turing et ses écrits, rien de secret.

"Il ne faut jamais rien promettre aux fous, marmonna-t-il.

— Non !

— C'est lui qui vous a brutalisé ?

— C'est lui.

— Je suis désolé. Vraiment désolé. Vous avez la force de me raconter ?"

Le policier fit une tentative. Il but un peu plus d'eau et rapporta ses rencontres avec Gandy et Pippard, puis raconta son agression – on devinait déjà là une fibre dramatique dans son récit – mais cela lui était manifestement pénible et Farley lui demanda de faire une pause. Voulait-il qu'il appelle un médecin ? "Non, non !" Corell voulait juste se reposer un moment et, quand il eut fermé les yeux, Farley se demanda s'il fallait contacter Robert Somerset, mais il décida d'en apprendre d'abord davantage – que le policier ait eu connaissance de cette histoire de décodage était trop stupéfiant. Il prit son recueil de Yeats, mais ne parvint pas à se concentrer et, lentement, le temps fila. Il regardait souvent le policier. Les visages endormis n'étaient-ils pas étranges ? Même à ce point battue et endolorie, cette face avait quelque chose d'enviable : presque gêné, Farley réprima l'envie de caresser le front du jeune homme. Dehors, une femme appelait. Il y avait quelque chose d'attirant dans sa voix, comme si elle s'adressait personnellement à lui, et il lui fallut un effort pour rassembler ses esprits. Quand le policier finit par se réveiller, Farley lui sourit franchement et lui donna à boire.

"Vous vous sentez mieux ?

— Oui, je crois.

— Voulez-vous que j'aille vous chercher quelque chose à manger ?

— Je préfère continuer. Je veux raconter.

— C'est sûr ?

— Sûr.

— Pardonnez-moi alors d'aller droit au fait. Vous devez me dire – et c'est très important – qui vous a dit que le Dr Turing travaillait sur la cryptologie.

— Personne ! Personne ne l'a ne serait-ce que suggéré.

— Mais alors comment pouvez-vous…" Farley s'interrompit et changea de formulation. "Comment avez-vous alors pu avoir une telle idée ?

— On peut dire que tout a commencé par une question.

— Une question ?

— Oui", continua Corell avant de lui raconter comment, dans la bibliothèque de Wilmslow, il s'était demandé quel usage le gouvernement pouvait faire d'un champion d'échecs doublé d'un génie des mathématiques.

D'abord terne et hésitant, son récit se transforma. C'était proprement stupéfiant. Les mots lui venaient avec une aisance si surprenante que Farley fut assez vite gagné par un sentiment d'irréalité. Les mots coulaient de la bouche du policier. Ses phrases crépitaient et Farley avait beau s'efforcer de rester sceptique, il était stimulé, et même enjoué. Il se dit : *Non, non, c'est trop beau pour être vrai, à la fois trop simple et trop intelligent.* Il se laissa pourtant entraîner sans dire grand-chose. Il se contentait d'écouter, fasciné, le policier raconter comment il était devenu de plus en plus audacieux, poussé de l'avant par ses propres questions.

"J'ai compris que Turing devait avoir développé sa machine logique pendant la guerre. Dans *Computable Numbers*, l'appareil n'est qu'une construction mentale, rien d'autre, n'est-ce pas, un outil logique, mais ensuite… vous comprenez, à King's College j'ai lu un peu au sujet de son ACE. Vous connaissez ? Oui, bien sûr, il l'a ébauché pour le National Physical Laboratory en 1945 ou 1946, et j'ai au moins compris que cette machine était beaucoup plus complexe que celle de *Computable Numbers*.

Ça m'a alors sauté aux yeux : ce type avait progressé pendant la guerre, et je me suis mis à réfléchir pourquoi. Sa machine pouvait-elle avoir eu un usage militaire ? Il ne faisait aucun doute que Turing s'était occupé de quelque chose de très confidentiel – vous m'avez tous très clairement donné cette impression – et, de fait, cela m'a aidé. Je me suis posé la question : dans une guerre, qu'est-ce qui est le plus confidentiel ? La planification, toutes les stratégies, les intrigues, les accords secrets ! Ce qui est assez amusant, c'est que ma tante venait de m'offrir une nouvelle radio, et je me suis mis à imaginer les militaires de haut rang lançant dans l'éther des messages importants : "Rassemblez les troupes ici ou là." "Bombardez telle ou telle ville." Bon, je ne suis pas vraiment un ingénieur. Je n'arrive même pas à me servir du standard téléphonique au commissariat. Mais j'ai au moins compris que tout ce qui était dit à la radio, d'une certaine façon, était dit à tout le monde. D'énormes ressources ont donc dû être consacrées à rendre les communications secrètes, et autant pour décoder les messages ennemis. Je n'avais aucune idée de la méthode employée. Mais j'ai lu les articles de Turing, et quelques phrases ont retenu mon attention. Alan écrit qu'un sonnet écrit par une machine est mieux compris par une autre machine : d'abord, cela m'a juste semblé bizarre. Les machines ne comprennent ni n'apprécient rien, et j'ai d'abord pensé que Turing parlait seulement d'un avenir lointain, où ses appareils seraient capables de penser. Mais l'idée m'a alors frappé qu'à bien des égards, aujourd'hui déjà, les machines se comprennent bien mieux que nous ne les comprenons. Ce n'est pas nous qui trouvons la personne à qui nous voulons téléphoner. Ce sont les signaux électriques. Quand nous écoutons la radio, ce sont les ondes qui trouvent les antennes. Je me suis alors mis à penser que, pour une machine, n'importe quoi pouvait être des poèmes ou de la musique, par exemple quelque chose qui nous paraît incompréhensible, comme un langage codé, et une machine construite sur la logique – comme celle à laquelle Turing travaillait – devait bien pouvoir déformer le langage, si j'avais bien compris. Turing écrit lui-même dans son article de la revue *Mind* que la cryptologie devrait pouvoir être un domaine d'utilisation particulièrement approprié et, lentement, j'ai acquis la conviction que Turing avait construit des machines de codage et de décodage. Des machines capables de comprendre une musique incompréhensible."

Farley se prit le front. *Des machines qui comprennent une musique incompréhensible.* C'était fou. Il lui semblait entendre Alan parler et, bien sûr, il comprenait qu'il n'était pas surprenant que le policier parle comme Turing : Corell avait consacré ces derniers jours à lire les écrits du mathématicien, mais l'impression était quand même assez fantomatique. Farley retrouvait là ce qui lui avait manqué et, avec une netteté surprenante, il se rappela le manoir, les baraques laides et le cliquetis des machines.

32

Bletchley Park

L'après-midi du 23 février 1941, Oscar Farley longeait le mur de briques grises qui descendait vers la baraque huit. Il faisait froid et brumeux. La baraque apparaissait dans le léger brouillard, triste et banale, avec son laid toit goudronné et, comme si souvent, il pesta contre les vélos qui gênaient l'entrée. Il dut les enjamber pour pénétrer dans le long couloir.

C'était une de ces journées où il ressentait douloureusement dans ses membres et sa tête la désolation de la guerre. Depuis la chute de Paris, l'été précédent, il souffrait de cauchemars et de mauvais pressentiments. Souvent, il imaginait les Allemands déferler comme des sauterelles dans le paysage et, bien sûr, il buvait trop et dormait mal, pas seulement parce que son lit était trop court pour ses cent quatre-vingt-seize centimètres, mais aussi parce que l'inquiétude ne le quittait jamais. La baraque huit sentait la craie et la créosote. On entendait des bruits de téléphones, de téléscripteurs et des grincements de pas sur le parquet. Le chef de la baraque avait une pièce particulière, ou plutôt un cagibi, et Farley inspira à fond avant d'aller y frapper. À cette époque, Alan le rendait nerveux. Bien sûr, c'était ridicule. Alan bégayait et avait du mal à regarder les gens dans les yeux, et Farley n'était pas seulement son aîné et son supérieur. Il était infiniment plus homme du monde et sûr de lui. C'était juste que… comment l'expliquer ? Les yeux d'Alan semblaient tournés vers l'intérieur sur un monde parallèle et, en sa présence, Farley se sentait insignifiant, voire transparent, souvent il se demandait : à quoi pense-t-il ? Que se passe-t-il derrière ces yeux bleus ?

Alan n'était pas là. Mais Farley tomba sur Joan Clark qui lui dit qu'Alan était descendu à l'étang jouer aux échecs avec Jack Good.

"Jouer aux échecs ?" répéta Farley, presque indigné, même s'il se savait injuste.

Alan n'était pas du genre à se défiler, mais ces mots semblaient si insouciants que Farley fut jaloux. Même s'il en avait eu le temps, il n'aurait pas trouvé la paix pour se consacrer à une partie. Joan, qui devait avoir remarqué sa contrariété, répondit qu'Alan ne jouait pas exactement aux échecs : il réfléchissait plutôt à une méthode imparable pour y jouer.

"Il veut mécaniser le processus. Je crois qu'il rêve d'apprendre à jouer à une machine.

— C'est un gars futé que tu as trouvé, répondit-il.

— Je crois bien.

— Tu devrais juste essayer de le rendre plus présentable.

— J'y travaille."

Oscar Farley ne trouva pas Alan au bord de l'étang, pas très étonnant. Ce n'était pas un temps à jouer dehors. L'eau était toujours gelée et Farley embrassa le paysage du regard, étonné de tout ce qui s'était passé ces deux dernières années. Quand ils y étaient arrivés pour la première fois, au printemps 1939, Bletchley Park était un endroit paisible, avec ses aulnes et ses ifs, sans pour autant plaire à Farley, même à l'époque. L'absence de style du manoir prévictorien l'agaçait et, souvent, il avait été saisi par l'impression que la vie s'en allait, que cette maison avait connu son âge d'or en de meilleurs temps. Mais, en 1939, il n'avait pas eu besoin de tendre l'oreille pour entendre les chants d'oiseaux, ni même les bonds des poissons dans l'étang. Aujourd'hui, non seulement les arbres avaient été abattus, mais l'endroit était devenu une zone industrielle. Partout, de nouvelles baraques poussaient et, au lieu des bruits de la nature, on entendait des machines. Comme il aurait aimé partir de là ! Il avait eu une chance unique, il le savait. Il n'avait pas à tirer ou à se faire tirer dessus, ni même à se mettre au garde-à-vous, et il avait parfois l'impression que sa vie de Cambridge avait juste été déplacée ici. Il y flottait un esprit de curiosité et de plaisir intellectuel. On jouait au baseball et au cricket sur la pelouse et il y avait des femmes, plein de belles jeunes femmes, surtout sa Bridget, sa grande et merveilleuse Bridget que lui seul, avec sa taille et sa stature, parvenait à faire sembler petite, pour ne pas parler de toutes ces lumières venues de l'université. Il n'avait pas vraiment à se plaindre du niveau des conversations.

Et pourtant, la vie à Bletchley lui était devenue un fardeau, et il aurait sûrement été étonné d'apprendre alors que, longtemps plus tard, elle allait lui manquer. Jamais il n'avait été aussi épuisé, lessivé. La fatigue tambourinait à ses tempes et, ces derniers temps, il avait remarqué qu'il ne suivait plus aussi bien les raisonnements abstraits. Il s'était émoussé, ce qui en soi était déjà une raison de se sentir nerveux devant Alan et, pour la première fois de sa vie, Farley avait commencé à rechercher la solitude. Il avait l'impression de vivre la pire période de sa vie, ce qui, d'un point de vue objectif et national, était bien sûr la vérité. Hitler contrôlait le continent et avait signé son pacte avec Staline. Les Yankees n'avaient pas l'air intéressés par une entrée en guerre, et l'Angleterre était en train de perdre la bataille de l'Atlantique. Karl Dönitz – qui à l'époque n'était encore que vice-amiral – menait une guerre sous-marine de plus en plus couronnée de succès, coulant chaque semaine davantage de bateaux britanniques. Jusqu'à soixante, soixante-dix par mois, désormais. Il ne servait à rien d'avoir la plus grande flotte du monde, si on ignorait où était l'ennemi. La vieille Angleterre allait être entièrement coupée du monde, et Farley plus que tout autre comprenait ce que cela signifierait si la bande de la baraque huit parvenait à briser le code Enigma de la marine. Les navires britanniques ne tâtonneraient plus à l'aveuglette. Ils auraient alors la possibilité de se défendre et de répliquer, et il aurait dû ressentir un espoir prudent, ou du moins un peu de lumière dans son désespoir. Il avait ce jour-là reçu une nouvelle parmi les plus prometteuses depuis longtemps, mais ne voulait pas y croire. Dès le début, il avait été convaincu que le code de la marine ne pouvait pas être percé, qu'ils n'auraient jamais le privilège de pouvoir lire ce que les nazis préparaient et où ils se trouvaient en mer. Longtemps, ils n'avaient même pas su distinguer les messages provenant des U-Boot de ceux qui venaient de la terre. Tout était incompréhensible. Certes, plus tard, ils avaient percé les codes de la Luftwaffe, mais le système de la marine était de loin plus complexe. Il n'offrait aucune ouverture. Le pessimisme n'était pas une vertu en temps de guerre, mais il pouvait être de mise, et Farley savait que beaucoup étaient de son avis. Le commandant en chef de Bletchley lui-même, Alastair Denniston, l'avait ouvertement déclaré :

"Ça ne marche pas. Il faut trouver une autre voie."

Mais tous ne l'avaient pas écouté. Alan Turing, par exemple. Il semblait ne jamais écouter. C'était une partie de sa bizarrerie. Il se distinguait. Son caractère avait quelque chose d'insaisissable, une autonomie qui confinait parfois à l'autisme. Même quand il obéissait aux ordres, il semblait ne suivre que son propre agenda, et cette particularité, cette indépendance tranquille qui consistait également en une incapacité à ne rien prendre comme allant de soi, en mettait beaucoup mal à l'aise. Certains, comme Julius Pippard, avaient très tôt affirmé que Turing "n'était pas fiable" et qu'il ne donnait rien sans être stimulé. C'était injuste, mais en partie vrai. La mission devait être difficile pour qu'il ait le courage de s'y atteler et, de ce point de vue, c'était un trait de génie pédagogique d'avoir qualifié d'inviolables les codes de la marine allemande. C'était précisément le genre de formulation dont Turing avait besoin. Il n'y avait que hors des sentiers battus, quand il pouvait remettre en cause l'évidence, qu'il donnait toute sa mesure, mais Farley devait mettre du temps à bien le réaliser. Au début, personne ne comprenait Alan, et les femmes moins que personne. Sa Bridget disait qu'elle n'arrivait pas à savoir si Alan avait peur d'elle, ou juste si elle ne l'intéressait pas :

"Il se met à marmonner tout seul sur mon passage."

C'était aussi ce qui rendait étrange toute son histoire avec Joan Clarke. Alan était la dernière personne au monde qu'Oscar s'attendait à voir se fiancer, mais il avait été ravi de le faire mentionner dans le dossier personnel de Turing, espérant que cette information couperait court aux ragots qui circulaient déjà alors. Turing ne se doutait probablement pas le moins du monde que Farley était aussi chargé du contrôle sécuritaire des collaborateurs de Bletchley. Pour Turing, Farley n'était probablement qu'un simple officier de liaison avec les services de renseignements de la marine, OIC et NID, ce qui contribua sans doute à leur rapprochement progressif. Ils logeaient tous deux à la Crown's Inn de Shenley Brook, quelques kilomètres au nord de Bletchley, un établissement très simple en briques rouges, avec une boucherie et un pub au rez-de-chaussée. Leur hôtesse, Mrs Ramshaw, était grande comme une maison, avec un rire qui pouvait aussi bien être cordial que sans cœur. Il lui arrivait de geindre en se répandant sur tous ces jeunes gens apparus dans le voisinage, qui n'avaient pas l'air de faire leur devoir pour l'Angleterre. Farley en prenait ombrage. Alan Turing pas le moins du monde. Il vivait dans son monde et, à la différence de Farley, il ne cherchait pas tout le temps à être apprécié.

L'arme de Farley dans la vie était le charme, mais ni le charme ni l'autorité ou le charisme n'avaient de prise sur le mathématicien, du moins pas quand il s'agissait de sujets sérieux. Dans le monde d'Alan, rien d'important ne pouvait être imposé ou décidé d'en haut. Seul celui qui savait de quoi il parlait pouvait avoir de l'influence sur lui, ce qui rendait Turing souvent raide. Mais Farley avait lentement trouvé le code. Pourvu qu'il laissât tomber le bavardage et allât droit au cœur du sujet en parlant avec concentration et passion, il était fort possible, à force de sérieux, de voir sortir du bois un Alan léger et farceur, et d'entendre son rire staccato si prompt à purifier l'air de toute tension. Mais il laissait son apparence se dégrader. Alan était toujours incroyablement débrayé, habillé n'importe comment, une ficelle en guise de ceinture, ses chemises non boutonnées pendant au-dehors. Certains jours, il ne s'habillait pas du tout, enfilait juste son pardessus sur son pyjama et s'élançait sur son vélo, complètement enfermé dans son monde. Le quotidien lui importait peu. Il avait les ongles bordés de vilaines bosses. Sa nervosité lui faisait se ronger les mains, qui étaient rouges et enflammées, tachées d'encre : à en juger par ses seuls doigts, on pouvait penser sa névrose irrécupérable. Et pourtant, Alan semblait gai, gai comme un jeune mathématicien absorbé par ce qu'il aime le plus au monde, les chiffres et les structures logiques. En tout état de cause, il était un don des dieux pour Bletchley et l'Angleterre.

Les machines cryptographiques allemandes, baptisées Enigma par leur inventeur Arthur Scherbius, étaient constituées de rotors amovibles, d'un réflecteur, d'un disque d'entrée, d'un tableau de connexion, d'un clavier et d'un pupitre de lecture à lampes. Elles n'étaient pas seulement incroyablement compliquées. Elles étaient flexibles. Leur complexité pouvait facilement être renforcée. Depuis que les Polonais avaient analysé le système – ce qui, déjà, était considéré comme un miracle –, les Allemands avaient porté le nombre des rotors de trois à cinq et le nombre de câbles enfichables sur le tableau de connexion de six à dix, le nombre de clés possibles passant d'un coup à cent cinquante-neuf trillions, ou quelque chose comme ça. Farley se souvenait juste que c'était cent cinquante-neuf suivi de dix-huit zéros. Il avait dit à Bridget que cela ressemblait à un chuchotement infernal surgi de l'infini.

"Tu as une idée de comment on va s'en sortir ?"

Alan l'entrevoyait. "Seule une machine peut en vaincre une autre, avait-il dit un jour qu'ils traversaient la pelouse vers le hangar rouge où l'ancien propriétaire du manoir stockait ses pommes et ses prunes, mais qui servait désormais de lieu d'élaboration des stratégies transversales.

— Comment ça ? avait demandé Farley.

— Laisse-moi le dire autrement. Si une machine crée de la musique, qui peut l'apprécier ?

— Aucune idée. Un pauvre type qui n'a aucune oreille.

— Une autre machine, Oscar. Une machine aux préférences analogues", continua Turing, l'air de parler de tout autres préférences que de celles des machines, avec son étrange sourire, à la fois contemplatif et provocateur.

Ensuite il avait disparu dans un labyrinthe d'ifs qui devait bientôt être rasé. Par la suite, Farley comprit que c'était le début du succès. Bien sûr, Farley savait déjà alors que les Polonais, sous la direction de Marian Rejewski, avaient construit des édifices électromécaniques qui recomposaient méthodiquement toutes les combinaisons d'Enigma. On appelait ça des bombes, sans doute en raison de leur cliquetis ou, selon une autre version, parce que Marian Rejewski en avait eu l'idée en mangeant une bombe glacée dans un café de Varsovie. Ces machines avaient été le facteur décisif des succès polonais. Mais elles n'étaient plus d'aucune aide depuis que les nazis avaient augmenté le nombre de rotors. Il fallait à Bletchley une construction bien plus perfectionnée, une machine qui comprenne la cacophonie moderniste des appareils Enigma, et il était évident que c'était une construction de ce genre que ruminait Alan. Dieu savait combien son aide était nécessaire.

Tout l'automne et l'hiver 1939, ce qui fut intercepté des communications nazies demeura un pur charabia, une série de combinaisons de lettres sans rime ni raison. L'ambiance de ruée vers l'or qui avait jusque-là régné à Bletchley fut remplacée par un désespoir rampant et, souvent, il leur semblait être environnés d'un bruissement incompréhensible de plans maléfiques. Farley s'abandonnait à son pessimisme et s'enivrait parfois au-delà du raisonnable. La journée, il travaillait dur, sans pourtant parvenir à chasser ses idées noires et, quelque part, il savait que sa romance avec Bridget lui faisait autant de mal que de bien, il lui arrivait de plus en plus souvent de songer à sa femme restée à Londres avec une telle douleur que rien à Bletchley ne parvenait à le réjouir.

Alan en revanche paraissait complètement ensorcelé. Normalement, il y avait peu de chance qu'une star de Cambridge comme lui, devenu *fellow* à vingt et un ans, se mette en tête de construire une machine, mais Farley avait vite compris qu'Alan était fait pour ça. Son grand rêve était de mécaniser la pensée, pour ainsi dire de matérialiser la logique. Farley avait étudié quelques années les mathématiques avant de passer, *via* l'économie, à l'histoire de la littérature et à ses travaux sur Yeats et Henry James et, même s'il en avait oublié la plus grande partie, il comprenait du moins que Turing entretenait une relation particulière avec sa matière. C'était comme si les chiffres, dans ses pensées, aspiraient à être de chair et de sang. Farley savait qu'Alan avait publié avant guerre un essai sur un projet de machine capable de recevoir des instructions sur carton perforé, un peu comme un piano mécanique, et de résoudre toutes sortes de problèmes mathématiques. Cette machine n'était qu'une construction théorique pour répondre à une question logique spécifique, et personne, d'après ce que comprenait Farley, ne s'était soucié de la construire à proprement parler. Mais Alan rêvait depuis longtemps de fabriquer quelque chose d'analogue, et voilà qu'il avait l'occasion de mettre au point non pas un dispositif aussi avancé et versatile, bien sûr, pas du tout, mais au moins son cousin logique simplifié, capable de percer les secrets d'un autre appareil, ou pour ainsi dire d'en comprendre la musique.

Sans notion de temps ni d'espace, Alan passait des heures, penché sur des machines Enigma prises à l'ennemi, à noircir un carnet de ses pattes de mouche. Il était de plus en plus hirsute et sale, ce qui en choquait bien sûr quelques-uns. *Ne pourrait-il pas au moins se laver ?* D'un autre côté, beaucoup, comme Farley lui-même, étaient coutumiers de ce style bohème de Cambridge, et dans l'ensemble on laissa Alan tranquille. Il devint l'artiste libre de Bletchley. On l'appelait le Professeur : du jour au lendemain, on en avait fait un mythe.

Pourtant, Alan n'avait sans doute jamais été aussi bizarre que beaucoup l'avaient peint par la suite. À Bletchley, tout le monde avait tendance à faire un roman ou une caricature de ses collègues, en partie, bien sûr, pour rendre la vie au manoir plus palpitante et intéressante, mais les anecdotes au sujet d'Alan remplissaient probablement aussi une autre fonction : mieux le cerner. Il devenait plus facile d'accepter son monstrueux talent si on le réduisait à un hurluberlu, un original aux habitudes loufoques, car il était vraiment étrange : à quelle vitesse n'avait-il pas saisi la complexité labyrinthique du système de codage !

Dès janvier 1940, il présenta ses plans. Farley ne l'oublierait jamais. Tant d'espoirs et de rumeurs circulaient. Alan avait conçu une machine Enigma inversée, une "antithèse", disait-on, "un être capable de comprendre sa musique", ajoutait Farley, s'attirant plus d'un regard étonné.

D'autres étaient sceptiques. "Franchement, je n'en attends rien", déclara Julius Pippard, et l'arrivée d'Alan dans le hangar rouge qui sentait encore les fruits n'arrangea rien. Il ne faisait pas sérieux. Il portait une longue chemise de flanelle qui ressemblait à une robe et, sur son visage, on distinguait à peine les poils de barbe de la crasse. Il posa un grand carnet sur la table en acajou, l'ouvrit, comme si cela servait à quelque chose. Tout semblait désespérément brouillon. Le texte, environ une centaine de pages manuscrites, était rempli de ratures et de pâtés. Comme plan, cela devait sembler terriblement difficile à utiliser, et on commençait à entendre chuchoter dans le hangar : "Mais qu'est-ce que c'est que ça, à la fin ?" Avant qu'Alan puisse dire un mot, Frank Birch, le chef du service de renseignements de la marine, de la baraque quatre, s'avança et toucha le carnet du bout des doigts, comme s'il voulait voir combien de poussière s'y était accumulée. Frank Birch, avant guerre, avait quitté King's College à Cambridge pour tenter sa chance sur les planches. Il était rompu à l'art d'impressionner un auditoire.

"Voilà donc la solution à notre problème ? dit-il, pas vraiment méprisant, mais c'était certainement sarcastique, ce qui ne contribua pas à améliorer la confiance dans le hangar.

— Oui, vraisemblablement, répondit Turing.

— Vraisemblablement ?" répéta théâtralement Birch et, même si son but était davantage d'amuser la galerie que de critiquer, il se répandit dans le hangar une impatience qui aurait pu se développer dans n'importe quelle direction. Farley se souvenait d'avoir regardé fixement les mains infectées de Turing, ses doigts qui feuilletaient frénétiquement le carnet, comme s'il venait de découvrir au dernier moment qu'il y avait oublié quelque chose de décisif.

Cette réunion dans l'ancienne remise à fruits était pour tout le monde l'aboutissement d'une longue période de labeur, aussi n'était-il pas étonnant que l'ambiance soit tendue. Quelques personnes de l'assistance avaient ouvertement clamé qu'il était honteux d'avoir laissé Alan travailler aussi seul sur le projet, vu les enjeux, et il n'est pas impossible qu'Alan lui-même ait senti une certaine hostilité, même s'il était en général peu soucieux des ambiances. Pour commencer, il parla sans son enthousiasme juvénile. Il bégayait, et seul un petit nombre des présents devait comprendre de quoi il parlait. Les ingénieurs n'arrêtaient pas de lui demander des précisions.

"Comme je disais", répondait-il chaque fois en se mordant franchement le dos de la main, l'air absent.

Mais il se produisit alors quelque chose. Un des ingénieurs s'exclama : "Bon sang, mais bien sûr !" et, lentement, Alan retrouva son assurance. Il rit même, "oui, oui, c'est drôle, non ?" et un certain optimisme se répandit dans la salle car, même si la construction d'Alan était complexe, elle était d'une simplicité séduisante qui s'imposa peu à peu à l'assistance. Trois machines Enigma seraient reliées de façon à pouvoir exclure certaines configurations des rotors, grâce à l'identification de contradictions logiques dans le système de codage. De cette capacité des contradictions à se révéler elles-mêmes, Alan parla avec un enthousiasme tout particulier, se perdant dans une digression. Farley se souvenait d'avoir entendu Turing mentionner le nom du philosophe Wittgenstein sans raison apparente, puis il retrouva assez vite le fil. Une fois la bonne configuration trouvée dans les trois machines, le contact serait établi et une lampe s'allumerait. Le problème était que ce mastodonte ne pouvait être utilisé sans *antisèche*. Une antisèche était une amorce, un fragment de message codé dont ils pouvaient deviner le contenu, des mots ou des phrases dont le sens découlait du contexte. En d'autres termes, il devait déchiffrer un petit morceau pour pouvoir, à l'aide de la machine, en déchiffrer un grand, ce qui pouvait sembler un paradoxe : il fallait percer le code pour réussir à percer le code. Mais Alan avait mieux que quiconque mesuré la valeur des anciens textes décryptés par les Polonais. Non que ces textes lui apprennent quoi que ce soit sur le système de codage ou les machines Enigma. En revanche, ils en disaient beaucoup sur les routines des Allemands, par exemple que le mot *Wetter*, le temps, apparaissait toujours à la même place dans les bulletins météo, juste après six heures du matin, et que certains messages provenant de ports ou de bastions où il ne se passait pas grand-chose commençaient souvent par les mots : "Rien à signaler."

Toutes ces phrases répétées leur fournirent l'antisèche nécessaire, et Farley avait souvent admiré qu'une personne aussi désordonnée qu'Alan ait trouvé la porte d'entrée de cet univers aussi cadré et discipliné. Dans la tendance des Allemands au formalisme – à s'exprimer de façon stéréotypée – il avait flairé leur talon d'Achille. Avec une machine logique, et sachant que nous agissons tous machinalement et développons des habitudes et des formules répétitives, il était passé à l'attaque et, sur ce point, Farley devait donner raison aux ingénieurs : tout était allé très vite. Dès mars 1940, la machine était prête et, mon Dieu, les plans d'Alan avaient donné naissance à un monstre couleur bronze de deux mètres de large sur deux mètres de haut qui faisait le bruit de deux cents vieilles dames en train de tricoter et exigeait visiblement un certain doigté. Ruth, la pauvre, une des opératrices qui devait apprendre à manipuler la machine, n'arrêtait pas de prendre des décharges électriques, et au moins deux de ses blouses finirent couvertes de taches d'huile.

La machine avait par ailleurs ses défauts, et Farley ne fut pas exagérément étonné qu'elle ne fonctionnât pas si bien que ça.

"Qu'est-ce que vous pensiez ? Que ça se ferait en un claquement de doigts ?" cracha-t-il un soir qu'avait éclaté une violente discussion portant non seulement sur l'appareil, mais aussi sur la confiance d'Alan en ses propres capacités.

La situation n'était pas si grave et Gordon Welchman, le mathématicien de Cambridge devenu chef de la baraque six, parvint à augmenter significativement la capacité de la machine par quelques modifications simples, entre autres l'adjonction d'un circuit électrique, appelé tableau diagonal : dès le début du printemps suivant, les décodeurs de la baraque six parvinrent à casser le code de l'aviation et de l'artillerie allemandes. Pendant une période, ils lurent les communications secrètes comme un livre ouvert, c'était insensé. C'était de toute beauté, et fournissait à la défense aérienne et au ministère de la Guerre des informations vitales non seulement sur l'invasion du Danemark et de la Norvège par les nazis, mais aussi sur les raids allemands sur l'Angleterre. Souvent, le commandement militaire connaissait à l'avance l'heure et le lieu des attaques, et il n'était pas rare non plus que l'on sache combien d'appareils l'ennemi avait perdus et à quelle vitesse il les remplaçait par des neufs. Les machines d'Alan Turing étaient des monstres que le ciel envoyait à la Grande-Bretagne, qui n'arrêtait pas d'en construire de nouveaux, baptisés de noms comme Agnes,

Eureka ou Otto, et Farley en vint bientôt à aimer leur crépitement – les battements de cœur de la logique, comme disait Welchman – et il n'était sûrement pas le seul. Ces constructions étaient surnommées *l'oracle* et de nombreuses félicitations arrivèrent de Londres. Parfois, Farley se demandait comment Alan les recevait. Alan, lui, n'était pas vraiment comme un livre ouvert. Pourquoi certains jours il n'avait pas le courage de regarder quiconque dans les yeux et pourquoi d'autres fois il arborait son sourire de Joconde, impossible de le savoir. Il ne manifestait aucun triomphalisme, mais il avait bien sûr aussi beaucoup à faire. La configuration d'Enigma changeait tous les jours vers minuit : avec ses collègues, ils devaient cartographier les habitudes des opérateurs nazis, deviner la forme que prenaient leur lassitude et leurs lubies, par exemple qu'ils ne se donnaient pas toujours la peine d'être créatifs quand ils décidaient les clés de chiffrement quotidiennes, et qu'au lieu d'une séquence aléatoire, il leur arrivait de prendre les lettres en ligne ou en diagonale sur le clavier. Des calculs de probabilité sur la paresse humaine faisaient toujours partie du travail.

Alan fut bientôt transféré dans la baraque huit, pour essayer de décoder le système Enigma de la marine, beaucoup plus complexe, et, parfois, le commandement s'inquiétait qu'il soit en train de s'user à la tâche. On disait à Farley :

"Toi qui vis avec Alan, tiens-le à l'œil !"

Mais Farley ne maîtrisa jamais les habitudes de Turing. À la différence des opérateurs allemands, Alan manquait de régularité. Parfois il dormait tard le matin, parfois il gagnait le manoir dès l'aube. Un matin – un des derniers jours où Farley logeait encore à la Crown's Inn – il trouva Alan à la table du petit-déjeuner en train de lire le *New Statesman*. De loin, déjà, on voyait qu'il lui était arrivé quelque chose. Ses yeux étaient rouges et gonflés. Il avait l'air d'avoir pleuré toute la nuit, et Farley décida de ne pas le déranger. C'était sûrement idiot. Si Alan était en crise, il fallait lui tendre la main. Mais ces larmes avaient quelque chose qui inspirait tant le respect. C'était comme la fois où, enfant, Farley avait vu son père pleurer. Cela semblait une vision interdite, et c'était bien sûr la dernière chose que le commandement de Bletchley souhaitait apprendre. Alan était le veau d'or. S'il n'était pas dans son assiette, Bletchley tout entier en pâtirait. En même temps, certains aspects du langage corporel du mathématicien ne s'harmonisaient pas avec ses yeux rougis de larmes : il paraissait notamment en train de faire les mots croisés du journal, aussi Oscar s'adressa à lui aussi doucement qu'il le put :

"Bonjour Alan, est-ce que je peux faire quelque chose pour toi ?

— Bonjour Oscar. Je ne t'avais pas vu. Tu disais ?

— Est-ce que je peux faire quelque chose pour t'aider ?

— C'est gentil de ta part. Mais ma liste est trop longue, j'en ai peur. Je veux un nouveau vélo, une meilleure nourriture, la paix, bien sûr, et des mots croisés plus compliqués. Tu pensais à quelque chose en particulier ?"

Farley répondit que non et se retira, interloqué. Quinze minutes plus tard, il marchait sur la route de gravier vers Bletchley et, dans son souvenir, il songeait à sa femme, qu'il trompait, et qui était si triste qu'ils n'aient jamais pu avoir d'enfant. Il entendit alors du bruit derrière lui, un cliquetis mêlé au crissement du gravier. C'était un bruit qu'il avait appris à reconnaître : le vieux vélo d'Alan, avec sa chaîne calamiteuse. Mais en se retournant, Farley vit quelque chose d'extrêmement étrange. Alan portait un accessoire en forme de trompe, comme un masque à gaz, et Farley eut le temps de renifler en l'air dans une seconde de panique quand Alan le salua gaiement de la main – Farley mit longtemps à comprendre que le masque à gaz était la protection d'Alan contre l'allergie, et que ses larmes du petit-déjeuner n'étaient qu'un sérieux rhume des foins.

Il devenait de plus en plus vital de décoder les signaux de la marine, et les pressions de Londres se faisaient de plus en plus désespérées :

"Brisez ce maudit code !"

Mais les Allemands apportaient beaucoup plus de soin au système de leur marine. Ils comprenaient mieux que personne l'intérêt d'avoir l'avantage dans la bataille de l'Atlantique, et leur système de codage semblait inviolable. Alan parvint à améliorer les performances des bombes de décodage et il entreprit d'approfondir sa méthode probabiliste, cette pesée complexe de certitudes et de coïncidences, afin de développer les possibilités de tirer des conclusions de ces contradictions, selon le principe de la réduction à l'absurde. "J'utilise le paradoxe du menteur pour crocheter la porte", expliquait-il. Cela s'avéra un progrès, mais insuffisant. Il leur fallait aussi mettre la main sur les livres de code des sous-marins allemands pour avoir une chance de réussir. Mais comment y parvenir ?

Farley en discutait sans cesse avec le MI6 et l'OIC, en vain, et l'ambiance se dégradait. Frank Birch laissait de plus en plus souvent éclater sa colère sur tous et à tout propos, dans des scènes théâtrales dont il avait le secret – et peut-être n'était-ce là que l'aiguillon dont tous avaient besoin pour avoir le courage d'avancer. Frank Birch en avait fait tout un art : "Nous devons briser ce maudit code parce que nous le devons !" avait-il hurlé un jour. Une fois, cependant, ce fut pénible. Julius Pippard, du contrôle de sécurité, était présent lui aussi. Pippard avait une capacité indéfectible à rentrer dans le rang et à adhérer dur comme fer à la politique officielle. Non qu'il manquât d'intelligence, d'humour ou d'indépendance, mais il avait une obéissance sans bornes, non seulement aux ordres et aux décisions, mais aussi aux souhaits encore inavoués du pouvoir. Les opinions qu'il exprimait anticipaient souvent ce qui allait prévaloir au sein de l'organisation. Ce jour-là, tandis que Frank Birch pestait qu'Alan était empoté et négligent, qu'il perdait les choses, qu'il ne faisait jamais comme on lui disait et préférait s'occuper de ses foutues théories sur les relations géométriques et tout le tremblement, Julius Pippard lâcha :

"Et en plus il est pédé.

— Qu'est-ce que c'est que ces conneries ?" cracha Farley.

Bien sûr, il connaissait lui aussi la rumeur et, comme Pippard, il savait que la mention "probablement homosexuel" figurait dans le dossier personnel de Turing, mais il l'avait lui-même rayée quand ses fiançailles avec Joan Clarke avaient été rendues publiques et, en tout état de cause, c'était pour Farley le cadet de ses soucis, lui-même venait de King's College. L'homosexualité ne l'émouvait pas plus que de voir quelqu'un boire une bière au goulot et il essaya de changer de sujet, mais Pippard insista : il avait parlé à un type qui avait entendu dire qu'Alan avait essayé de séduire Jack Grover près de l'étang, Alan avait peut-être un peu trop suivi son désir et, pour cette raison, avait perdu sa concentration. Mon Dieu, pensa Farley, qui ne suit pas son désir ?

"Va au diable", dit-il, ce qui n'améliora pas ses relations avec Pippard.

Cependant, la seule idée que Pippard et d'autres détracteurs cherchent à classer Alan comme un risque pour la sécurité inquiétait profondément Farley et, à vrai dire, aurait dû inquiéter tout le monde. L'homosexualité n'était pas encore une grande affaire, mais c'étaient des semaines de désespoir et l'hystérie croissait tous les jours. Hitler renforçait son pouvoir en mer et sur le continent, et le système Enigma de la marine demeurait impénétrable. Ils avaient un unique espoir, une idiotie, en fait : un plan fou élaboré au NID, le service de renseignements de la marine à Londres, par le jeune assistant de son chef John Godfrey, un certain Ian Fleming. Farley le connaissait vaguement. Il avait été ami de son frère Peter, auteur du brillant récit de voyage *News from Tartary*. Ian Fleming ne faisait certes pas une aussi forte impression, mais Oscar et lui discutaient facilement. Ils étaient tous deux bibliophiles et souffraient des mêmes névroses, une touche d'hypocondrie mâtinée d'un désir constant de jouer les hommes du monde. Ian Fleming avait de terribles maux de tête qu'il attribuait toujours à un morceau de cuivre coincé dans son nez après un accident sportif à Eton, mais ce type était plein d'imagination et d'initiative, c'était indéniable, même s'il avait une tendance à se vanter et à colporter des rumeurs d'assez mauvais goût. Selon le plan de Fleming – baptisé opération Impitoyable – ils mettraient la main sur les livres de code d'un navire nazi en se procurant auprès du ministère de l'Aviation un bombardier allemand en état de vol. Ils trieraient ensuite sur le volet un équipage de cinq durs à cuire, dont un pilote et une personne parlant couramment allemand. Les hommes devraient revêtir des uniformes de la Luftwaffe, être maquillés avec du sang et des plaies, puis aller crasher l'appareil dans la Manche. L'idée était qu'ils enverraient un SOS en allemand puis attendraient l'arrivée d'un navire de sauvetage du Reich. Farley fut bien sûr sceptique dès le début. Tellement de choses pouvaient mal tourner, en particulier quand le commando devrait jouer la comédie pour monter à bord du navire et attendre le moment propice pour abattre les Allemands et mettre la main sur le matériel de codage.

Mais Farley, Turing et son collègue Peter Twinn de la baraque huit s'étaient laissé convaincre – peut-être en partie parce qu'ils n'avaient pas grand-chose d'autre en quoi espérer, et parce qu'ils n'avaient pas encore fait le lien entre le faible de Fleming pour l'exagération – ce type aurait dû se mettre à écrire des romans, ou quelque chose de ce genre – et sa capacité à échafauder des plans. En septembre 1940, il était allé à Douvres commencer les préparatifs. Un bombardier Heinkel avait alors été fourni, un équipage recruté, une bonne équipe, selon Fleming, "une force phénoménale. Je n'ai pas encore décidé si j'en serai moi aussi", et il était arrivé à Farley d'y croire, même s'il se demandait combien de membres des troupes d'élites anglaises parlaient réellement l'allemand sans accent.

À cette période, les contrôles de sécurité se renforcèrent à Bletchley. Personne ne devait savoir plus que le strict nécessaire. De préférence, les gens ne devaient pas avoir la moindre idée de ce que leurs collègues fabriquaient dans les autres baraques, et le seul fait que quelqu'un comme Turing ait connaissance de toutes les données capitales devint un sujet d'inquiétude croissante, tandis qu'en coulisse Julius Pippard menait sa campagne de dénigrement. Quelle était sa motivation ? Farley ne le comprenait pas, mais constatait que Pippard avait rallié du monde à sa cause et que cela empoisonnait l'ambiance. Il souffrait pour Turing. La situation était si absurde qu'Alan était forcé de réussir ce qu'on tenait pour impossible afin de faire taire ses critiques. Mais l'Enigma de la marine restait impénétrable, et aucune bonne nouvelle n'arrivait de Fleming. "Demain, écrivait-il. Ou après-demain. Soyez tranquilles, je m'en occupe." Bernique ! Les jours passaient. On voulait attendre la fin du mois pour que le navire allemand dispose de codes frais. Mais au changement de mois, rien ne se passa, et les télégrammes de Ian Fleming se firent de plus en plus fuyants et vagues et, bientôt, Farley et Turing n'eurent plus même besoin de parler. Un regard échangé et ils comprenaient la situation : "Rien aujourd'hui non plus !"

Le soir du 16 octobre 1940, Farley était dans son bureau jouxtant la bibliothèque du manoir et regardait l'étang et les baraques, quand un jeune homme entra avec un télégramme de John Godfrey à Londres :

Opération Impitoyable repoussée sine die.

Autant dire "morte et enterrée". C'était le coup de grâce, Farley le comprit aussitôt. Il donna un coup de pied dans sa corbeille à papier en tôle, avec une pointe de déception et de honte. Il aurait dû le comprendre tout de suite. Ce plan, c'était du flan, rien d'autre et quand, peu après, il porta la nouvelle à Turing, il s'inquiéta pour de bon.

"Ça ne marchera jamais", dit Alan avec une noirceur qui ne lui ressemblait pas du tout.

33

La tension contenue dans la poitrine de Corell s'était dissoute et, même s'il avait encore mal, ses douleurs lui paraissaient désormais plus agréables, comme la trace d'un marathon victorieux ou d'une bagarre glorieuse. De temps en temps, il éprouvait même du plaisir : cela faisait une éternité qu'il n'avait pas rencontré quelqu'un qui le mît ainsi en train, et voilà qu'il retrouvait les mots, les anciennes phrases, vives, les abstractions, les extrapolations, les moments dramatiques et l'effort de s'y tenir, tout revenait avec une énergie nouvelle. *Plus c'est passionnant, plus les auditeurs veulent de détails.*

Toutes les maximes entendues dans son enfance le guidaient de l'avant et, autant au commissariat Ross et Kenny tuaient ses phrases dans l'œuf, autant Oscar Farley les faisait vivre : Corell racontait avec sincérité, ou plutôt, avec une impression de sincérité. Mais il ressentit bientôt le même sentiment que dans son enfance ; son récit prenait une vie propre, créait un cadre qui n'existait pas avant lui, il finit par inventer un certain nombre de détails et d'observations, pas franchement des mensonges, mais des embellissements et des transitions que l'histoire semblait exiger et, lentement, il découvrit ce qu'au fond il avait toujours su : la vie est différente quand on la raconte, elle est remodelée, prend de nouvelles orientations et de nouveaux tournants. Dans son récit, il ne mentionna pas sa conversation avec Krause et donna un sens nouveau à des événements qui, un instant avant, lui paraissaient sans importance et, souvent, cette situation lui sembla étrangement familière, comme s'il avait remonté le temps jusqu'aux soirées de Southport, ou même comme s'il s'était transformé en quelqu'un d'autre, quelqu'un de meilleur. Bien sûr, ce n'étaient que des idioties. Il n'y avait vraiment pas lieu de se réjouir. C'était un interrogatoire portant sur des secrets d'État, et il était mieux placé que la plupart pour savoir qu'une méthode policière classique consistait à installer l'illusion d'une ambiance agréable : par éclairs, il se demandait si la chaleur qu'il pensait voir dans les yeux de Farley n'était pas qu'une astuce, une façon de l'amener à se contredire. Mais pourtant… il se laissa enivrer par la conversation. Faux ou pas, ce récit le mettait en valeur et, peu à peu, l'orgueil s'instilla dans ses veines. Il renchérit avec de nouvelles associations et extrapolations, en partie volées à Krause et à Gandy, tandis que d'autres étaient des citations littérales d'écrits de Turing. Parfois, il sentit qu'il passait les bornes, mais il fut pourtant surpris de voir l'expression du visage de Farley soudain se figer.

*

Des machines qui comprennent une musique incompréhensible.
Les mots de Corell ne firent pas que rappeler à Oscar Farley Alan et Bletchley. Ils le mirent sur ses gardes. On peut dire qu'il dessoûla peu à peu, se rappela tout le contexte et tout ce qu'il avait entendu Pippard dire. Il restait stimulé et continuait à éprouver de la tendresse pour le policier mais, à mesure que le temps passait, ses soupçons grandissaient et il devinait qu'il s'était laissé influencer par la vulnérabilité dans les yeux de Corell et par ses propres sentiments de culpabilité, mais aussi avant tout par le talent du policier. Il s'était laissé enthousiasmer, comme quand un de ses étudiants le surprenait, et il avait même songé que le policier était peut-être un élément à recruter. Mais, par la suite, il s'était davantage concentré sur sa prestation elle-même – son goût du récit et le sentiment qu'il se conformait à des clichés littéraires – et, sans vraiment le vouloir – il n'aimait pas reprocher aux fils les fautes de leurs pères –, il se reprit à penser au père du policier : James Corell, le bouffon qui fascine avec des histoires folles et fantastiques mais pas forcément vraies. Était-ce là le même phénomène à la deuxième génération ? Il ne savait pas. Il avait juste l'impression vague

que quelque chose ne collait pas, tout en continuant bien sûr intérieurement à défendre le policier. Par exemple, il ne pensait pas que Corell en sût autant que l'imaginait Pippard, et de loin, et se refusait à croire qu'il ait vendu ces informations : il ne pouvait même pas comprendre comment la chose aurait pu être possible. Ce maudit costume tant rabâché par Pippard et qui était à présent irrémédiablement sali, c'était sa tante Vicky qui l'avait payé, et le signalement par Mulland d'une personne d'apparence slave et brutale suivant le policier, Farley n'y croyait pas une seconde. Il restait persuadé que la plus grande partie de ce qu'avait raconté Corell était vraie. Et pourtant... le sentiment que quelque chose ne collait pas, que c'était en quelque sorte trop beau pour être vrai s'emparait de lui et, soudain, une idée le frappa : *la lettre*. Comment avait-il pu l'oublier ? C'était cette lettre, plus que toute autre chose, qui avait excité Pippard.

“Pippard m'a dit que vous aviez lu une lettre de Turing ?

— Euh... oui, c'est vrai.

— Quel genre de lettre ?

— Elle est ici, dit Corell en montrant sa poche intérieure.

— À Wilmslow, vous avez pourtant nié avoir autre chose ?

— Tout mon récit n'a-t-il pas montré quel idiot j'ai été ? J'aurais dû vous donner la lettre, je n'aurais pas dû venir ici et je n'aurais absolument pas dû rendre visite à Pippard.

— Mais vous l'avez fait.

— Toute cette histoire m'a poussé à faire des choses que je n'aurais pas dû.

— Vous deviniez qu'il y avait des choses importantes que vous ignoriez.

— Ce n'était pas seulement cela, hélas. Il s'agissait aussi de moi. De vieux rêves idiots. Je voulais...

— Puis-je voir cette lettre, à présent ?”

Bien entendu. Le policier lui tendit un papier froissé et, avant d'en commencer sa lecture, il devint nerveux. Ses mains tremblèrent même, il ne comprit pas bien pourquoi, mais il avait peur de toutes sortes de choses, peur d'être désigné comme le salaud qui avait mis Alan à la porte du GCHQ, mais surtout peur qu'Alan ait malgré tout divulgué des secrets d'État, apportant par là à de grands prêtres comme Pippard de l'eau à leur moulin. Il se hâta donc de parcourir la lettre. Quelle triste lecture ! Ça lui faisait mal. Mais il fut rassuré. Un fonctionnaire plus orthodoxe, un Pippard, aurait certainement trouvé beaucoup à y redire. Aussi obscure que fût la formulation, il était bien sûr imprudent de la part d'Alan d'évoquer ne serait-ce que l'existence de secrets, et surtout d'avouer qu'il avait échoué dans une mission, mais pour le reste, cette lettre n'était en rien en contravention avec les règlements des services de sécurité : si quelqu'un devait avoir honte, c'était Mulland et ceux qui l'avaient envoyé ici. *Il joue si mal la nonchalance qu'il rend les gens nerveux. Où l'ont-ils trouvé ?*

Oui, où ?

Farley n'aurait pas dû lui promettre quoi que ce soit. Non, non, Mulland devrait être chassé du GCHQ sur-le-champ – lui aussi d'ailleurs peut-être.

Il promena un regard las autour de la chambre. Il y avait quelques bouteilles de bière sur le rebord de la fenêtre, une valise avec un peu de vêtements et des livres par terre, ainsi que quelques verres, et le carnet sur la table de nuit, ce carnet au sujet duquel Mulland avait fait tant de bruit.

“Qu'en pensez-vous ? demanda le policier.

— De la lettre ? Elle m'attriste. C'était quelqu'un de bien, ce Turing. Nous l'avons mal traité.

— Était-il un grand penseur ?

— Sans aucun doute”, dit Farley d'un ton absent.

Il avait pris le carnet, le feuilletait à nouveau et très vaguement, du coin de l'œil, il remarqua que Corell s'illuminait, comme si Farley avait dit quelque chose de très réjouissant.

“Qu'est-ce qui en fait un ?

— Un quoi ?

— Un grand penseur ?

— Il…”

Farley découvrit le même nom que Mulland avait relevé dans le carnet. *Fredric Krause.*

“C'était un grave manque de jugement de votre part de conserver cette lettre, dit-il au lieu de s'étendre sur la grandeur de Turing.

— Vous allez en référer à mes supérieurs ?

— Non. Et vous ?" répondit-il sur un ton léger qu'il regretta aussitôt.

Il fallait qu'il arrête d'être doux et faible. Il fallait qu'il cesse de se laisser aveugler par sa sympathie pour le policier, surtout à présent qu'il avait découvert le nom de Fredric Krause dans le carnet de Corell. *Fredric Krause.* Farley eut une sensation inquiétante au ventre, non qu'il eût jamais soupçonné Krause d'être un élément peu fiable. Mais il s'était pointé devant le tribunal de Wilmslow, puis avait disparu. Pouvait-il avoir... ? Farley refusait de le croire. Non, non, et pourtant. Krause ne le lâchait plus. Il se souvenait du logicien, tard un soir, sous la lampe nue de la baraque huit, mais surtout – et ce avec une remarquable netteté – il se souvenait de Krause sur la pelouse, devant le manoir de Bletchley, ayant une discussion au sujet de lames de rasoir et de bas pour hommes avec Alan Turing. Le ton entre eux était taquin et léger, comme s'ils étaient vraiment très proches. C'était probablement juste avant l'arrivée des lingots d'argent à Bletchley.

34

Bletchley Park, II

D'un côté, les revers de la guerre ne semblaient pas toucher Alan Turing. Il avait une capacité unique à s'absorber dans sa concentration et il était d'une rare indifférence aux contingences extérieures. Mais par la suite, quand ses ennemis jaloux eurent obtenu leur revanche mesquine, Farley s'était demandé si le découragement ne s'était pas aussi infiltré chez Alan. Bien sûr, il le cachait derrière ses plaisanteries et sa bonne humeur. Il n'était pas du genre à se plaindre ouvertement. En revanche, il crachait un certain nombre de bizarreries :

"Si les Allemands débarquent, je me ferai marchand ambulant de lames de rasoir. Je vais en acheter tout un stock !

— Idée stupide ! Tu serais arrêté pour avoir fourgué des armes. Tu devrais plutôt miser sur les bas pour femmes, dit Fredric Krause, qui se tenait là.

— Plutôt des bas pour hommes !

— Pourquoi pas des bas pour femmes pour messieurs. Ça pourrait être une jolie mode. Göring en personne t'en achèterait sûrement une paire."

Turing s'éclaira et, avec Krause, ils continuèrent à forger des scénarios absurdes sur ce qu'ils feraient dans une Angleterre nazie. Il était difficile de distinguer le sérieux du canular. Farley ne les cernait bien ni l'un ni l'autre.

À ce moment, Turing avait fait l'acquisition de deux lingots d'argent pour deux cent cinquante livres. L'argent avait été livré à Bletchley en train et réceptionné en grande pompe. Au début, c'était assez incompréhensible, mais il s'avéra bientôt qu'Alan espérait vivre sur ces lingots.

"À quoi va te servir cet argent ? demanda Farley.

— Comme à n'importe quel capitaliste. À devenir riche."

L'argent était bien le cadet des soucis d'Alan Turing. Mais il pouvait développer des théories sur tout et n'importe quoi et avait apparemment entendu dire que l'argent et l'or étaient ce qui avait le plus augmenté pendant la dernière guerre, raison pour laquelle il comptait à présent enterrer ces lingots en forêt. Ils attendraient là et prendraient de la valeur, comme des graines en terre. Il ne voulait pas les avoir dans une banque. Les nazis se dépêcheraient évidemment de vider tous les coffres.

"Tu veux m'accompagner ?" dit-il.

Farley ne voulait pas. Il n'avait pas le temps. Et pourtant il accepta. Il avait l'ordre de surveiller comment allait leur star, aussi partirent-ils un beau jour dans les bois de Shenley avec les lingots chargés sur une vieille charrette de laitier. Ils passèrent devant Shenley Park, un beau salon de thé et deux vergers avant d'arriver à une clairière près d'un vieux sophora du Japon. L'endroit n'était pas fameux. Le sol était inégal et pierreux, et assez peu de lumière arrivait jusque-là. Le sophora donnait cependant à l'endroit une certaine solennité sombre et, comme ils n'avaient pas le courage de traîner plus loin la charrette, Alan Turing décida que ce serait là. Farley objecta que l'endroit serait difficile à retrouver. Les repères étaient peu nombreux, à part le sophora, qui ne durerait pas éternellement. Son tronc était déjà atteint. Mais Alan trouvait que ça ferait l'affaire. Il ne voulait pas se simplifier la vie, dit-il en soulignant que l'arbre leur survivrait sans doute à tous. Il était alors environ une heure de l'après-midi. C'était une belle journée un peu fraîche et, par terre, rampait un scarabée noir d'une taille peu ordinaire. "Regarde-le", dit Alan, sincèrement fasciné, l'air peu pressé de commencer son trou. Il s'assit sur la charrette de laitier.

"Tu ne veux pas te simplifier la vie, dit Farley.

— Ah non ?

— Tu disais…

— Ah oui… je voulais juste dire qu'un trésor sans chasse au trésor ne vaut pas grand-chose. Je n'ai pas envie d'enterrer mes lingots au coin de la maison. J'ai besoin d'un petit défi. Tu devrais comprendre ça, Oscar, toi qui parles toujours du récit… de la valeur du récit. Que serait le trésor de Monte-Cristo sans l'histoire de Dantès ? Rien qu'une vulgarité vide, non ?

— Je ne cracherais pourtant pas sur le trésor.

— Ha, ha. Mais admets avec moi que le vrai intérêt se trouve sur la carte du trésor. Le mystère vaut toujours plus que la solution du mystère.

— Tant qu'il ne s'agit pas des codes de la marine.

— Non, non !

— Content de l'entendre.

— Ne va pas essayer de retourner ça contre moi, espèce de farceur. J'essaie juste de dire que l'énigme possède une qualité que sa solution lui dérobe, aussi raffinée soit-elle. La réponse vole pour ainsi dire le désir de sa question.

— Je suis évidemment sur la même longueur d'onde, Alan. Yeats ne dit pas autre chose. S'il existe quelque chose de divin, cela réside dans la question, pas dans la réponse. Jolie formule, d'ailleurs : « Le mystère vaut toujours plus que la solution du mystère. » Est-ce pour ça que je trouve toujours les romans policiers amusants au début, mais toujours si tristes et prévisibles vers la fin ?

— N'est-ce pas ! Il y a toujours un terrible anticlimax. Je ne comprends pas que Wittgenstein en soit fou.

— Des polars ?

— Il les dévore. Il est même abonné au *Street & Smiths Detective Story Magazine*. Son appartement en est plein. C'est vraiment n'importe quoi. Il ne supporte pas Gödel, mais ça… d'ailleurs, son livre préféré s'intitule *Rendez-vous with Fear*. C'est écrit par un certain Norbert Davis. Je l'ai acheté pour voir ce que c'était, et je ne peux pas vraiment dire que ça m'ait plu, mais j'ai tout de suite compris que le héros était exactement comme Wittgenstein.

— Comment ça ?

— Tous les deux ne croient pas trop à la logique. Ils préfèrent attendre la bonne occasion pour tirer dans le mille et trouver la solution. Ils marchent à l'intuition et visent le point faible.

— Mais toi, tu n'es pas comme ça.

— Je crois davantage à la logique", rit Turing.

Farley ne comprenait pas ce qu'il y avait de si drôle.

"Pour moi, la logique est de la pure magie, comme disait Welchman. De la pure magie ! Ha, ha. Je ne crois pas en tout cas que ce soit une monture aussi raide que le prétend Wittgenstein. Je suis plutôt convaincu qu'elle peut nous amener loin, peut-être même jusqu'ici, dans cette clairière.

— Mais c'est le raisonnement, la quête, qui te fascine en premier lieu ?

— Je veux des réponses, comme tout un chacun, et je déteste quand les gens, comme les religieux, capitulent devant ce qui est difficile à comprendre, mais j'estime que l'effort de la recherche augmente la valeur de la trouvaille. Oui, au fond ça va de soi. Même Wittgenstein ne voulait pas avoir la solution de son énigme policière, abracadabra, page dix-neuf. Il voulait attendre et suer. Le degré de difficulté de la chasse contribue toujours à fixer le prix du trésor. Peut-être ne tirerai-je pas plus de mes lingots sur le marché de l'argent simplement parce que je les aurai enterrés, ni même parce que j'aurai chiffré la carte du trésor. Mais il arrive quelque chose à cet argent dès lors que je le cache, n'est-ce pas Oscar ? Il se voit conférer une valeur immatérielle.

— Une histoire.

— Exactement, et toi et moi en faisons partie. En plus…

— Quoi ?

— Il y a dès le début quelque chose qui décide de cette valeur. Je veux dire que celui qui a eu un certain type d'expérience tôt dans la vie a peut-être de plus grandes dispositions que d'autres à apprécier certains trésors. On peut par exemple supposer qu'une personne qui a un jour perdu quelque chose de profondément précieux…", dit-il avant de perdre le fil.

Son bégaiement revint mais, au bout d'un moment, il était clair qu'il parlait de lui, du moins en partie. C'était lui qui avait un jour subi une perte : son ami Christopher Morcom, qui fréquentait comme lui l'école privée de Sherborne. Alan disait qu'il vénérait le sol où Christopher marchait :

"En sa compagnie, tout devenait plus riche et meilleur. Avant de rencontrer Christopher, j'étais un cancre à l'école. Mon tuteur de Sherborne a écrit que mes devoirs étaient les plus bâclés et les plus nuls qu'il ait jamais vus.

— Tu avais la bosse des maths.

— Mais même en mathématiques je n'étais pas spécialement bon. Le proviseur a écrit à mes parents que j'étais asocial, et qu'il n'était pas certain que je puisse passer dans la classe supérieure. J'étais seul. Je ne m'entendais avec personne. Tu as remarqué que j'avais du mal à regarder les gens dans les yeux ? À l'époque, c'était pire encore. Mais j'ai alors vu Christopher, et je n'ai plus pu détacher mes yeux de lui. Il avait un an de plus que moi, et était si beau et fin que j'en avais des pincements dans tout le corps. Rien que ses mains… tu comprends, Oscar, alors que j'étais gauche et timide, Christopher était le phare de l'école. Il recevait des bourses et des prix, et je n'aurais jamais osé m'approcher de lui s'il ne s'était avéré que lui aussi avait la bosse des maths. Il adorait les mathématiques et les sciences, et avait des yeux extraordinaires – je veux dire, pas seulement magnifiques : il avait une vue fantastique. Il pouvait repérer Venus en plein jour, à l'œil nu. Je voulais lui ressembler. Christopher avait une lunette astronomique, et j'en ai voulu une moi aussi. Pour mon dix-septième anniversaire, j'ai eu un télescope et le livre d'Eddington sur les constellations. Christopher et moi sommes devenus comme ensorcelés par la voûte céleste. Nous avons visité un observatoire, nous nous sommes procuré un globe céleste. À cette période, une comète devait être visible dans le ciel et souvent, le soir, nous veillions pour la guetter, et je ressentais une telle excitation qu'il devait s'agir d'autre chose que la comète. Nous savions précisément où elle devait être visible, quelque part entre la constellation du Petit Cheval et celle du Dauphin. Nous étions extrêmement motivés, restions là des heures. Mais nous ne l'avons jamais vue ensemble. Chacun de notre côté, mais jamais ensemble. Un jour d'hiver, un chœur de jeunes garçons est venu en visite dans notre école. La musique ne m'a pas particulièrement touché, ça n'avait rien d'extraordinaire, rien du tout, mais tandis que j'étais là, en train d'écouter en regardant Christopher, mon cœur s'est serré et j'ai pensé : toi et moi, Christopher, nous allons beaucoup nous voir mais au fond… je ne peux pas l'expliquer… je craignais le contraire. J'ai eu peur. Ce soir-là, j'ai eu du mal à m'endormir. Je me retournais sans arrêt dans mon lit, j'ai regardé le ciel. C'était la pleine lune. Je sentais que j'allais veiller longtemps. Mais j'ai bien dû m'assoupir. Je me suis réveillé à trois heures du matin et j'ai entendu sonner la cloche du cloître. Au bout d'un moment, je me suis levé et approché de la fenêtre. J'étais venu là bien des nuits pour regarder la comète. Mais cette fois, je suis resté là à fixer la maison où logeait Christopher, et alors un sinistre pressentiment s'est emparé de moi. Je ne pourrai jamais l'expliquer. Le lendemain, Christopher n'était pas à l'école, le jour suivant non plus, et je suis allé me renseigner auprès de mon tuteur. J'ai reçu une réponse évasive. Quelques jours plus tard, un professeur est venu me voir un matin, et j'ai tout de suite su qu'il s'était passé quelque chose. « Prépare-toi au pire, dit-il. Christopher est mort. »

— Que s'était-il passé ? demanda Farley.

— Quand il était petit, il avait bu du lait infecté et avait eu des lésions internes. Christopher ne parlait jamais de sa maladie. En général, il ne disait rien qui puisse m'inquiéter ou me gêner. Mais cette nuit-là, alors que je regardais la pleine lune dans le dortoir, il est tombé malade et, cette fois, ne s'en est pas tiré. Il est mort dans un hôpital de Londres. Il était là, et une heure plus tard… Ça faisait terriblement mal. J'ai commencé à penser qu'en un sens Christopher vivait toujours. La religion, ça n'était pas ma tasse de thé. Je ne pouvais y trouver aucune consolation, je n'avais rien d'autre que la science et, petit garçon désemparé que j'étais, j'ai commencé à me concocter ma propre théorie. J'ai tout simplement grappillé quelques idées de physique quantique pour me forger une rêverie dans laquelle Christopher continuait à vivre, ailleurs. Ce n'était pas des idioties, mais monnaie courante, à l'époque. Tu le sais sûrement, Oscar : dès que la physique quantique a percé avec son principe d'incertitude, tous les charlots s'en sont emparés pour expliquer la vie et le libre arbitre. Aujourd'hui, je ne supporte plus ces modes où les gens se jettent sur les dernières idées scientifiques pour tenter de les appliquer à leur vie quotidienne. Mais une chose restera ancrée en moi. C'est l'idée que ce qu'on appelle l'âme ne peut être essentiellement différent du corps, ou d'ailleurs de l'univers. Nous sommes tous des morceaux de la même étoile en train d'exploser et, tout comme la matière inanimée est régie par des lois, le vivant doit l'être aussi. Il doit y avoir une structure, une logique.

— Et c'est ce que tu cherches ?

— Ha, ha. En tout cas, j'ai un peu commencé à m'y mettre.

— Et tout a commencé à la mort de Christopher Morcom ?

— Qui sait où les choses commencent ?

— Je sais en tout cas que le temps se gâte. Nous devrions rentrer."

Alan prit une pelle noire dans la charrette de laitier, et creusa un trou dans le sol caillouteux. Avec une sorte de gravité enjouée, il mit en terre les lingots, puis leva les yeux vers la cime des arbres et le ciel. Il recouvrit ensuite le trou d'herbe, comme s'il décorait une tombe.

"Repose en paix, dit Farley.

— Jusqu'à ce que je vienne te ressusciter", ajouta Alan.

Après la mise au rebut des plans de Ian Fleming, plus aucune bonne nouvelle n'arrivait et, souvent, la guerre semblait perdue. L'Europe était aux mains des nazis, et personne encore ne devinait que Hitler allait bientôt retourner ses forces vers l'est et l'Union soviétique, son alliée, se jetant dans une guerre sur deux fronts, et qu'au lieu de se faire aider par les Japonais sur le front de l'Est, il les laisserait se livrer à leur folie de conquêtes et entraîner les États-Unis dans la guerre. On savait seulement que les nazis dominaient le continent et la mer, et que sans les livres de code, il serait impossible de percer le système Enigma de la marine et, par là, de gagner la guerre de l'Atlantique.

L'hiver fut froid et rien ne se passa. Puis arriva la nouvelle : l'opération Claymore semblait un succès. Claymore était un groupe de cinq destroyers britanniques, sur la côte nord de la Norvège, chargés de la mission secrète de s'emparer d'un équipement de codage allemand. L'un des navires, l'*HMS Somali*, juste après six heures du matin le 4 mars, par temps de brume, non loin de Svolvær, avait repéré un chalutier allemand armé, le *Krebs*, et avait ouvert le feu. On ne savait pas exactement ce qui s'était passé, mais l'anglais avait rapidement mis le chalutier hors de combat, ce qui, en temps normal, aurait été largement suffisant mais, en l'occurrence, n'était même pas la moitié du travail. Farley ne savait que trop bien qu'en pareille situation la plupart des commandants choisissaient de couler le navire plutôt que de l'aborder, ce qui était aussi une des raisons pour lesquelles si peu de documents de codage étaient parvenus à Bletchley. D'après ce qu'avait compris Farley, ce capitaine non plus ne voulait pas aller à l'abordage du chalutier. Mais un radio, un certain lieutenant Warmington, avait insisté, le capitaine avait fini par céder, et son équipage était monté à bord du chalutier arme au poing. Ce qui s'était vraiment passé n'était pas entièrement clair, sinon que le lieutenant Warmington avait mis la main, dans la cabine du capitaine allemand, sur un document comportant des titres comme *Innere Einstellung, Äußere Einstellung* et *Steckerverbindung*, ce qui sonnait bien, indéniablement. Cela ressemblait à des clés de configuration, même si le rapport comportait aussi quelques réserves. Le capitaine allemand semblait avoir eu le temps de détruire une partie du matériel.

Ces documents devaient arriver à Bletchley d'ici à quelques jours, et pouvaient signifier une percée. Ou une nouvelle déception. Farley se souvenait être remonté de l'étang vers le manoir à la recherche de Turing. "Essaie la cantine", dit Peter Twinn. Oscar n'avait pas envie. Il évitait la cantine, sauf pour manger. Mais il y alla quand même, et plongea dans une affreuse odeur de chou, de poisson bouilli et de quelque chose qui rappelait la crème à la vanille. Alan était en effet là, en train de triturer une patate pâle noyée dans une graisse jaune figée et, de loin, il semblait dormir les yeux ouverts. Ses joues étaient grises. Il semblait épuisé : il ne chassait que d'une main lasse la fumée de cigarette qui lui arrivait des deux côtés et, à contrecœur, Farley devina qu'il y avait peut-être du vrai dans la rumeur selon laquelle il était en train de se tuer au travail.

Quand Farley l'appela et lui apprit qu'ils avaient peut-être trouvé ses clés de configuration, il se passa quelque chose d'étrange sur ce visage. Il ne fit pas que reprendre des couleurs. Il rajeunit. Il se mit à briller, comme là-bas, dans la forêt de

Shenley, et Farley considéra comme de son devoir d'ajouter en sourdine, avec une grave sobriété :

"Mais je crains hélas que la plus grande partie des documents n'ait été perdue."

Il ne voulait pas donner trop d'espoir à Alan. Il estimait que le mathématicien se trouvait dans un de ces états d'excitation nerveuse qui en un rien de temps et à la moindre contrariété pouvaient tourner à l'apathie ou à l'effondrement. Mais en y repensant après coup, Oscar Farley comprit que c'était là le moment où Alan était parti vers son grand triomphe, celui qui devait les aider à gagner cette maudite guerre.

35

Oscar Farley détestait la paranoïa des temps nouveaux. Quelque part, il savait pourtant qu'il était impossible de faire son travail sans une certaine dose de cette maladie : autant il pestait contre ce qu'il interprétait chez ses collègues comme un excès de méfiance, autant il redoutait de ne pas pousser assez loin son scepticisme. Il était analytique et empathique. Il n'avait aucun mal à déceler les lacunes et les inconséquences dans les récits. Ancien spécialiste de littérature, il identifiait facilement tous les petits signes d'invraisemblance et remarquait rapidement quand les gens manquaient de connaissances. Mais peut-être Oscar Farley était-il malgré tout mauvais pour démasquer les menteurs vraiment patentés, ceux qui mentaient avec la même légèreté que s'ils disaient la vérité. C'était comme quand, enfant, il lisait de bons romans et refusait de croire qu'ils étaient inventés. Comment quelque chose qui produisait en lui des images aussi nettes pouvait-il être feint ?

Oscar Farley avait besoin d'un nuage pour redouter la pluie, et sans doute était-il également bien trop enclin à aimer les gens, surtout s'ils étaient jeunes, doués et couverts de bleus. Un instant, il s'était réellement demandé si le GCHQ ne devrait pas recruter Corell, et ce non pas uniquement parce que cela aurait été une façon simple de s'assurer que ce que le policier avait appris au sujet de Bletchley Park resterait dans la maison. Il pensait que Corell aurait pu être utile. Son jugement lui avait fait défaut, certes – il y avait quelque chose de donquichottesque dans son équipée de Cambridge –, et il prenait de trop gros risques, mais sa capacité de raisonnement paraissait impressionnante. Depuis la défection de Burgess et de Maclean, les critères de recrutement au sein des services de renseignements avaient été discutés. Estimer, comme jadis le MI6, qu'un solide ancrage dans les classes supérieures et un passage par Eton et Oxford suffisaient n'était plus valable. Une origine sociale favorisée n'était plus considérée comme une garantie de loyauté, plutôt le contraire. Les classes supérieures semblaient engendrer d'arrogants libertins, et ils avaient commencé à engager des personnes issues d'autres classes de la société, en se basant plus simplement sur le talent et la fiabilité. Pourquoi donc ne pas essayer avec Corell ?

En premier lieu, justement, parce que sa fiabilité laissait à désirer, et que Pippard et quelques autres auraient vivement protesté. Non, réalisa Farley, plutôt que d'être impressionné par la capacité de raisonnement du policier, il pourrait la considérer comme *trop* bonne – signe que quelque chose clochait par ailleurs. Présenté en détail, le récit de Corell semblait peut-être digne de foi, mais en mettant le tout bout à bout, n'avait-on pas dans l'ensemble une autre impression ? Presque *a priori*, le policier serait à force de raisonnement parvenu jusqu'à Bletchley Park et aux *bombes* de Turing ? Certes, ses conclusions étaient plausibles. Elles étaient parfaitement logiques, bien sûr. Mais peut-être qu'en les acceptant Farley avait réagi à peu près comme lorsqu'on entend parler de découvertes et d'inventions anciennes : les conclusions ne semblent pas si extraordinaires, après tout, puisqu'on connaît déjà la réponse. On ne mesure pas combien c'était difficile, puisqu'on tient la solution en main. Était-il malgré tout possible que Fredric Krause ait fuité ? Était-ce lui qui était derrière les conclusions du policier ?

Farley n'arrivait pas à comprendre sa motivation. À Bletchley, Krause jouissait d'une bonne réputation et Farley savait que de vastes contrôles de sécurité avaient été effectués avant que le logicien ne devienne citoyen britannique, au début de la guerre, en grande partie parce qu'il bénéficiait des plus chaudes recommandations d'Alan Turing, et était considéré comme pouvant être un élément important dans le travail cryptologique. Avec son regard toujours méfiant, Pippard avait sans doute mis en avant l'ancienne nationalité de Krause comme un facteur de risque – n'avait-il pas même souligné que l'Autriche était le pays natal de Hitler ? – mais par ailleurs, Farley ne se rappelait pas que la loyauté de Krause eût été une seule fois remise en cause. Y avait-il malgré tout quelque chose ?

Farley se souvenait d'avoir entendu Krause dire quelque chose comme : "Trop de patriotisme aveugle la pensée, et ce dont un pays a réellement besoin, c'est de personnes qui l'observent sans les opinions préconçues de l'amour" – mais c'était le genre de phrase que tout le monde pouvait lâcher, à l'époque. C'était avant que la guerre froide ne répandît son poison dans les esprits. Non, non, s'il y avait là quelque chose, il fallait le chercher dans l'admiration de Krause pour Turing et sa colère quand les détracteurs d'Alan se répandaient sur lui.

Le logicien avait-il fuité pour venger les injustices infligées à Turing ? Ne voulait-il plus être loyal envers un pays qui traitait ses héros de cette façon ? Et dans ce cas, auprès de qui, à part Corell, avait-il fuité ? Farley regarda le policier, ses yeux qui paraissaient si petits sous ses hématomes bleu-noir, et lui donna encore de l'eau. "Là, là, dit-il. Buvez plus !" Il alla mouiller une serviette et, très précautionneusement, lava ses plaies. C'était bon de s'occuper à quelque chose. Cela calmait son inquiétude et l'aidait à se sentir lui-même moins misérable.

"Merci, dit Corell.

— Nous devrions peut-être laisser tomber les titres. Je suis Oscar.

— Leonard.

— Bonjour, Leonard. C'est si curieux. Je vois ton père en toi. Tu es jeune, mais tu me rappelles les temps anciens.

— Tu l'aimais bien ?

— Oui. Je n'ai jamais entendu un conteur comme lui, je veux dire avant de te rencontrer, bien sûr…

— Là, tu exagères.

— Pas beaucoup, en tout cas.

— Papa disait toujours que je racontais bien. Mais depuis, je n'ai plus entendu personne le dire.

— Tu vas l'entendre à nouveau. Sois-en sûr. Parfois, tu racontes même un peu trop bien.

— Comment ça ?

— Tu omets ceci ou cela.

— C'est faux.

— C'est ton carnet ?

— Oui.

— Tu y as souligné à deux reprises le nom de Fredric Krause, et pour être franc, cela m'inquiète.

— Krause en était aussi, pendant la guerre, n'est-ce pas ?

— Je crois vraiment que c'est mon tour de poser les questions.

— Euh, oui…"

*

Corell fut ravi quand ils se mirent à se tutoyer, et il aima s'entendre dire qu'il racontait bien. Il le prit comme le signe que le danger était passé, que Farley et lui pouvaient à présent se consacrer à mieux faire connaissance. Il aurait voulu l'interroger sur sa carrière et sur ses recherches littéraires à Cambridge, sur ses lectures favorites. Mais l'attaque surgit de nulle part et une tout autre vérité s'imposa : ces amabilités ne servaient qu'à le ramollir et il baissa la garde. En une seconde, il se sentit anéanti. Quelle invraisemblable bêtise de ne pas avoir parlé de sa soirée au pub à Wilmslow.

"Que t'a raconté Krause ?

— Rien.

— Rien ?

— Ou beaucoup de choses, je veux dire. Il m'a parlé de la crise des mathématiques et du paradoxe du menteur, de Gödel et de Hilbert. Il m'a raconté le contexte de la parution de *Computable Numbers*.

— Mais rien sur la guerre ?

— Pas un mot. J'ai même remarqué qu'il changeait de sujet et devenait nerveux dès que nous abordions la question.

— Où vous êtes-vous vus ?"

Corell raconta. Il rendit compte de cette rencontre de la façon la plus détaillée qu'il le pût et dit – ce qu'il pensait être la vérité – qu'il avait omis de mentionner Krause pour se mettre lui-même en avant. Il avait voulu s'approprier le raisonnement de Krause sur le paradoxe du menteur. C'était mesquin et stupide, il l'avouait, mais le logicien n'avait pas fuité, absolument pas, il ne fallait pas que cela lui fît de l'ombre, non, non : "Ne le mêlez pas à tout ça.

— C'est toi-même qui l'y as mêlé en l'omettant.

— J'ai été idiot.

— Compense, alors. Donne-moi une seule bonne raison pour laquelle, tout d'un coup, vous passez toute une soirée ensemble ?"

Corell répondit quelque chose comme : "On a passé un bon moment, c'est tout", mais il se sentait si abattu qu'il se demandait vraiment pourquoi quiconque pourrait vouloir passer une soirée avec une personne comme lui.

*

Farley vit le visage du policier se défaire. Il vit ses paupières cligner et sa main passer sur son front, et se rappela Alan Turing, la dernière fois, à Cheltenham. C'était tellement désolant d'enfoncer un coin dans la confiance en soi de quelqu'un ; ça lui faisait toujours de la peine de moucher l'enthousiasme des gens, et il baissa les yeux sur ses mains, ses mains curieusement âgées qui, sans qu'il le remarque, étaient devenues si vieilles et fragiles. Quand cela avait-il eu lieu ? Il regarda la ville au-dehors, et essaya de redresser son dos.

"Krause semblait se complaire à être pédagogue, dit Corell. Je crois qu'il voulait tout simplement m'éduquer." Farley soupesa ces mots. Était-ce une explication plausible ? Un disciple assoiffé de connaissances qui allait boire des bières avec quelqu'un qui s'imaginait être son professeur ? Il était vrai que Krause aimait parler et vulgariser. Il avait la réputation d'être un bon conférencier et Farley se rappelait une fois où, dans la baraque quatre, Krause avait brillamment déversé sa bile sur le vieil Hegel, et Krause était en effet curieux quand il s'agissait de Turing. L'histoire de Corell pouvait être exacte. Mais elle pouvait tout aussi bien être du baratin. D'une voix qu'il ne parvint à rendre sévère qu'au prix d'un effort intérieur, il dit :

"Comme tu le comprends, nous allons immédiatement entendre Fredric Krause. Ça se présenterait très mal si tu nous cachais encore quelque chose.

— Je ne cache rien.

— Confirme donc encore une fois que Krause n'a rien dit de ce sur quoi il travaillait pendant la guerre.

— Il n'a rien dit… enfin, si… une chose…"

C'est là que tu te mets à table ?

"… nous parlions de Wittgenstein, qui ne croyait pas que le paradoxe du menteur ait une importance hors du champ de la stricte logique, et Krause a alors déclaré : « Wittgenstein avait sacrément tort. Alan, plus qu'un autre, savait… »

— Quoi ? s'impatienta Farley.

— « … que les paradoxes pouvaient être une question de vie ou de mort. »

— Il n'a rien dit d'autre ?

— Non, il a ensuite changé de sujet. En général, il n'a jamais mentionné la guerre. Mais ça m'a fait commencer à me poser des questions. Comment des paradoxes peuvent-ils être une question de vie ou de mort ?

— On peut bien se le demander", dit Farley en sentant qu'involontairement il souriait à nouveau.

36

Bletchley Park, III

Par la suite, quand Oscar Farley regarda en arrière en se demandant comment les choses avaient pu si mal tourner, il essaya de se rappeler s'il y avait un moment précis, un point où la percée avait eu lieu à Bletchley. Il n'en trouva pas. Le triomphe ne s'était pas produit comme un but au football. Il était arrivé graduellement, chaque avancée étant tellement marquée par de nouveaux problèmes que la joie leur échappait, ou du moins ne s'accompagnait pas de tambours et trompettes et, en tout état de cause, il était rare qu'ils eussent le temps de pavoiser. Ils travaillaient dur, et Farley se rappelait surtout l'inquiétude et l'attente, d'abord de l'arrivée des documents saisis à bord du chalutier allemand, puis du travail des analystes et des bombes électromécaniques. Il se souvenait très bien des plaintes et de l'irritation : "Pourquoi diable ne se passe-t-il rien ? Que fabrique Alan ?" Mais ce n'était pas facile. C'était plutôt un petit miracle qu'ils fussent déjà arrivés si loin.

Quand le matériel arriva, le 12 mars 1941, Alan Turing comprit aussitôt qu'il en aurait fallu davantage. Le capitaine du chalutier allemand avait effectivement détruit la plus grande partie du livre de code, et l'amiral Jack Tovey avait reproché à juste titre aux officiers de l'opération Claymore de ne pas avoir pris davantage de risques en fouillant aussi d'autres bateaux. Mais il était trop tard pour avoir raison, et la baraque huit n'en était pas plus avancée. Farley ne pouvait que prier un Dieu auquel il ne croyait pas et tenter de faire patienter l'Amirauté en assurant qu'Alan et ses collègues faisaient tout ce qu'ils pouvaient.

"Il paraît qu'il est négligent.

— Peut-être dans la vie quotidienne, mais pas pour les choses importantes. S'il y a quelqu'un qui peut réussir cela, c'est Alan.

— Mais nous avons entendu dire que…

— Je vous le promets. Ça va marcher", coupait-il avec un goût fade sur la langue.

Mais il voulait leur donner espoir. Des rapports pessimistes ne pouvaient provoquer que des changements idiots, et la baraque huit avait besoin de travailler en paix. C'était une époque désespérée. À chaque souffle, entre chaque ligne échangée avec Londres, on sentait combien une percée était attendue, et il n'était pas difficile de comprendre pourquoi. Ce printemps-là, la flotte des sous-marins allemands grandissait plus vite que jamais et, pour ne rien arranger, elle pouvait désormais utiliser les ports français sur la mer du Nord. Farley se rappelait une brève conversation avec un certain commandant Glyver à Bletchley.

"Comment c'est, là-bas ?

— Comme nager parmi les requins."

Tout le monde était convaincu que les violents bombardements des grandes villes anglaises et les attaques permanentes contre les navires britanniques n'étaient que les préparatifs d'une invasion nazie, et il arrivait qu'on hurlât sur Farley :

"Nom de Dieu, ils n'ont pas encore cassé ce maudit système ?"

Mais il était impossible de casser le système une fois pour toutes. Comme la configuration des machines Enigma était changée chaque nuit, il leur fallait chaque matin recommencer, et les progrès tardaient. Ils tardaient à n'en plus finir : certes, ils parvenaient à décoder un message ici ou là, mais toujours trop tard. L'inquiétude et l'irritation croissaient : "Des gens meurent pendant qu'ils s'amusent avec leurs foutues mathématiques. Pourquoi ne se passe-t-il rien ?" Pourtant, il se passait beaucoup de choses. Les méthodes d'Alan Turing pour mécaniser les hypothèses et évaluer les probabilités étaient rendues chaque jour plus efficaces. Depuis qu'il avait construit ses bombes, il avait compris qu'il existait une relation géométrique entre l'antisèche et le texte chiffré, et il devint de plus en plus habile à nourrir ses machines avec les contradictions et les paradoxes de cette relation. En outre, lui et ses collègues réussirent à reconstruire ce qu'on appelait les tables de digrammes des machines Enigma. De plus en plus de télégrammes pouvaient ainsi être décodés, bientôt avec seulement trois jours de délai, par exemple l'un d'eux émanant de l'amiral Dönitz, l'architecte de l'offensive sous-marine nazie :

```
L'amiral ordonne aux U-Boot :
Les escortes d'U69 et U107 doivent être au
point 2 le 1er mars à 8 heures du matin.
```

Malheureusement, il avait été décodé trop tard et personne ne savait ce qu'était ce *point 2*. D'innombrables problèmes demeuraient. Mais c'était un début. Cela donnait de l'espoir. Cela augmentait la connaissance du système et, s'il y avait malgré tout un point où Farley s'était dit : ça va marcher, ce fut un soir, juste avant le couvre-feu. Il était dans le bureau de liaison de la baraque quatre, sur une de ces vilaines chaises pliantes en bois, en train de discuter avec Julius Pippard du profil sécuritaire des mathématiciens nouvellement débarqués. Il arrivait sans cesse de nouveaux collaborateurs à Bletchley Park. Tous devaient signer une clause solennelle de confidentialité, et étaient menacés de prison s'ils laissaient fuiter un seul mot. Mais, comparés à ce qui devait suivre après la guerre, ces contrôles de sécurité restaient assez légers, surtout parce qu'ils y étaient contraints et forcés. Ils avaient besoin de tous les cerveaux disponibles. C'était aussi l'époque qui le voulait : on faisait confiance aux gens.

Cependant, un changement avait eu lieu dans la doctrine sécuritaire. Autant que les sympathies de gauche, on surveillait à présent les penchants vers les mouvements d'extrême droite : parmi les nouvelles recrues, certaines étaient-elles susceptibles de collaborer avec les nazis lors d'une invasion ? Comme beaucoup à l'aile droite, Pippard avait du mal à se faire à ce changement de ligne. Il préférait continuer à surveiller les déviants sexuels et autres "éléments peu fiables", pouvant faire l'objet de chantage ou vendre leur pays pour leur intérêt personnel.

"Les cyniques m'inquiètent davantage que ceux qui ont des convictions idéologiques", dit-il. Farley lui répondit calmement que c'étaient des conneries, mais sans y mettre beaucoup d'ardeur, et il fut soulagé par l'arrivée de Frank Birch, qui les interrompit.

Frank Birch avait pu pester contre Turing et Peter Twinn, dénoncer leurs extravagances mathématiques et dire toutes sortes d'idioties sous le coup de l'énervement, mais ce n'était pas un si mauvais bougre qu'il ne pût changer d'avis, et on pouvait dire de lui ce qu'on voulait : même en colère et cassant, il était plus amusant que la plupart. On le remarquait et, ce soir-là, quand il entra dans la pièce avec son imperméable et son chapeau de feutre cabossé, il attira aussitôt l'attention.

"Regardez ça", dit-il en agitant vivement un message décodé et traduit provenant de la baraque huit, que Farley lui prit aussitôt des mains et parcourut pour s'assurer qu'il ne contenait pas de mauvaises nouvelles.

Juste après, il sourit. Tout son visage se fendit, comme s'il venait d'entendre une blague particulièrement réussie. Le télégramme était le suivant :

```
De : Commandement en chef marine

La campagne sous-marine implique de restrein-
dre considérablement le nombre de personnes
autorisées à lire nos transmissions. Une fois
encore, j'interdis à toutes les autorités qui
n'en ont pas reçu l'ordre de la division des
opérations ou de l'amiral commandant de se
caler sur la fréquence opérationnelle des
sous-marins. Je considérerai toute transgres-
sion de cet ordre comme un acte criminel com-
promettant la sécurité nationale.
```

"Qu'est-ce que tu en dis ? demanda Birch avec du triomphe dans la voix. Nous sommes-nous rendus coupables d'une transgression ?

— Il semblerait.

— Alors les Allemands vont être fâchés contre nous ?

— Il y a un risque."

Farley éclata de rire, et cela faisait longtemps. Peu après, il apprit qu'un message du Führer lui-même avait été décodé, finissant par les mots :

```
Écrasez l'Angleterre !
```

Cette dernière phrase n'était pas particulièrement rassurante, mais le seul fait qu'ils puissent la lire rendait sa réalisation moins probable. Ils déchiffraient les communications de plus en plus vite et, bientôt, cela commença à faire une vraie différence. Un tournant décisif eut lieu quand Turing et ses collègues découvrirent que quelques vieux rapports ennuyeux émis par des navires météo, au nord de l'Islande, n'avaient pas été envoyés avec les codes Enigma de la marine, mais avec un système plus simple. Cette découverte n'était pas que d'un pur intérêt cryptographique, mais entraîna de nouveaux plans d'action dans la guerre réelle. La marine britannique comprit l'intérêt de s'emparer par ce biais des livres de code. Une nouvelle opération permit d'arraisonner les navires météo *München* et *Lauerburg*, ce qui fournit à Bletchley un matériel nouveau et, vers le mois de mai, les officiers de renseignements de la marine purent lire les communications nazies à livre ouvert.

Impossible de sous-estimer ce que cela signifiait : désormais, la flotte britannique avait la possibilité de répliquer. Les convois de ravitaillement vers l'Angleterre pouvaient se faufiler entre les sous-marins allemands. Courant juillet, les pertes maritimes britanniques passèrent au-dessous des cent mille tonnes pour la première fois depuis 1940. L'avenir semblait plus lumineux. L'envoi par les Allemands d'une grande partie de leur flotte en Méditerranée y contribuait naturellement, pour ne pas parler de la nouvelle imprévue : Hitler avait rompu le pacte Ribbentrop-Molotov, et attaqué l'Union soviétique. L'invasion de l'Angleterre ne semblait plus à l'ordre du jour, et Farley devinait que même ceux, à Bletchley, qui ne savaient rien des succès de la baraque huit comprenaient malgré tout que quelque chose s'était passé.

L'ambiance s'éclaira et les quotidiens publiaient de moins en moins d'articles sur des marins anglais morts de froid ou noyés.

Tous les problèmes n'avaient pas disparu pour autant. Décoder l'Enigma marine était comme commencer chaque jour une nouvelle partie de poker. Il fallait sans cesse deviner et bluffer, se poser de nouvelles questions, par exemple : comment utiliser cette masse d'informations. Évidemment, il fallait tirer profit des messages déchiffrés. Cela pouvait sauver des vies tous les jours. Mais si on les utilisait trop, les Allemands risquaient de se douter que le code de la marine avait été déchiffré, et compliqueraient encore le système : du jour au lendemain, les décodeurs se retrouveraient à la case départ, dans le noir. Évidemment, aucun des responsables de Bletchley n'ignorait cette problématique. Chaque succès cryptologique pouvait ainsi provoquer une nouvelle défaite et souvent, déjà, la décision avait été prise de sacrifier des vies et du matériel pour ne pas dévoiler que les communications étaient déchiffrées. Ce n'était pas non plus la première fois que des manœuvres de diversion étaient mises en scène pour laisser croire que des informations avaient été obtenues par des méthodes d'espionnage plus traditionnelles. Mais jamais jusqu'alors la situation n'avait été aussi sensible, et jamais la prudence aussi grande, ce qui provoquait beaucoup de frustration. Un soir, tard, Farley parcourait le long couloir de la baraque huit, au parquet grinçant, absorbé par le vacarme des machines qui passait à travers les fines cloisons.

"Salut, Oscar !"

Derrière lui, par l'une des portes latérales, à peine éclairé par la lueur brune des ampoules nues qui pendaient du plafond, Fredric Krause passait la tête, lui qui devait treize ans plus tard causer tant d'inquiétude à Farley. Fredric Krause possédait une rare combinaison de sociabilité et de timidité. Il était plus ouvert et accessible que son ami Alan, mais avait lui aussi un côté fuyant. On racontait qu'il souffrait de synesthésie, qu'il voyait des couleurs en pensant aux chiffres, et que les nombres formaient des images kaléidoscopiques dans son esprit.

"Salut Fredric, comment ça va ?

— Bof !

— Crevé ?

— Pas trop. Je peux te poser une question ?

— Bien sûr.

— Avons-nous attaqué les sous-marins à Bishop Rock ?"

Farley connaissait la réponse. Mais devait-il la dire ? La vérité n'était pas toujours bonne à dire, surtout pour ceux qui trimaient jour et nuit et étaient encore jeunes et enthousiastes. Il pensa donc marmonner quelque chose comme : "Mais oui, bien sûr", mais Krause semblait lire en lui.

"Non, dit-il.

— Et notre convoi ?

— Nous avons dû le sacrifier. Je suis désolé, Fredric.

— À quoi ça rime de…", commença l'Autrichien, mais il ne finit pas sa phrase, ce n'était pas la peine.

On voyait combien il était déçu, et Farley envisagea de lui poser la main sur l'épaule. Il se contenta de dire : "C'est une sale guerre", et il le pensait vraiment. Bien sûr, ils avaient prévenu les commandants des navires de transport de la zone, mais cela n'avait pas suffi, car l'Amirauté avait refusé l'envoi de destroyers pour attaquer les sous-marins allemands. On craignait d'avoir déjà abusé des informations décodées. Des signes nombreux indiquaient que les Allemands commençaient à se douter de quelque chose, aussi avait-on sacrifié le convoi. Un moindre mal : c'était le cynisme permanent de la guerre.

Pourtant, longtemps, on se demanda si c'était suffisant. Beaucoup, à Bletchley, cet été-là, étaient convaincus que ce n'était qu'une question de temps avant que l'ennemi n'ait connaissance de leurs succès, et il y avait des indices de soupçons au sein du haut commandement allemand. Comment aurait-il pu en être autrement ? Il devait bien y avoir une façon d'expliquer pourquoi les Anglais étaient tout d'un coup devenus si habiles à échapper aux sous-marins nazis. Heureusement – comme il s'avéra par la suite – la paranoïa des nazis se trompait de cible. Ils semblaient croire le système Enigma de la marine inviolable, ce qui n'était pas une conclusion déraisonnable. Comment les nazis auraient-ils pu soupçonner que l'Angleterre disposait d'hommes comme Turing ? Au lieu de perfectionner les machines Enigma, ils exécutaient leurs propres officiers, et l'OIC comme le MI6 firent de leur mieux pour contribuer à cette erreur. On répandit de fausses rumeurs sur la présence d'espions dans les rangs nazis, ce qui sembla longtemps couronné de succès. Bletchley conserva un contrôle stupéfiant sur les manœuvres maritimes allemandes. L'Amirauté connaissait presque aussi bien que les Allemands la position des sous-marins : chaque jour, l'étoile d'Alan Turing montait, du moins parmi le peu de personnes au courant.

Le travail industriel continua selon ses principes, et sa présence n'étant plus aussi nécessaire, il eut plus de temps pour s'adonner à ses marottes : la mécanisation du jeu d'échecs et ses théories sur les mathématiques du monde végétal. Il était dans son monde. Dès lors, peu importait qu'il fût sur une île déserte ou dans un château : Farley se souvenait que Turing était un des rares à ne jamais se plaindre de la nourriture ou de l'absence de permissions. Il semblait même heureux, mais sachant ce qui allait suivre, il n'aurait pas été difficile de voir les nuages menaçants déjà s'accumuler. Aucun original comme lui ne pouvait non plus recevoir impunément la confiance de Churchill.

Cette histoire était en elle-même un drame. Au manoir, seuls quelques initiés savaient que le Premier ministre viendrait visiter Bletchley Park pour encourager le personnel et le féliciter de ses succès avec le code Enigma de la marine. Normalement, une telle visite n'aurait dû susciter que l'enthousiasme. Mais cette visite coïncida avec une dispute concernant les ressources de la baraque huit. Farley ne comprenait pas ce remue-ménage. Pourquoi n'obtenaient-ils pas tout de suite ce qu'ils demandaient ? Les responsables savaient pourtant combien était vital le travail de la baraque huit. Mais rien ne se passait. Alan et ses collègues réclamaient plus de personnel, plus de machines, mais tout était si étrangement lent, sans qu'il fût vraiment possible de pointer des responsabilités. L'organisation semblait sclérosée et, à vrai dire, Alan ne valait pas grand-chose comme négociateur. Il ne comprenait rien ni aux bureaucrates, ni aux hiérarchies, ni au fait que certaines personnes bloquent toujours tout sans jamais rien faire, et c'est presque avec joie qu'il céda la direction de la baraque à Hugh Alexander.

Bien sûr, Alan n'y coupa pas pour autant. Il était la grande star de Bletchley, et peu de choses semblaient autant fasciner Winston Churchill que les services de renseignements et l'analyse cryptographique : le Premier ministre suivait donc de près le travail de Bletchley. Au début de la guerre, il voulait lire le moindre mot déchiffré là-bas mais, quand le matériel commença à arriver par caisses et cartons entiers, il y renonça et se contenta des synthèses quotidiennes.

Farley se souvenait de l'attente, ce 6 septembre 1941 : des rares initiés qui battaient la semelle près des guérites de la clôture, puis des voitures entrant une à une, et enfin de la portière qui s'ouvrit. La célébrité et le pouvoir sont une étrange chose, n'est-ce pas ? Farley ressentait une pointe d'humiliation. Il trouvait indigne d'être à ce point influencé. C'était comme si on le tirait vers le sol, comme si la gravité voulait lui faire faire des courbettes et, instantanément, il crut entendre un commentaire d'actualités cinématographiques : *D'un pas décidé, le Premier ministre inspecte...* Une impression irréelle s'empara de tout Bletchley quand Churchill descendit de voiture avec son gros ventre et sa redingote cintrée. Il était sa propre caricature. Il avait même son cigare. Il regarda autour de lui d'un air sombre et amusé puis dit quelque chose que Farley n'entendit pas mais qui fit rire tout le monde, lui compris. Il sourit alors qu'il n'avait pas saisi un traître mot. Tout autour de lui, les gens ne tenaient pas en place. On se pressait autour du Premier ministre pour le saluer nerveusement, puis toute la troupe se mit à traverser la pelouse, dépassant une foule d'auxiliaires féminines de la Royal Navy, de secrétaires, d'ingénieurs militaires et d'universitaires. Partout, on tressaillait en l'apercevant : *N'est-ce pas... ?* Une solennité se propageait dans l'air et interrompait comme un incendie la routine quotidienne du domaine. Les gens s'arrêtaient le pied en l'air, soudain conscients de leur corps. Farley, lui, se détendit peu à peu et parvint à observer la situation avec plus de sobriété. C'était un des premiers jours d'automne, avec des touches de jaune dans les feuillages et des corbeaux qui planaient dans l'air. Des rouges-gorges picoraient des miettes du côté de l'écurie et un curieux ballet se déroulait tout autour de lui. Tous voulaient répondre aux questions du Premier ministre et avoir le privilège de le regarder dans les yeux – pour ne pas avoir l'air aussi idiot que les autres, Farley restait en retrait – mais il y avait aussi dans l'air une gêne croissante. Comme s'ils recevaient un invité de choix avant d'avoir eu le temps de terminer le ménage.

Comme peu avaient été informés à l'avance, pour des raisons de sécurité, personne ne s'était mis sur son trente et un pour l'occasion, non que Farley pensât que Churchill s'en souciât. Il se contentait de tirer sur son cigare en puant l'alcool et en dégageant une impression de résolution brouillonne. Mais le chaos qui régnait dans la baraque huit désolait visiblement le commandant Edmund Travis, responsable de Bletchley. Le Premier ministre ne parvint même pas à ouvrir la porte d'entrée. Il poussa de son embonpoint, mais quelqu'un était assis à l'intérieur, adossé au chambranle. Au moment où le reste de la troupe choisissait une autre porte, Churchill parvint à entrer et trébucha sur Hugh Alexander. Hugh classait des documents, assis par terre – les chaises ne manquaient pourtant pas. Hugh se leva bien sûr d'un bond en voyant qui était là, mais il ne put cacher les papiers en désordre dans la pièce ni les corbeilles débordantes portant la grave inscription : *Déchets confidentiels*. Churchill s'adapta cependant bien vite à la situation et se fendit d'un sourire entendu en reconnaissant à qui il avait affaire.

"Vous trouvez encore le temps de jouer aux échecs ?

— Malheureusement non, sir.

— Ce n'est pas vraiment une époque pour s'amuser. Maudit Hitler. Où puis-je trouver le jeune homme aux machines ?

— Vous voulez dire le Dr Turing, monsieur le Premier ministre ?"

Certains auraient certainement souhaité que Churchill ne posât pas la question, ou même qu'Alan ne fût pas à son poste. Mais toute la délégation se dirigea bien sûr vers le bureau de Turing, tandis que plus d'un priait pour qu'il soit présentable. Dans son empressement, Edmund Travis oublia de frapper avant d'entrer. Il le regretta aussitôt. Renversé au fond de son fauteuil, Alan tricotait. Ce drôle d'oiseau, qui ne s'était pas rasé et n'avait assurément pas non plus touché un peigne de la semaine, travaillait à ce qui semblait être une longue écharpe bleue. Churchill lui-même fut un instant décontenancé.

"Oh, mais ça a l'air joli, dit-il alors tandis qu'Alan se levait d'un bond, à moitié terrorisé.

— Quoi euh… pas du tout… en fait non… je me… m'excuse, monsieur le Premier ministre. Ça… ça m'aide à pen… penser, bégaya Turing.

— Ah bon, vraiment ? Hélas, le tricot n'est pas dans mes cordes. Mais je comprends néanmoins, naturellement. Les bonnes idées peuvent venir quand on fait tout autre chose, n'est-ce pas ? Et vos idées, monsieur Turing, nous en avons tous besoin. C'est ce que j'ai cru comprendre. Alors continuez, je vous en prie… l'écharpe pourra sûrement aussi vous être utile."

Et tous de rire, mais certains étaient visiblement gênés. Tricoter… pouvait-on imaginer plus ridicule ? Une occupation de bonne femme, comme le chuchota quelqu'un, et par-dessus le marché Alan était incapable de regarder Churchill dans les yeux. Il s'était contenté de bredouiller quelque chose sur la théorie des probabilités en promenant ses yeux sur les murs : peut-être était-ce vraiment une rencontre ratée, comme l'a affirmé par la suite Julius Pippard. Pourtant, Farley dirait plutôt qu'il y avait là quelque chose de chaleureux, ou du moins une attention nouvelle chez le Premier ministre qui témoignait d'un réel intérêt – mais probablement Churchill était-il juste amusé. Tant que les génies ont du succès, leurs excentricités sont la cerise sur le gâteau, et Farley était en tout état de cause convaincu que Churchill plaisantait quand il glissa plus tard à Edmund Travis : "Je t'ai bien sûr dit de retourner toutes les pierres pour trouver des gens valables, mais je ne pensais pas que tu le prendrais au pied de la lettre."

Cependant, à Bletchley, parmi les plus dénués d'imagination, certains s'inquiétèrent, et cette visite de choix eut d'ailleurs des suites inattendues.

Dans la baraque huit, le manque de personnel et de ressources devenait de plus en plus aigu. Et pourtant, presque rien n'était fait pour y remédier, sans qu'on sût encore pourquoi, mais il devait y avoir quelque part une volonté de mettre des bâtons dans les roues à cette équipe, peut-être par pure jalousie. L'absence d'initiative était sans cela incompréhensible. C'en était au point où le décodage de l'Enigma de la marine était sérieusement menacé et, mi-octobre, Turing, Hugh Alexander et quelques autres s'adressèrent directement dans le dos de leur hiérarchie à celui qui leur avait rendu visite. Ils écrivirent à Churchill qu'ils avaient un besoin désespéré de renforts et de davantage de machines, et en un rien de temps ce fut le branle-bas de combat. Churchill écrivit au général Ismay, avec l'en-tête URGENT : *Exécution immédiate ! Veillez à ce qu'ils aient tout le nécessaire, avec la priorité maximale, et rendez-moi compte aussitôt !*

Après cela, les conditions de travail s'améliorèrent, mais les oppositions ne disparurent pas, et de nouveaux problèmes les attendaient.

Le 2 février 1942, les Allemands aménagèrent un logement pour un rotor supplémentaire dans les machines Enigma de la marine. Les codes devinrent vingt-six fois plus complexes, et la baraque huit devint une véritable usine, avec des centaines d'employés, qui dépendaient davantage de machines nouvelles et plus puissantes que de ses génies. Alan Turing fut déménagé au manoir, dans un rôle de stratège global, qu'on n'appelait qu'en cas de problème vraiment grave. Mais il conservait ses ennemis, en particulier Pippard, qui ne lui avait pas pardonné d'être passé dans son dos.

Un jour, Farley vit le colonel Fillingham crier sur Turing près de la clôture barbelée, non loin de l'entrée. Ce devait être au printemps 1942, et Farley s'inquiéta. Protéger Alan des tracas était pour lui une question d'intérêt national. Il ne tarda pas à se rassurer. Fillingham était une grande gueule notoire, et Turing ne semblait pas exagérément affecté. Peut-être cette dispute concernait-elle la tenue déplorable d'Alan ? Cela avait certainement un rapport avec la garde nationale. Le colonel Fillingham en était le responsable dans la zone et, de façon assez surprenante, Alan avait été une de ses recrues, puisqu'il souhaitait, selon ses termes, pouvoir se défendre si les nazis venaient le chercher.

"Quel est le problème ?" s'enquit Farley.

Le colonel Fillingham était un grand gaillard sanguin qui parvint tout juste à reprendre ses esprits. D'une voix indignée, il expliqua que "le jeune Dr Turing croit qu'il peut n'en faire qu'à sa tête" et, comme Farley demandait à quel sujet, le colonel indiqua que Turing ne s'était pas présenté à plusieurs parades de la garde nationale, alors que c'était son devoir selon le règlement militaire.

"J'ai essayé d'expliquer au colonel que je n'obéissais à aucun règlement militaire, dit Turing.

— Excuse-moi, Alan, mais si tu t'es engagé dans la garde nationale tu dois t'y conformer, je suis désolé. Le colonel a parfaitement le droit de te donner des ordres. Ces parades ne sont pas particulièrement prenantes, n'est-ce pas, colonel ? poursuivit Farley dans une tentative de médiation.

— Je ne sais pas, bouda le colonel.

— Mais je suis sérieux, Oscar, reprit Alan. Je me suis prémuni contre ces situations. Il n'y a qu'à sortir mon formulaire de candidature !

— Ton quoi ?"

Mais ils firent ce qu'il disait et le colonel Fillingham fut forcé de donner raison à Alan. Une des questions du formulaire était : *Comprenez-vous bien que vous êtes soumis au règlement militaire ?* Alan avait bien réfléchi à cette question, et conclu que la meilleure réponse était un non. Il n'y avait aucune raison de dire oui à quelque chose qui ne pouvait vraisemblablement comporter aucun avantage, expliqua-t-il et, même si le colonel Fillingham ne semblait pas vraiment satisfait, il fit une croix sur Turing. Grâce à son sens de la théorie des jeux, Alan avait été dispensé de parades, et l'histoire devint un pan de la mythologie qui nimbait Turing. Elle arriva bien sûr aux oreilles de Pippard et consorts et, même si elle les fit rire, il était de plus en plus clair que le nœud se resserrait autour d'Alan.

En fait, la situation était embarrassante pour tous. Bletchley était sans aucun doute la plus importante source de renseignements pour le commandement militaire. La majeure part de la stratégie de la guerre reposait dessus. Le secret ne concernait pas seulement les résultats, mais l'activité elle-même. Officiellement, Bletchley Park n'existait pas. Même des généraux et des proches collaborateurs de Churchill ne se doutaient pas de son existence et, pour la cacher, on avait construit tout un monde de mensonges et de rideaux de fumée, si bien que les autres services de renseignements reçurent bien plus de reconnaissance qu'ils n'en méritaient. Le poids du secret pesait sur toutes les épaules. Mais peu étaient aussi exposés que Turing. Sa marque était partout et, quand les États-Unis entrèrent en guerre et bâtirent leur propre industrie cryptographique, on transporta Alan de l'autre côté de l'Atlantique et, bientôt, ses bombes y furent construites par centaines. Il eut par là un aperçu unique des secrets américains : la pression qu'il subissait augmentait de jour en jour. Il demeurait la fragile araignée au centre de la toile, sur lequel on lançait sans arrêt des regards vigilants.

Quand un message de Heinrich Himmler fut décodé, dans lequel le Reichsführer se moquait des Anglais qui permettaient à des homosexuels de travailler dans leurs services de renseignements, beaucoup, à Bletchley, sourirent bien sûr, ravis : "Si seulement cette canaille savait !" Mais ce genre d'attitude s'enracinait aussi dans leur camp, et la rupture par Alan de ses fiançailles avec Joan Clarke ne vint rien arranger.

Farley n'oublierait jamais le jour où il l'avait trouvé devant le manoir avec son carnet noir, apparemment insensible aux pelleteuses et aux ouvriers qui s'activaient dans la cour. Il avait l'air hostile, mais Farley savait que cela ne voulait pas forcément dire quelque chose. Quand Alan écrivait ou comptait, il exprimait toujours la colère. Comme un fauve, il semblait prêt à mordre le moindre gêneur. Pourtant, il semblait curieusement ne pas avoir grand-chose contre un dérangement et Farley se risqua à le saluer et, pour une fois, ils n'en vinrent pas à parler cryptologie. Ils parlèrent de Joan et, comme Farley demandait pourquoi ils avaient rompu, Alan cita Oscar Wilde, dans *La Ballade de la geôle de Reading* :
"Yet each man kills the thing he loves."
Tout homme tue ce qu'il aime. Pour quelqu'un comme Farley, ce n'était pas seulement une citation connue et usée. Il y voyait l'affectation wildienne que même son séjour en prison n'avait pas éradiquée et, même si cette formule pouvait être vraie dans certaines situations extérieures au poème, elle ne servait ici que d'excuse. Un homme tue ce qu'il aime ? Bien sûr ! Mais avant tout, il tue ce qu'il doit tuer. Farley se doutait bien de la vraie raison de cette rupture, mais il dit, avec le plus de sollicitude possible dans la voix :
"Je comprends. Comme c'est dommage !"

Il n'y avait pas non plus lieu de fouiner. Tant d'autres s'en chargeaient, de toute façon. Julius Pippard rétablit l'ancienne mention dans le dossier personnel d'Alan, et souligna même le mot *homosexuel* de deux traits noirs. La grande star de Bletchley commençait de plus en plus à poser un problème. Le gouvernement, songea Farley, n'avait même pas osé le récompenser comme il le méritait. Il avait reçu un minable OBE, et rien d'autre.

37

Le téléphone sonna avec une force inattendue qui fit sursauter Corell comme s'il avait reçu un coup. La sonnerie semblait chargée d'une nouvelle menace et, comme aucun d'eux ne bougeait, Corell eut juste le temps d'espérer qu'ils l'ignoreraient, quand Farley se leva.

"Je le prends !"

Il y avait quelque chose de solennel dans sa façon de décrocher le combiné.

"Oui, oui, si. Il est là. Je lui ai parlé."

Corell eut l'impression d'une conversation entre geôliers. Il entendit une voix sévère et désagréable à l'autre bout du fil, et son ventre se noua. La conversation ne continua pourtant pas sur un ton aussi inquiétant qu'il le craignait. Les oui de Farley devinrent une série de non.

"Non, non, tu t'es fait des idées. Aucun danger, c'est certain. Il a juste manqué de jugement, non, aucune information sensible n'a apparemment été divulguée et, franchement, il ne sait pas grand-chose. Calme-toi, Julius… tu n'entends pas ce que je te dis ? J'ai la situation en main."

Les geôliers n'avaient pas l'air d'accord. Oscar Farley semblait même prendre sa défense, et Corell finit par considérer cette conversation comme une lutte entre un ami et un ennemi.

"Oui, bien sûr, on va essayer de tirer ça au clair, mais là, tu sais, tu me déranges… Non, n'écoute pas Mulland, nom de Dieu. Il a tout pris à contrepied. Il a complètement perdu les pédales… il a brutalisé… il ne tourne pas rond, c'est tout… Mon Dieu, Julius, tu ne veux même pas m'écouter.

Non, je te dis. Non ! Maintenant il faut que je m'en occupe !
Au revoir !"

Oscar Farley raccrocha et Corell étouffa une envie de l'interroger sur cette conversation. Il fixa un point juste au-dessous de sa poitrine où il trouvait que la couverture froissée ressemblait à un visage, puis ferma les yeux et fit semblant d'essayer de dormir. Julie apparut dans ses pensées ; Julie qui habillait avec amour le mannequin de la vitrine.

"Suis-je libre de m'en aller ?" demanda-t-il.

Oscar Farley parut hésiter. Il avait l'air troublé par cette conversation téléphonique.

"Oui. Mais je ne crois pas que ce soit recommandable, d'un strict point de vue médical. Il faudrait faire venir un médecin.

— Non, non. Je veux juste partir d'ici."

Corell ressentit une brusque impatience.

"Pour aller où ?

— Je ne sais pas. Loin d'ici, c'est tout. Chez ma tante à Knutsford.

— D'accord, je vais veiller à ce que tu y arrives !"

*

Farley ne savait pas à quoi s'en tenir. Il n'était pas aussi persuadé de l'innocence du policier qu'il l'avait feint au téléphone avec Pippard. Mais il trouvait que Corell méritait qu'on l'accompagnât un peu, après tout ce qui s'était passé, et il était lui-même assez curieux de sa tante qui, d'après leurs fiches, était une vieille suffragette lesbienne vivement intéressée par la littérature. Robert Somerset avait cru qu'elle pouvait être la clé de l'attitude du policier, et même si Farley n'était pas vraiment de cet avis – les clés étaient rarement aussi simples –, il s'attendait à trouver là-bas quelque chose d'intéressant. Il voulait aussi quitter cet hôtel avant que Pippard ou quelqu'un d'autre s'en mêlât davantage, aussi sortit-il son carnet d'adresses.

Qui appeler ? Il avait l'embarras du choix. Mais qu'il optât pour Jamie Ingram devait l'étonner par la suite. C'était comme si, plus qu'un ami ou un collègue, il cherchait un complice. Jamie Ingram était le mouton noir du banquier Ingram. Non que Jamie fût criminel ni même exagérément malhonnête, mais c'était un scandale ambulant qui buvait trop et aimait la provocation. Il s'était présenté ivre aux cours de Farley et on racontait qu'il avait jeté dans le canal le vélo du recteur de l'université, suite à une dispute idiote au sujet d'une partie de bridge. D'un autre côté, il n'était pas prompt à condamner autrui en cas de faux pas – sachant sans doute combien c'était vite arrivé. Il était en outre redevable à Oscar d'un ou deux services, et sembla presque ravi de pouvoir l'aider.

"Vous êtes dans le pétrin, mon cher professeur ? J'espère vraiment qu'il y a une femme derrière tout ça !

— Non, et malheureusement je ne suis même pas ivre. Alors vous venez ?"

Jamie se pointa au volant d'une Aston Martin blanche toute neuve qu'il avait empruntée à son père, une voiture un peu vulgaire aux yeux de Farley, surtout pour transporter un policier couvert de bleus chez sa tante à Knutsford, mais Oscar fut pourtant touché par le geste. "Il faut bien ça", expliqua Jamie, qui avait comme la voiture l'air un peu trop extravagant.

Il portait un châle rouge et une veste de lin, et ses cheveux blonds semblaient savamment ébouriffés, mais dès le premier instant il agit avec un professionnalisme qui allait de soi. Il eut par exemple le bon goût de ne pas demander ce qui s'était passé. Avec un soin extrême, il mit Corell sur pied, lui offrit un coup de sa flasque, du bourbon, dit-il, et en profita pour complimenter Corell sur son costume irrécupérablement sali.

"Un pressing et un bain, et vous voilà prêt pour retourner dans les salons."

Comme le dos d'Oscar était plus ou moins hors d'usage, Jamie dut seul aider le policier à descendre et, tandis que Farley payait la note de Corell, Jamie Ingram se montra si charmant et lui parla d'un ton si léger que la vie lui sembla un moment moins compliquée. Après avoir donné à Oscar quelques instructions sur la voiture et lui avoir laissé les clés avec les mots "Papa ne se formalisera pas le moins du monde si vous la cabossez un peu", Jamie disparut avec son élégance nonchalante sans même convenir avec Farley de la restitution de la voiture. Oscar se dit que ces riches fils à papa avaient du bon. Ils exigeaient aussi peu des autres que d'eux-mêmes.

"Un grand merci. Je vous tiens au courant", lança-t-il, mais le jeune homme était déjà loin, et Farley se tourna vers Corell.

Le policier était assis sur le siège passager, pâle et affaissé comme si plus rien ne l'étonnait, ni la voiture ni rien d'autre. Farley lui dit d'attendre. Il traversa la rue et acheta du chocolat, du jus d'orange, du pain frais et du jambon. Avant de partir ils mangèrent, et les joues de Corell reprirent quelques couleurs. Il dit que ni sa tête ni sa nuque n'allaient mieux. Sinon, il ne parlait pas beaucoup. Sa faconde avait disparu et il ne voulait absolument pas voir de médecin. Il voulait aller chez Vicky. "J'ai quelque chose à lui dire", expliqua-t-il, et ils roulèrent longtemps vers le nord en silence.

Dehors, la nuit tombait. La circulation se clairsema, et les routes s'étendaient comme de longs bras immobiles. Farley serrait le volant et aurait aimé avoir un livre, ou quoi que ce fût pour fixer ses pensées. Il essaya de se réciter *Michael Robartes and the Dancer*, mais n'y arriva pas. Il n'était pas assez concentré. Malgré son envie de faire la conversation, il se gardait de déranger le policier. Corell dormait, ou somnolait par périodes mais, même éveillé, il restait plongé dans ses pensées, et ce n'est qu'après Corby qu'il se réveilla un peu à la vie, mais uniquement parce que Farley lui tirait les vers du nez à propos de sa vie et de sa famille.

"Ma mère est morte, dit Corell.

— Mon collègue me l'a dit. Comment ?

— Desséchée et folle, dans un asile de Blackpool. Mais nous n'avions plus beaucoup de contacts, les dernières années. Je suis allé assez souvent la voir vers la fin, mais elle me parlait comme si j'étais quelqu'un d'autre.

— Mes condoléances. Et je sais ce qui est arrivé à ton père.

— Il s'est jeté devant un train.

— Ça a dû être dur pour toi.

— Assez."

Farley essaya de changer de sujet, mais le policier s'accrocha au chapitre suicide.

"J'ai réfléchi aux derniers pas de Turing dans sa vie", dit-il.

Qui n'y a pas réfléchi ? traversa l'esprit de Farley.

"Il y a quelque chose en particulier, qui a retenu ton attention ? demanda-t-il.

— Il semblait y avoir tant de choses en cours dans cette maison : une expérience, des calculs, un dîner avec des côtelettes d'agneau. Fait-on un dîner fin quand on sait qu'on va mourir ?

— Aucune idée. Les condamnés à mort, oui.

— Ou alors sa décision n'est venue que plus tard, après le dîner.

— Peut-être bien.

— Parfois, je me suis demandé ce qu'il aurait fallu pour qu'il change d'avis. Aurait-il suffi qu'un ami vienne frapper à sa porte et lui dise quelques mots gentils, ou même juste qu'un chien aboie dehors et fasse dévier ses pensées sur une autre voie ? Ou sa décision était-elle irrévocable ?

— On peut se le demander, répondit dit Farley, qui ne savait pas bien si le policier parlait du suicide de Turing ou de celui de son père.

— Et puis il a croqué cette pomme empoisonnée, continua le policier.

— Le fruit du péché. Le fruit de la connaissance.

— Curieux, d'une certaine façon, n'est-ce pas ?

— Pourquoi ?

— Des fois, je me suis dit qu'il avait volontairement disposé des mystères.

— Il savait en tout cas que le mystère vaut plus que sa solution.

— Alan Turing pensait-il vraiment que nous allions construire une machine intelligente ?"

Farley allait se contenter de répondre : "Aucune idée. Qu'en penses-tu toi-même ?" quand il se dit qu'il pouvait bien prendre cette question au sérieux. Après tout, il en avait parlé avec Alan.

"Je crois, dit-il. Tu sais, un jour, j'ai surpris Alan en train de lire Dorothy Sayers, *The Mind of the Maker*.

— Qu'est-ce que c'est ?

— Un livre plus ou moins théologique où Sayers cherche à interpréter la création du monde par Dieu à travers son expérience de romancière. L'écrivain égal de Dieu, tu sais. On dit que l'écrivain a un pouvoir absolu sur ses personnages, mais ce n'est pas vrai, pas en tout cas pour un bon écrivain comme Dorothy Sayers. Pour que les personnages prennent vie, ils doivent se libérer de leur créateur et avoir une part imprévisible. Un écrivain qui prend son métier au sérieux remarque que c'est plus l'exigence de vie et de présence que le plan initial qui gouverne le livre.

— Et pour avoir la vie, il faut des contradictions !

— Il faut de l'arbitraire et de l'irrationnel. Je sais qu'Alan s'intéressait tout particulièrement aux réflexions de Dorothy Sayers sur Laplace. Tu le connais ? Laplace était un mathématicien et astronome français qui travaillait dans l'esprit de Newton. L'univers qu'il voyait était strictement régi par les lois de la gravitation et, selon sa pensée célèbre, un être intelligent qui connaîtrait exactement l'état et le mouvement de toutes les particules de l'univers pourrait calculer le moindre détail de l'avenir. Tout était prédéterminé dans un schéma causal précis, que Dieu a mis en branle d'un coup de pied avant de se retirer. C'était un déterminisme extrême, qui n'était pas trop la tasse de thé d'Alan. Mais l'idée d'un créateur qui, selon la formulation de Dorothy Sayers, aurait posé son stylo, mis les pieds sur la table et laissé son œuvre se débrouiller seule le fascinait. Je sais qu'Alan y a réfléchi. Il a en quelque sorte commencé à regarder autour de lui à la lumière de cette idée. C'était en 1941 ou peut-être 1942, et comme tu le comprends, je ne peux rien dire de notre travail, à part que notre activité fonctionnait un peu comme l'univers selon Laplace – bon, en fait, cela non plus, je ne devrais pas en parler. Mais nous avions trouvé une organisation qui tournait à peu près toute seule, et nous n'avions plus autant besoin de génies comme Alan. Nous étions des milliers de personnes à travailler, et la plupart d'entre nous s'acquittaient de tâches extrêmement simples, de pure routine, mais tous ensemble nous formions un organisme extrêmement sophistiqué. Considérés dans notre ensemble, nous devions ressembler à un véritable oracle et, pour quelqu'un comme Alan, il n'était pas difficile de faire un parallèle avec le cerveau humain. Chaque cellule prise isolément n'a peut-être rien de forcément remarquable, n'est-ce pas, mais l'ensemble l'est indéniablement, l'essentiel ne semble pas être les parties, mais l'agencement du tout, ce qui l'a conduit à se poser la question : l'intelligence peut-elle aussi naître d'une autre façon, à partir de ce qui ne l'est pas ? Un processus routinier et purement matériel peut-il donner naissance au talent et à l'originalité ?

— Et Turing répondait oui, glissa Corell.

— Absolument. Exactement comme Newton et Laplace ne voyaient pas de contradiction entre une vision du monde mécanique et la foi en Dieu, il n'y avait chez Alan aucune contradiction entre le mécanique et l'intelligent, ni d'ailleurs entre le médiocre et le génial.

— Là, je ne comprends pas.

— As-tu entendu parler de la sagesse des foules ?

— Seulement de l'idiotie des foules."

Farley rit.

"C'est le côté tristement connu, dit-il. Personne n'est plus stupide que des gens qui suivent un chef cinglé et s'excitent au lynchage. Ou comme Thomas Carlyle l'a dit : la folie est l'exception pour les individus, mais la règle pour les foules.

— Vrai !

— Oui, mais en autre sens, un grand nombre d'individus semble plus intelligent que tout autre chose.

— Comment ça ?

— Comme nous pendant la guerre, par exemple. Mais aussi d'une autre façon. Tu sais, il y a quelque temps, j'ai lu un extrait d'un roman du savant Francis Galton. Il s'appelle *Kantsaywhere*. Il décrit une utopie, où une race supérieure d'êtres humains est en train d'être développée. C'est une tartine assez indigeste, je dois avouer. Mais le livre m'intéressait pour diverses raisons et je me suis renseigné d'un peu plus près sur la vie de Galton. C'était un affreux élitiste, qui estimait qu'une infime minorité disposait des caractéristiques génétiques nécessaires pour diriger une société. Il considérait les gens ordinaires comme des nuls irrécupérables. Mais ce qu'il y a de drôle, c'est qu'à la fin de sa vie il trébuche sur une vérité tout autre. Galton est alors un vieil homme qui visite une foire aux bestiaux à Plymouth. Par hasard, il passe devant un concours, où tout un chacun est invité à deviner le poids d'un bœuf, ou plus précisément ce que pèsera ce bœuf une fois abattu et dépecé. Galton s'attend que les badauds disent n'importe quoi. Les gens en général sont tellement couillons, n'est-ce pas ? Mais tu sais ce qu'il découvre ? Quand il rassemble toutes les propositions et fait la moyenne, qu'il considère pour ainsi dire tous les participants comme une seule et même personne, il remarque qu'ils ont deviné le juste poids presque au gramme près.

— Comment cela se fait-il ?

— Parce que c'est ainsi que fonctionne un groupe. Il peut être incroyablement intelligent et proposer des réponses plus sages que tous les experts, pourvu juste que tous les membres du groupe pensent de façon indépendante, et c'est là le fin mot de l'histoire : les foules possèdent une sagesse cachée. Quand Galton a calculé la moyenne, les défauts des participants se sont annulés et la connaissance s'est accumulée. Chaque petite parcelle de connaissance présente au sein du groupe a formé un tout très sophistiqué. Alan adorait ce genre de choses. Il était fasciné par les fourmilières. Elles sont composées d'insectes stupides, mais sont d'une complexité et d'une subtilité inouïes, et je crois que c'est là que réside le cœur de son raisonnement. Ce qui compte n'est pas chaque engrenage en lui-même…

— Mais leurs relations.

— Ou leur façon de former un tout, et je ne peux pas m'empêcher de trouver cela passionnant. En tout cas je sais que Donald Michie, un des brillants amis d'Alan, pense que cela peut devenir un nouveau domaine de recherche.

— Quoi ?

— Essayer de créer une machine intelligente à partir d'éléments électroniques simples. Une discipline extrêmement hérétique d'un point de vue chrétien, bien sûr. Alan le savait mieux que personne.

— Mais il en rêvait ?

— Il rêvait.

— Et pourquoi, à ton avis ?

— Pourquoi pas ? Peut-être désirait-il un ami machine, que sais-je ? D'ailleurs, je ne serais pas étonné qu'il en sorte quelque chose de valable. Donald Michie parlait toujours des théories d'Alan comme d'un trésor qu'on déterrera un jour.

— Exactement comme ses lingots d'argent."

Oscar Farley sursauta.

"Comment es-tu au courant ?

— Son frère, John Turing, me l'a raconté.

— C'est vrai. Nous nous sommes croisés devant la morgue, murmura Farley. Au fait, comment te sens-tu ?

— Mieux. C'est encore loin ?

— Un bout de chemin. Tu es proche de ta tante, n'est-ce pas ?

— Je crois, répondit le policier.

— Vous avez toujours été si…" Farley cherchait ses mots. "… si liés ?

— Non, pas toujours, dit Corell. À une époque, je ne voulais pas entendre parler d'elle, commença-t-il, avant de s'interrompre brusquement.

— Tu veux me raconter ? tenta Farley.

— Non, je ne crois pas."

Le policier parut se perdre dans ses pensées. À un moment, il sembla même sourire.

38

Qu'est-ce qu'il y a de mal à recevoir un peu d'aide ?

Quand, voilà des années, Corell était rentré à Southport après sa sortie de Marlborough College, il essuya le choc suivant et au fond, il aurait dû s'y attendre. Il l'avait vu venir. Mais la froideur de sa mère le heurta de plein fouet. Avait-elle prononcé un seul mot le concernant ? Elle était entièrement occupée par elle-même et par sa souffrance muette. Oui, assez paradoxalement, au milieu de la période la plus difficile de sa vie, elle semblait avoir perdu la capacité à parler sérieusement et pire que tout : elle exigeait la même chose de lui.

Il avait le droit de se plaindre des prix dans les magasins, du manque de denrées alimentaires, de la dégradation de la maison, et même de leurs problèmes d'argent. Mais sur l'essentiel, le douloureux, il était forcé de se taire. À chaque allusion cherchant à dire que lui aussi souffrait, elle se creusait le cerveau pour changer de sujet : "Quel vent, en mer !" "Tu peux faire la vaisselle, aujourd'hui ?" "Tante Vicky veut encore venir nous voir. Mais tu n'as pas envie, n'est-ce pas ?"

Il protestait rarement. Plus que jamais, à cette période, il rêvait d'une personne qui pût le délivrer et rendre sa vie plus supportable, et il n'y avait sans doute pas de meilleure candidate pour cela que Vicky. Mais en même temps, sa tante dégageait une énergie, une force d'action qui lui donnait mauvaise conscience et le faisait se sentir faible et raté et, au lieu d'essayer de se rapprocher de la seule personne qui eût pu lui donner le sentiment d'un foyer, il nourrissait des projets de fuite. Le rêve de partir, de s'enfuir était devenu son espoir et sa drogue.

Je me tire, je fous le camp, pensait-il sans cesse, et il avait fini par craquer. C'était un matin d'automne. La guerre était finie. Les travaillistes étaient arrivés au pouvoir. On avait lancé les bombes atomiques sur le Japon et sa mère s'était enfermée dans sa chambre. Juste un peu plus clairvoyante, elle aurait compris qu'elle était malade. Elle semblait souffrir d'un blocage si profond qu'elle avait presque quitté ce monde et pénétré dans une réalité parallèle où elle paraissait attendre un événement important et bouleversant. "Il nous faut être beaux quand le jour viendra", lui arrivait-il de dire, créant une telle atmosphère de folie qu'il était persuadé qu'elle le contaminait et, souvent, la colère l'envahissait : *Et moi, et moi ?*

Il n'en était pas fier – il y avait peu de choses dont il était fier –, mais quand il avait entendu sa mère dans sa chambre gémir comme de volupté, il n'avait plus supporté. C'était purement physique – il devait du moins le prétendre : qu'il allait étouffer, que l'odeur âcre de la folie l'empoisonnait. Ce soir-là, il avait mis quelques vêtements, des livres et une bouteille de sherry dans une des vieilles valises brunes de son père. À cette époque, il ne buvait pas d'alcool, mais il voulait manifester son départ, qu'il n'apparaisse pas seulement comme un geste désespéré, mais comme un premier pas dans la vie d'adulte.

En voyant la tour d'horloge rouge de la gare de Lord Street, une sorte de décharge l'avait traversé, et il avait senti une ivresse s'emparer de lui, et pas seulement à cause du sherry. Le monde était devant lui. Il était libéré et indépendant, et cette sensation dura des heures, jusqu'à ce qu'il vomisse dans un coin de Portland Street à Manchester et que les sentiments de culpabilité et la nausée se mélangent à tout le reste. La ville n'était pas seulement bombardée et en ruine. Une brume de poussière et de charbon engloutissait les rues et s'il n'avait pas su que l'Angleterre avait gagné la guerre, il ne l'aurait pas cru. En raison du rationnement de l'électricité, il n'y avait presque personne dehors après dix heures du soir et, partout, il trouvait un climat d'apathie. C'était comme voir son propre désespoir à chaque coin de rue.

Un sentiment de déchéance s'était mis à peser sur sa vie. Il vivait dans des auberges et des foyers et avait souvent faim. Il souffrait. Il avait honte – comment avait-il pu seulement abandonner sa mère ? – et il n'était pas impossible qu'il ait été sauvé par l'affiche brune de Newton Street, ou si sauvé était trop dire, du moins cela avait marqué le début d'une sorte d'ordre : "Belles perspectives de carrière dans la police pour hommes et femmes de caractère", lisait-on. Ces mots n'attiraient pas exagérément Corell, mais il y avait là quelque chose. À vrai dire, il y avait souvent là quelque chose. Un seul mot sur un métier ou un destin, presque n'importe lequel, pouvait le faire rêver. Dieu sait qu'il n'en avait pas fait une grande affaire.

Il s'était juste inscrit : quelques formalités, un bref entretien, quelques papiers à remplir, on n'en demandait pas davantage et, avant même qu'il n'ait eu le temps de comprendre, il était embarqué trois jours plus tard en bus pour une formation de treize semaines à Warrington : longtemps, il n'y avait vu qu'un jeu, un pas de côté. Mais le temps avait passé, et ce qui ne devait être qu'une parenthèse était devenu une vie, une régularité. Il avait loué dans Cedar Street, non loin des locaux de l'Armée du Salut, un cagibi qui sentait le gaz et le moisi, et qui était presque entièrement dépourvu de meubles et de papier peint.

C'est dans cet appartement qu'il avait revu Vicky. C'était un jour du printemps 1947 – même si à travers les vitres couvertes de suie cela aurait pu être n'importe quelle saison. Il avait vingt et un ans. Sur une photographie de l'époque où Corell avait, pour la première fois, revêtu son uniforme et son casque ridicule, il paraît désespéré et sous-alimenté. Il aurait pu être un homme de trente-cinq ans revenu de la guerre, mais les rares fois où il se regardait dans le miroir, il lui semblait voir le même petit garçon que d'habitude. Il ne se doutait pas quelle impression il pouvait faire à quelqu'un qui avait gardé de lui un souvenir ancien. Il était couché tout habillé sur son lit quand on avait frappé à la porte.

"Leonard, Leonard. Tu es là ? Pour l'amour du ciel, ouvre !" faisait une femme. Certes, il reconnaissait cette voix, mais n'arrivait pas à la remettre et même quand sa tante avait crié : "C'est

Vicky, Leonard. C'est mbi. Je t'ai cherché partout", il n'avait pas vraiment compris.

Il avait traîné les pieds jusqu'à la porte, réticent et confus. En ouvrant, il avait sursauté comme à la vue d'un fantôme. Cela n'avait vraisemblablement rien à voir avec sa tante. À cette époque, elle n'avait pas beaucoup vieilli. Elle était toujours la même Vicky, gaie, les cheveux courts et, en comparaison de tous les gens décrépits qu'il rencontrait, elle était vraiment un miracle de classe et de dignité. Ce qui l'avait effrayé était plutôt l'impression qu'il avait lui-même provoquée sur son visage.

"Leo, Leo. C'est vraiment toi ? Qu'est-ce que tu es devenu et pourquoi n'as-tu plus donné de nouvelles ? Si seulement tu savais…", murmurait-elle, si émue qu'il n'arrivait pas à concevoir que ce soit à son sujet. Elle l'avait pourtant cherché partout. Elle avait fébrilement téléphoné dans tout le pays, et fini par appeler la police de Manchester où, grâce à son obstination ou son désespoir, comme elle disait, elle s'était entendu répondre qu'ils n'avaient pas de Leonard Corell blessé ou mort, mais qu'en revanche il y avait effectivement un cadet portant ce nom. "Cadet de police, ça ne peut pas être mon Leo, aucune chance." Elle s'était malgré tout rendue au commissariat de Newton Street où elle avait pu trouver son adresse. Voilà pourquoi elle était là. Ça ne lui avait pas plu. Pourquoi se souciait-elle de lui ?

"Je me débrouille tout seul, avait-il dit, déclenchant les cris de sa tante.

— Assez ! Assez ! Pourquoi diable devrais-tu te débrouiller tout seul ? Tu as une famille, Leo. Tu m'as, moi, et je t'ai cherché partout. J'ai retourné toute l'Angleterre… J'ai été follement inquiète et j'ai cru que… Ne me regarde pas comme ça. Qu'est-ce que tu t'imagines ? Que je suis venue pour te faire la leçon ? Je veux juste m'assurer que tu es en vie. Que tu tiens debout. Tu ne comprends pas ça ?

— Laisse-moi tranquille. Va-t'en.

— Jamais de la vie ! Mais mon Dieu, qu'est-ce qui t'arrive ? (Il devait sembler terrorisé.) Ta mère s'en sort. Elle est malade, mais nous avons réussi à la faire admettre dans une institution à Blackpool. Alors pour l'amour du ciel, Leo, ne sois pas en colère contre moi, et cesse tout de suite de te punir toi-même.

— Je ne me punis pas.

— Regarde seulement de quoi tu as l'air !

— Laisse tomber !

— Qu'est-ce qu'il y a de mal à recevoir un peu d'aide ? avait-elle crié. Tu ne comprends pas que depuis mon maudit appartement à Londres je ne demandais qu'à aider ? Je suis moi aussi désolée, Leo, je suis si terriblement désolée pour ce qui est arrivé à James et à vous tous que je n'en dors presque plus la nuit. Sais-tu combien de fois j'ai essayé de venir vers vous ? Chaque fois j'en ai été empêchée, et je suis morte de honte de ne pas avoir insisté, et je ne supporterais pas, jamais, que tu deviennes comme ton père.

— Je n'ai pas l'intention de me suicider, si c'est ce que tu crois.

— Non, tu ne vas pas faire ça. Non", avait-elle dit, hors d'elle, et si c'était là ou plus tard qu'ils avaient échangé un regard de connivence, il ne s'en souvenait pas.

Il avait sûrement fallu du temps à Vicky pour enfoncer un coin dans sa fierté mais, après leur rencontre dans sa garçonnière, ils avaient commencé à se voir sporadiquement et, de temps en temps, il avait accepté son aide : de l'argent, des dîners, des vêtements. Mais le soutien qu'elle lui avait vraiment offert, une possibilité de reprendre des études, et d'avoir une seconde chance, il l'avait refusé. Il s'était obstinément accroché à son métier, peut-être justement pour se punir lui-même, ou parce qu'il n'avait plus le courage de prendre des risques. Il avait été un idiot, voilà tout. C'était comme s'il le comprenait de plus en plus. Mais ça allait changer, désormais : voilà ce qu'il se répétait, assis dans cette voiture.

*

Un léger brouillard flottait sur les routes et les champs, et ils ne croisaient plus d'autres voitures. À un moment, un oiseau se jeta devant le pare-brise en battant des ailes, Oscar Farley donna un coup de frein et sentit la douleur lui percer le dos. Mais cela passa vite. Corell et lui se taisaient à nouveau depuis un moment, et il aurait bien voulu continuer à parler, pas seulement parce qu'il appréciait la conversation du policier, mais parce qu'il n'arrivait pas à se défaire de l'idée qu'il avait raté quelque chose, une circonstance, un détail qui placerait toute l'affaire sous une lumière nouvelle.

"Alan Turing, tout ça, tu as l'air d'en avoir fait une affaire personnelle, dit-il.

— Euh, oui… peut-être.

— Tu as parlé de l'enquête avec ta tante ?

— Pourquoi cette question ?

— Elle a l'air d'être une femme très intelligente et énergique.

— C'est possible.

— Et je me disais… mais c'est peut-être un peu trop personnel ?

— Allez !

— Est-ce que ton engagement pour Turing…

— Oui ?

— … aurait un lien avec le fait que ta tante est homosexuelle ?

— Elle est… ?" commença Corell.

Puis il se referma et pas un mot, pas un geste ne montra ce qu'il pensait. Il se figea plutôt dans un sourire qui pouvait vouloir tout dire.

"J'ai toujours…, finit-il par dire.

— Quoi ?

— J'ai toujours…", répéta-t-il sans parvenir plus loin.

*

La suite de sa phrase "J'ai toujours…" aurait dû être "détesté les homosexuels", mais il n'arriva pas à le dire, ni rien d'autre, d'ailleurs. Un flot de pensées et de souvenirs déferla en lui : le corps raide de Vicky appuyé sur sa canne à poignée d'argent, ses yeux bruns vifs qui le regardaient et sa bouche au sourire malicieux, Vicky le bordant le soir et lui servant le petit-déjeuner le matin. Comme elle lui avait manqué ! Il avait regardé par la vitre de la voiture, heureux de chaque mètre franchi parce qu'il le rapprochait d'elle, en songeant sans cesse à la façon dont il raconterait à Vicky tout ce qui s'était passé à Cambridge, mais à présent… non. Ça devait être faux, une accusation sans fondement. Il en était sûr.

Ou bien ? Elle avait toujours soigneusement pesé ses mots et toujours ménagé sa fragile confiance en lui, s'efforçant de ne pas le blesser, sauf l'autre semaine, quand ils avaient parlé de Turing… C'était un choc, il repoussait l'idée comme une effroyable menace et essayait d'y opposer des arguments – la féminité de Vicky, son amour des enfants – mais non, cela ne servait à rien. Il aurait dû le deviner depuis longtemps. Ce qu'avait dit Farley était vrai et, tandis que le brouillard s'épaississait au-dehors, les morceaux du puzzle s'assemblèrent : les visites de Rose, l'absence d'hommes, sa façon brusque de le renvoyer dans les cordes – "Trouve un homme toi-même !" – et puis sa défense passionnée des homosexuels – "Ceux qui sont différents pensent souvent différemment."

Il essaya de refouler tout ça en imaginant des machines merveilleuses nées de structures logiques, mais n'arriva qu'à des pensées grotesques, décourageantes. Ron et Greg de Marlborough revenaient, il se représentait sa tante et Rose dans des positions épouvantables et il pensait à Alan Turing gisant mort, l'écume aux lèvres, dans un petit lit de garçon. Il se rappela la lettre : *Était-ce ainsi que devait être ma vie ? Une comédie pour en cacher une autre !*

Tout n'était que mensonge !

"Misère !

— Pardon ?

— Rien."

Il n'y avait jamais rien. Mais il se sentait trahi, furieux. Comment avait-elle pu ? Les parois de la voiture semblaient se rapprocher et il se dit qu'il n'avait pas seulement perdu ce à quoi il avait aspiré tout l'après-midi. Il avait perdu la seule personne qu'il avait sur terre, et il aurait voulu frapper du poing à travers la vitre, mais il resta immobile et essaya de calmer sa respiration.

*

En raison du brouillard ils roulaient lentement, et il faisait déjà nuit quand ils approchèrent de Knutsford. Longtemps, ils ne s'étaient pas dit grand-chose. Oscar Farley, qui avait vite compris la cause du silence de Corell, avait tout essayé, exprimé sa compréhension, déploré sa maladresse, mais le policier semblait ne pas vouloir aborder le sujet, et Farley s'était rabattu sur le bavardage et les anecdotes. Emporté par son élan, il avait même failli enfreindre le secret militaire, ce qui ne lui ressemblait pas vraiment. Il était tellement habitué à camoufler et à se taire qu'il lui arrivait même de mentir inutilement. Il pouvait dire à sa femme qu'il était allé en Écosse alors qu'en fait c'était à Stockholm. Certains se vantaient beaucoup de leurs exploits pendant la guerre. Ceux de Bletchley n'avaient pas le droit de dire un seul mot, et cela les rongeait. Le secret avait enlevé à Farley sa générosité naturelle, et ce n'était qu'en de très rares occasions, comme maintenant, en compagnie du jeune policier mal en point, qu'il retrouvait l'envie de raconter. Il aurait voulu être sincère, pour une fois, et dire à Corell que son instinct de fouiller dans le passé d'Alan était tout à fait sain. Une histoire réelle était enterrée derrière des rideaux de fumée. Alan avait contribué à raccourcir la guerre, peut-être autant que Churchill lui-même, et les responsables l'avaient surveillé comme des rapaces. Mais bien sûr il ne dit rien.

"Tu crois qu'elle est debout ?

— C'est un oiseau de nuit."

*

Il y avait de la lumière à la fenêtre du premier étage, où Vicky avait l'habitude de rester lire. La maison semblait par ailleurs curieusement sombre et menaçante. Corell mit un moment à comprendre que le réverbère de la cour était cassé et que le brouillard, qui donnait un aspect si fantomatique à la route, enveloppait aussi la propriété de Vicky. Pour la première fois, cette maison lui donnait une impression d'abandon. Il lui semblait que son âge florissant était passé et qu'elle n'attendait plus que la ruine totale. Il imagina sa tante, là-haut, régnant seule sur un château hanté oublié et malsain. Dans une rêverie douce-amère, il s'imagina chassé de cette maison, s'éloignant à l'aube. Ce n'est qu'au prix d'un effort qu'il réussit à se lever de son siège, et le sol vacilla sous ses pieds.

Il fit un pas de côté mais garda l'équilibre et, en compagnie de Farley, se dirigea vers la porte. Une certaine indifférence s'empara de lui mais, en approchant, le silence l'oppressa. C'était le genre de silence explosif qui précède quelque chose de douloureux. Il tendit l'oreille vers d'autres bruits que le crissement de leurs pas. Au loin s'estompait le ronron d'une automobile. Un petit animal fila dans un buisson. Sonner lui semblait pénible, et il se tourna vers la voiture. Allait-il demander à être plutôt raccompagné chez lui ? Il pressa rageusement la sonnette et entendit bientôt des pas à l'intérieur et le bruit pointu d'une canne. Longtemps après, il devait souvent se remémorer le cliquetis de la serrure et l'attente pourtant courte qui lui parut si longue et désagréable avant qu'apparaisse Vicky dans l'embrasure de la porte. Il y avait quelque chose sur son visage, de l'effroi. Ses yeux vifs semblaient ceux d'un oiseau apeuré.

"Mon chéri. Mon chéri. Que s'est-il passé ?

— Il a été gravement agressé, répondit Farley.

— Mon Dieu. Mais pourquoi ?

— C'est une longue histoire, et je dois avouer porter une partie de la responsabilité.

— Que dites-vous ? Agressé ? Enfin c'est insensé ! Mais ne restez pas là. Entrez tous les deux. Mon pauvre petit ! Je vais m'occuper de toi, dit-elle avant de se tourner vers Farley, dans tous ses états : Je dis peut-être n'importe quoi, mais… ne serait-ce pas vous ?

— Comment ça ?

— Farley, l'historien de la littérature ? J'ai adoré votre conférence sur Yeats l'automne dernier. J'ai votre livre… mais que dites-vous ? Vous auriez… ? Mon Dieu, mon Dieu… je ne comprends pas. Je ne comprends vraiment rien.

— Je vais vous expliquer…

— J'espère bien ! Mon Dieu, Leo, on va tout de suite te mettre au lit. Si vous êtes pour quelque chose là-dedans, docteur Farley, aidez-moi tout de suite. Ne restez pas planté là ! Mais mon Dieu, mon pauvre, votre dos ? Et Leo, Leo, pourquoi tu ne dis rien ?

— Je crois qu'il est en état de choc", répondit Farley, et Corell sentit alors pour la première fois qu'il voulait dire quelque chose, mais renonça aussitôt.

Tel un enfant boudeur, il se contentait de regarder droit devant lui, l'air fâché. S'il était d'accord sur un point avec sa tante, c'était qu'il voulait tout de suite monter se coucher. Lentement, sans accorder à Vicky un seul regard, il se traîna jusqu'en haut et, la tête douloureuse, s'allongea et ferma les yeux. Il voulait partir, partir dans ses mondes intérieurs, vers cette douceur qu'il avait si souvent trouvée dans l'apitoiement sur soi, mais il constata avec irritation que Vicky lui dénouait les chaussures et lui passait la main sur le front.

"Tu veux quelque chose ?

— Rien.

— Il faut appeler un médecin.

— Non, cracha-t-il.

— Tu es fou, Leo ? Mon Dieu, qu'est-ce qui se passe ?" dit sa tante en se tournant vers Farley qui l'avait suivie à l'étage. Corell rouvrit alors les yeux.

Il regarda Vicky. Elle était défaite et, quelque part, il voulait lui crier dessus. Il voulait qu'elle souffre comme lui et sente ce que ça faisait d'être trahi, d'apprendre que personne n'avait jamais dit un seul mot vrai, que tout n'était que mensonge et fausseté, mais là encore, il ne trouva pas comment. La colère brûlait sa poitrine et nouait tous les muscles de son corps. Et pourtant, rien n'était univoque.

Ses sentiments contradictoires semblaient s'annuler et, l'esprit malgré tout assez clair, il se demanda s'il n'était pas injuste d'en vouloir à Vicky alors qu'elle le bordait avec tant de soin. C'était comme répondre à une caresse par une gifle. Elle ne pensait bien sûr pas à mal. Elle était juste… il ferma les yeux et songea à des machines qui faisaient semblant en subissant d'étranges tests, à toutes les fois où sa tante l'avait aidé et, quelque part, il comprit qu'il n'aimait peut-être pas les homosexuels, mais qu'il n'avait pas envie de penser du mal de Vicky. Elle était peut-être pervertie, mais demeurait ce qu'il avait de plus précieux et, faute de mieux, il lui dit avec une grande netteté qu'il voulait une bière, si possible une *mild ale*, et un grand verre de sherry.

39

Cinq jours plus tard, il était de retour au travail et, au début, n'éprouvait aucune inquiétude. Les événements de Cambridge semblaient l'avoir immunisé et il pensait : *Je m'en fiche. Rien à foutre, si je perds ce boulot.* Pourtant, ce n'était qu'une question de temps. Un quotidien bien trop familier le ramena dans l'ornière habituelle. L'armure qui le protégeait du monde éclata et, bientôt, il trembla à chaque sonnerie de téléphone, à chaque claquement de porte. Il imaginait le surintendant Hamersley qui entrait en proclamant : "Un certain Julius Pippard a appelé." Mais rien ne se passa, rien pendant longtemps. Ses collègues étaient même d'une gentillesse inhabituelle et l'interrogeaient non seulement sur ses bleus, mais aussi sur sa tante.

"C'est une bonne femme de fer. Elle va s'en tirer", disait-il.

Mais il n'était jamais vraiment là. Les journées se traînaient, ensommeillées, et l'événement le plus sensationnel au commissariat fut qu'un collègue, Charlie Cummings, fut arrêté pour dépôt d'ordures et démis de ses fonctions. Personne n'arrivait à vraiment expliquer son geste, mais on racontait qu'il était furieux contre toutes les disputes et l'hypocrisie. À part Alec Block – qui commenta prudemment ainsi l'affaire devant Corell : "Crois-moi, nom de Dieu, je comprends Cummings" –, l'opinion générale était que ce type était cinglé. Corell dit qu'il n'avait pas d'avis. D'une manière générale, il faisait profil bas. Il faisait son travail par-dessus la jambe, et prenait des libertés. Il faisait de longues promenades sans but, même pendant le service, et un de ces jours-là il se dirigea vers le magasin Harrington & Fils. Le soleil brillait. Il y avait beaucoup de monde dehors, c'était une de ces journées où personne ne semblait travailler à Wilmslow, et il aurait préféré faire demi-tour, ou filer dans Spring Street. Pourtant, il continua droit devant lui. Il décida que battre en retraite serait juste ridicule. Mais il n'en menait pas large et s'arrêta pour refaire ses lacets, comme une fois devant la maison de Turing. Il continua ensuite d'un pas hésitant et, en apercevant les mannequins dans la vitrine, il se mit à siffler un air, mais ça ne sonnait pas détendu, il ne savait pas bien siffler, aussi s'arrêta-t-il net. Il y avait quelques clients dans le magasin. Tant mieux. Cela l'aiderait à passer plus inaperçu, mais il vit alors Julie et, comme d'habitude, ne ressentit pas que de la joie, mais aussi un malaise.

Julie, en revanche... elle se tenait passive à côté de Mr Harrington, son visage vide attendait les ordres en silence, comme un soldat dans sa guérite mais, soudain, il se fendit d'un sourire qui le choqua presque par son enthousiasme. Elle rayonnait. Elle était belle. Mais lui... il eut l'idée absurde qu'elle souriait à quelqu'un derrière son dos, et il dut paraître raide. Les yeux de Julie s'emplirent d'inquiétude et, bien sûr, il tenta de compenser sa gaucherie. Il ôta son chapeau en s'efforçant de paraître à la fois enjoué et décontracté, mais s'y prit mal. Son sourire lui crispait les joues et il se sentit observé. Il voulait s'enfuir et comprenait bien entendu qu'il aurait l'air minable, mais ne voyait pas d'autre issue. Il la salua juste de la tête d'un air grave et s'en alla. Il disparut de son pas ridicule, sentant la colère et l'humiliation l'envahir. Il était tellement énervé qu'il se mit à donner des coups de pied dans une boîte de conserve rouge qui l'accompagna une bonne partie du chemin.

De retour au commissariat, l'inspecteur Sandford l'avertit que le surintendant Charles Hamersley voulait le voir, et Corell répondit d'un ton étonnamment maussade :

"C'est typique !"

Il attendait cette rencontre depuis longtemps, et s'emplit de mauvais pressentiments mais, comme le surintendant tardait à arriver, Corell eut le temps de passer par plusieurs stades, et se prit à espérer que ce ne serait pas si grave, après tout. Il se mit même à rêver d'une scène où Hamersley lançait à ses collègues de Chester : "Il est doué, ce Corell. Avez-vous lu son rapport sur l'affaire Turing ?" Mais aussitôt après, il retomba dans ses pires appréhensions et pensa : bien sûr, c'est Pippard qui a téléphoné, ou encore pire Farley qui m'a trahi et a conclu que j'étais écervelé et pourri, un traître même, qui fait fuiter des secrets militaires.

Lentement, Corell se mit à ressentir une colère, une révolte et, quand Hamersley entra, Corell le regarda sans comprendre. Le surintendant ne ressemblait pas à la dernière fois. Ses lunettes modernes avaient été remplacées par un modèle plus traditionnel. Lui avait-on signalé que les autres étaient ridicules ? Ils se serrèrent la main. D'un rapide coup d'œil, Corell tenta de voir ce qui se passait, et il lui sembla que ça ne s'annonçait pas si grave, malgré tout. Hamersley n'arborait pas son petit sourire paternel. Mais n'avait pas l'air exagérément sévère non plus.

"Comment va ce jeune monsieur Corell, alors ?

— Bien, très bien, sir.

— Bon… j'en suis ravi. Vous vous êtes cogné ?

— Juste glissé, sir.

— Une sacrée glissade, alors ? Doux Jésus ! On croirait presque… mais qui voilà… commissaire, vous tombez à pic !"

Richard Ross entra, ce qui n'arrangeait rien, et même si Corell savait que Ross n'aimait pas Hamersley, ils semblaient pour l'heure tous deux ligués contre lui.

"Je vais être direct, dit Hamersley. J'ai parlé avec de hauts dignitaires ecclésiastiques la semaine dernière, deux évêques, figurez-vous, et je peux vous dire qu'ils sont inquiets.

— Des prêtres ! ricana Ross avec une insolence inattendue.

— Oui, oui, je sais qu'il ne faut pas mélanger les genres. Le travail de police est une chose, les questions religieuses une autre. Mais parfois il y a des convergences. N'êtes-vous pas d'accord ?

— Parfois, peut-être, dit Ross.

— En effet. Corell, vous vous rappelez notre conversation de l'autre semaine. Il s'y est dit quelques fortes vérités. Hélas, il va nous falloir pousser la chose un pas plus loin. Balayer devant notre porte. Au fait, avez-vous beaucoup de choses en train ?" Hamersley se tourna vers Corell.

"Pas spécialement, répondit Corell en s'efforçant de comprendre où Hamersley voulait en venir.

— Bien. Très bien. Il y a du pain sur la planche, et vous pourrez compter sur le soutien de votre hiérarchie, car comme je vous le disais : nous avons la chance d'avoir avec nous à la fois l'Église et les hommes politiques éclairés. Mais permettez que je m'asseye ? Merci. Très aimable ! Qu'est-ce que tu en dis, Richard, Corell n'est-il pas un bon candidat pour cette mission ?

— Peut-être, dit Ross, sceptique.

— Peut-être ? Je suis persuadé que c'est l'homme de la situation. Bon, dommage qu'il ait raté le danseur. Mais on ne peut pas toujours réussir. Et puis, il n'est pas facile de faire avouer les gens, de toute façon. Je dirais même qu'il faut d'autres méthodes. Il faut aller plus loin. Un pied dans l'avenir. Le mot d'ordre, c'est la surveillance, messieurs. Une méthode classique, bien sûr, mais qu'on utilise trop peu, surtout dans ce contexte. Vous n'êtes pas d'accord ?"

Ni Ross ni Corell ne répondirent.

"Les homosexuels sont en train de pourrir notre société et d'affaiblir notre nation, nous sommes bien d'accord là-dessus. Vous auriez dû entendre les évêques. Savez-vous ce qu'ils ont dit ? Que cela ne reste même pas une perversion masculine. Même les femmes… bon, on préfère ne pas y penser.

— L'homosexualité féminine n'est pas illégale, tenta Corell.

— Certes, certes. Mais savez-vous pourquoi, messieurs ? On a renoncé à la criminaliser pour ne pas donner de mauvaises idées aux bonnes femmes. Vous savez combien le cœur féminin est influençable. Non, je la mentionnais uniquement pour montrer l'étendue du problème et nous rappeler qu'il nous faut riposter. Être plus durs, tout simplement. Voilà pourquoi j'ai personnellement – oui, il s'agit en effet de ma propre initiative – engagé une collaboration avec Manchester, et là, vous vous dites sans doute : qu'avons-nous à voir avec cette ville dégénérée. Mais je vais vous le dire : une partie du trafic d'Oxford Road s'est déplacé ici, à Wilmslow. Allons, n'ayez pas l'air si choqués. (Ni Ross, ni Corell n'avaient réagi.) C'est hélas la rançon de la sévérité. Quand on serre la vis, on les pousse ailleurs, et les pervers se sentent peut-être plus en sécurité ici. Ils se figurent sans doute qu'ils auront la vie plus facile à Wilmslow. Oh, n'y voyez pas une critique de votre travail, enfin, comme vous voulez. Dans les petites villes, on est parfois plus naïf. Pas la peine de se voiler la face. Eh bien, nous allons y remédier. Avez-vous entendu parler d'un salon de coiffure sur Chapel Lane, qui s'appelle Man and Beauty. Oui, je sais, déjà le nom… et puis, salon de coiffure, c'est vite dit. Le type qui le possède…" Hamersley sortit un carnet, qu'il consulta. "Un certain Jonathan Kragh. Son salon semble être devenu le point de rencontre des pédés. Il paraît même qu'ils s'y tripotent ouvertement. Nous avons recueilli des témoignages convergents, en particulier de Mrs Duffy, qui nous a déjà aidés par le passé. Une dame très tenace, je dois dire.

— Une langue de pute, oui, s'entendit dire Corell.

— Pardon ? s'exclama Hamersley.

— Elle doit avoir des problèmes celle-là. Mais si c'est à ce genre de sources que nous prêtons foi, je ne veux rien avoir à faire avec cette mission.

— Que dites-vous, mon garçon ?"

Hamersley n'en croyait pas ses oreilles.

"Que je ne veux pas encore une fois lui servir la soupe.

— Vous n'avez pas honte ?

— J'essaie juste de dire la vérité. Elle débloque complètement, dit Corell.

— Vous n'avez pas le droit de calomnier ainsi une femme qui nous aide tous avec un tel engagement. En outre, permettez-moi de vous dire…"

Hamersley lança un regard appuyé à Ross, comme pour demander confirmation de son indignation et, quand le commissaire glissa : "Il est comme ça, je vous l'avais bien dit", Hamersley monta sur ses grands chevaux et se mit à parler d'une grosse voix de "devoir et responsabilité, loi et ordre", et il n'était pas impossible qu'il eût pu réduire Corell au silence. Il était d'une onction rare, mais il commit alors une erreur. Il souligna le fait que le danger était tout proche :

"Cela me coûte de le mentionner, Corell. Mais j'ai des informations compromettantes au sujet d'une personne qui vous est proche.

— Vous voulez peut-être parler de ma tante Vicky ?" répondit Corell avec un calme dont il ignorait où il allait le chercher et, quand Hamersley cracha : "Oui, puisque vous le dites. C'est d'elle que je parle", Corell se leva très doucement et eut en cet instant l'impression d'être sur une scène : il se réjouit donc en voyant qu'il avait du public. Sandford, Kenny Anderson et Alec Bloc, non loin, écoutaient avec étonnement et, avant de rouvrir la bouche, Corell veilla à sourire, un sourire extrêmement fier, comme si cette dispute n'était rien d'autre qu'un grand triomphe.

"Dans ce cas, permettez-moi de vous dire, mon cher surintendant", dit-il en insistant sur "cher" car il comprenait que ce mot contenait une grande insulte, "qu'il existe certaines différences entre vous et ma tante. Pour commencer, elle est intelligente et digne de respect. Ensuite, elle déteste l'hypocrisie et vous, monsieur Hamersley, êtes probablement le plus grand hypocrite que j'aie jamais rencontré. Mais avant tout…

— Comment osez-vous !" le coupa Hamersley profondément indigné. La seule idée d'avoir fait sortir de ses gonds le surintendant renforça assez paradoxalement le calme de Corell et augmenta l'assurance de ses paroles :

"Non, non, écoutez-moi jusqu'au bout, ou non, vous avez peut-être bien fait de m'interrompre. J'allais être méchant, dire que vous semblez vous-même être une fiotte, mais franchement, je commence à douter qu'il y ait vraiment lieu de se moquer des fiottes. Pédé serait en tout cas une épithète trop généreuse pour vous. Vous n'êtes que la ridicule girouette de l'opinion. Vous en profitez juste pour persécuter ceux qui ne rentrent pas dans le cadre étriqué de vos principes, et je vous méprise pour cela. Je vous méprise presque autant que je respecte ma tante. D'ailleurs je dois y aller. Je suppose qu'il faut que je cherche du travail", dit-il toujours avec le même calme apparent, faisant mine de partir. Mais il resta pourtant là à regarder autour de lui avec étonnement. C'était comme s'il s'attendait à essuyer une riposte sous forme d'un pilonnage au canon, mais Ross et Hamersley semblaient plus étonnés que furieux et ce n'est qu'après une seconde ou deux que le surintendant revint à la vie et avança de deux pas menaçants.

"Je vais vous dire…

— Quoi ?

— Que vous venez de défier la loi, et c'est très grave. Vous entendez ? Vous en subirez les conséquences !" cria-t-il et, un instant, Corell se demanda s'il devait répondre encore, mais il prit plutôt son chapeau Trilby au portemanteau, salua brièvement de la tête Alec Bloc, qui lui répondit d'un sourire prudent.

Puis il se dirigea vers l'escalier et, une fois dehors, son agitation se mêla à autre chose, il sourit à nouveau, non plus d'un sourire forcé et théâtral comme à l'instant, mais d'un sourire franc et sincère qui semblait pousser du fond de son cœur jusqu'à ses yeux et, plus il marchait, plus ses pensées chantaient en lui, vives et rebelles : *Voici un homme qui peut faire comme bon lui chante. Peut-être va-t-il même passer devant la boutique d'un tailleur d'Alderley Road. Il songe même à mettre la main sur une jolie fille ! Oui, il en a, du culot !*

Mais ses forces finirent par se tarir. Sa fatigue reprit ses droits et il songea à Oscar Farley en se demandant s'il ne devrait pas le contacter malgré tout. Le soleil se voilait. Un vent plus frais souffla du nord et il commença à rêver de son lit, non pas son misérable lit de Wilmslow, mais celui qui l'attendait chez sa tante à Knutsford et, ce faisant, sa tête s'inclina sur son épaule, comme s'il allait s'endormir.

ÉPILOGUE

*Séance d'ouverture de la conférence sur Alan Turing
à l'université d'Édimbourg, 7 juin 1986*

Le professeur d'informatique Richard Douglas, de l'université Stanford - responsable de l'organisation de la rencontre –, ouvre la séance :

"Chers collègues, chers amis. Je serai bref. Je veux seulement en tout premier lieu dire combien je me réjouis du fond du cœur que tant d'éminents représentants de matières et d'institutions si diverses soient venus participer à cette première conférence sur Alan Turing. Mon Dieu, en vous voyant je ne suis pas seulement profondément fier. Je réalise aussi l'influence qu'a eue Alan Turing dans tant de domaines. Quelle personne remarquable et intempestive il était ! Quel étrange penseur !

Nous avons devant nous un programme copieux, d'excellents orateurs et d'intéressants séminaires. Après cette introduction, Hugh Whitemore viendra nous parler de sa pièce *Breaking the Code*, basée sur la belle biographie écrite par Andrew Hodges, *The Enigma*, qui sera créée cet automne au Haymarket Theatre de Londres, avec Derek Jacobi dans le rôle principal, Jacobi que nous connaissons par la série télévisée *Moi, Claude, empereur*. Avant le déjeuner, je suis persuadé que nous entendrons à cette tribune une discussion vraiment passionnante sur le test de Turing. Toutes les opinions sont représentées – même le Pr John Searle est ici. Il a promis de nous dévoiler quelques pensées nouvelles sur sa fameuse théorie, la chambre chinoise.

Cet après-midi, Donald Michie nous parlera du rêve de Turing d'un ordinateur capable d'apprendre tout seul, en le confrontant aux toutes dernières avancées de la recherche en intelligence artificielle. Voilà un aperçu du programme passionnant qui nous attend.

Je souhaite aussi bien sûr attirer votre attention sur la date d'aujourd'hui. Voilà exactement trente-deux ans qu'Alan Turing est mort à son domicile de Wilmslow, pendant une période si triste de notre histoire.

C'était le week-end de Pentecôte en Angleterre et le temps était catastrophique. Une des personnes présentes ce jour-là et qui a vu Alan Turing sur son lit de mort se trouve parmi nous aujourd'hui. Mesdames et messieurs, je suis fier de vous présenter l'ancien inspecteur Leonard Corell, aujourd'hui entre autres docteur *honoris causa* de l'université d'Édimbourg. Mais je pense que devant notre assemblée il n'a pas besoin d'une plus ample présentation, car nous apprécions tous son œuvre. Bienvenue, Leo !"

Sous des applaudissements fournis, Corell monte sur scène, vêtu d'un costume en velours brun et d'un polo noir. Il a des cheveux bouclés noirs saupoudrés de blanc et dégarnis au sommet du crâne. Il est mince et élégant et, malgré un corps quelque peu raide et figé, sa voix a une grande force. Il parle sans notes et semble à l'aise sur scène :

"Si vous appréciez mes travaux, commence-t-il, dites-le tout de suite à mes critiques !

J'en ai essuyé un certain nombre ces dernières années, assez méritées, je dois l'admettre. Je suis par exemple responsable du malentendu idiot qui n'a fait surface que l'autre jour dans le *Times* : que le logo d'Apple serait une allusion à la pomme de Turing, et je dois aujourd'hui déclarer une bonne fois pour toutes que ce sont des bêtises qui doivent pouvoir s'expliquer par ma fixation sur cette pomme. Hélas, j'aurais dû écouter mon défunt ami le Pr Farley, qui avait coutume de dire qu'il ne fallait pas s'attacher aux symboles. Les symboles sont des outils trompeurs. Un auteur doit les abandonner au lecteur. Mais avant tout, j'aurais dû m'aviser que, lorsque Wozniak et Jobs ont lancé leur Apple II, le destin d'Alan Turing était à peine connu, du moins dans sa totalité, et que si j'avais imaginé une telle allusion, c'était parce qu'en tant qu'agent spécial de l'État anglais, j'en savais plus que je n'aurais dû et aussi, bien sûr, parce que j'aurais tellement aimé que ce fichu logo aux couleurs de l'arc-en-ciel – qui est en train de devenir la bannière du mouvement gay – ait été la pomme d'Alan. Mais voilà, il paraît que ce n'est pas le cas. On prétend à présent que ce logo se réfère à la vieille pomme fripée de Newton qui d'ailleurs n'est jamais tombée sur la tête du physicien, comme chacun sait. Et pourtant je m'interroge, oui, en effet, je refuse d'abandonner si facilement la partie. Je continue à m'interroger : pourquoi une bouchée a-t-elle été arrachée à cette pomme ? D'une certaine façon, je me demande si Turing n'était pas malgré tout dans le coup.

Je suis profondément ému de pouvoir parler en introduction aujourd'hui, en particulier parce que ma femme Julie et ma fille Chanda, que je n'ai pas vues depuis si longtemps, sont venues de Cambridge, et parce que vous êtes tous là, vous que je lis avec une telle passion depuis des années. Je serai moi aussi bref et je m'abstiendrai d'entrer comme à mon habitude dans les subtilités de l'article de Turing *Fondements chimiques de la morphogénèse*, ainsi que de taquiner les informatologues avec mes idées critiques sur l'intelligence artificielle. Je vais plutôt vous avouer un vieux défaut. Je suis un rêveur éveillé. Peut-être de la pire espèce que vous verrez jamais. Le problème, c'est qu'à soixante ans il n'est plus très facile de rêver à l'avenir en songeant : quand j'aurai soixante-dix ans, je percerai et j'aurai des contrats à Hollywood. (Bon, c'est déjà arrivé.) Voilà pourquoi je rêve tourné vers le passé. J'imagine que je construis une machine à remonter le temps et que je me rends à Adlington Road. Mais au lieu d'y arriver le 8 juin 1954, comme je l'ai fait alors, je me pointe le 7, et savez-vous ce que j'ai avec moi ? Eh bien, quelques-uns des beaux livres que nous avons tous écrits, mais surtout un ordinateur personnel flambant neuf. Imaginez ça ! Il pleut des cordes. C'est le lundi de Pentecôte, le quartier est silencieux. Peut-être la nuit tombe-t-elle déjà, et je sonne. J'entends des pas nerveux dans l'escalier, puis la porte s'ouvre et le voilà avec ses yeux bleus, profondément enfoncés dans leurs orbites, et il est sûrement complètement défait. Il a peut-être déjà enfilé son pyjama et trempé la pomme dans la casserole. Il dit :

« Qui êtes-vous ? »

Je suppose qu'il rechigne à me laisser entrer et que je vais droit au but :

« Cher Alan. Je connais ta vie mieux que tu ne peux l'imaginer et crois-moi, je le sais : tu vas très mal en ce moment. On t'a empoisonné à force de paranoïa et de préjugés, mais un jour... un jour, nous tiendrons une conférence à Édimbourg réunissant des centaines d'éminents chercheurs spécialistes de toi et de tes pensées et ça, Alan, regarde ça, c'est une machine universelle, un ordinateur comme nous le disons aujourd'hui. En 1986 tout le monde en a un, enfin presque, et regarde tous ces livres. Ils parlent de toi. N'est-ce pas remarquable ? Tu es un des grands héros de la guerre, et on te considère comme le père d'une matière scientifique nouvelle. Tu es en train de devenir une icône du mouvement homosexuel et on te considère comme un des penseurs les plus influents du XXe siècle. » Et alors, mes amis, quand je dis cela à Alan Turing, il sourit. Alors, enfin, je le vois sourire."

REMERCIEMENTS

Comme tous ceux qui écrivent sur Alan Turing, j'ai une dette envers Andrew Hodges, dont la grande biographie *Alan Turing, the Enigma* m'a servi d'ouvrage de référence et de source d'inspiration pendant tout mon travail. Ses articles publiés sur le site www.turing.org.uk ainsi que son joli petit livre, *Turing, A Natural Philosopher*, ont également beaucoup compté dans la genèse du roman.

La biographie de David Leavitt, *The Man Who Knew Too Much. Alan Turing and the Invention of the Computer*, ainsi que celle de Jon Agar, *Turing and the Universal Machine. The Making of the Modern Computer*, et le recueil d'essais (sous la direction de Christof Teuscher) *Alan Turing. Life and Legacy of a Great Thinker* ont été des documents précieux. Dans *Essential Turing. The Ideas That Gave Birth to the Computer Age*, anthologie établie par Jack Copeland, j'ai pu lire les principaux textes d'Alan Turing dans leur version originale.

J'ai trouvé et étudié beaucoup des lettres de Turing sur www. turingarchive.org. Dans ma tentative d'avoir une vue d'ensemble de l'histoire de l'informatique et de ses origines dans les mathématiques et la logique, j'ai tiré tout particulièrement profit du livre de Martin Davis *Engines of Logic. Mathematicians and the Origin of the Computer*. Dans mes descriptions de Bletchley Park, je me suis appuyé sur les livres de Hugh Sebag-Montefiore, *Enigma. The Battle for the Code*, de Michael T. Smith, *Station X. Decoding Nazi Secrets*, sur l'anthologie réunie par F. H. Hinsley et Alan Stripp, *Codebreakers. The Inside Story of Bletchley Park*, ainsi que sur l'*Histoire des codes secrets* de Simon Singh. Le roman bien documenté de Robert Harris, *Enigma*, m'a aussi beaucoup apporté. Parmi tous les articles parus sur le sujet, le compte rendu de Jim Holt sur la biographie de

Turing par David Leavitt, paru en février 2006 dans le *New Yorker* sous le titre "Code-Breaker" se détache du lot.

J'ai trouvé des stimulations dans d'autres œuvres littéraires où apparaît Alan Turing, en premier lieu dans la pièce de Hugh Whitemore *Breaking the Code* et dans le *Cryptonomicom* de Neal Stephenson, mais aussi, dans une certaine mesure, dans le livre de Rolf Hochhuth *Alan Turing*.

À celui qui veut en savoir plus sur Wittgenstein, je recommande la biographie de Ray Monk, *Wittgenstein. Le devoir de génie*. Sur Gödel existe un livre merveilleux de Rebecca Goldstein, *Incompleteness. The Proof and Paradox of Kurt Gödel*. Sur l'atmosphère de l'époque du maccarthysme, le livre de Kai Bird et Martin J. Sherwin, *The Triumph and Tragedy of J. Robert Oppenheimer*, a été une lecture éclairante et divertissante. Parmi toute la littérature sur les espions de Cambridge, je mentionnerai surtout la belle biographie de Miranda Carter, *Anthony Blunt. His Lives,* où j'ai appris non seulement la chasse aux homosexuels qui a suivi le passage en URSS de Burgess et Maclean, mais aussi l'existence de Marlborough College. De même, le beau livre *Gay Life and Culture. A World Story* (sous la direction de Robert Aldrich) m'a fourni beaucoup d'informations sur la situation des homosexuels dans les années 1950, ainsi bien sûr que l'*Enigma* d'Andrew Hodges.

Sur Venona, on trouve sur Internet largement de quoi avoir une bonne vue d'ensemble. Sinon, je recommande le livre de Wilhelm Agrell *Venona. Spåren från ett underrättelsekrig* ("Venona. Traces d'une guerre des services secrets") qui, bien sûr, présente le projet du point de vue suédois, mais est aussi une passionnante description de l'intérieur du drame dans sa totalité. Le livre de Tony Fletcher *Cobbled Beat* donne une belle image de la déambulation morose d'un agent de police dans la région de Manchester de l'après-guerre. Pour la discussion finale de Corell et Farley dans la voiture, j'ai volé quelques idées au livre de James Surowiecki *The Wisdom of Crowds*, et je dois peut-être aussi mentionner *Märk världen* de Tor Nörretranders qui, voilà des années, a attiré mon attention sur le lien entre le paradoxe du menteur et l'invention de l'ordinateur.

Il me faut sans doute aussi indiquer – pour ceux qui se le demandent – que tout ce qui est dit d'Alan Turing dans le roman est en général vrai, aussi vrai que ce que nous savons de lui aujourd'hui le permet. J'ai moi-même écrit sa lettre à Robin Gandy, j'ai inventé

quelques répliques et pris quelques autres libertés – j'ai même brièvement regardé à l'intérieur de sa tête dans le premier chapitre et, si
Turing tricotait effectivement à Bletchley, il ne le faisait peut-être pas
forcément le jour où Churchill lui a rendu visite –, mais je me suis malgré tout efforcé de peindre correctement sa vie, en grand et en détail.

J'ai bénéficié de la fantastique aide documentaire de mon brillant
ami Anders Jansson qui, en particulier, m'a donné tous les petits
détails capitaux sur l'Angleterre des années 1950. Anders m'a par
exemple informé sur l'éclipse de Soleil de l'été 1954, qui devait jouer
un tel rôle dans le livre. Je suis également reconnaissant envers Erik
Sandewall, chercheur en intelligence artificielle et professeur d'informatique à l'université de Linköping, qui m'a apporté ses correc-
tions factuelles et ses conseils.

Merci à Sara Coates qui vit aujourd'hui avec sa famille dans l'an-
cienne maison de Turing d'Adlington Road, qu'elle m'a fait visiter.
Et merci au personnel du musée de la Police de Manchester et du
Cheshire, et aux archives de King's College à Cambridge.

Sofia Brattselius Thunfors, mon éditrice à l'époque, m'a encouragé au cours de mon travail et m'a écrit des lettres de recomman-
dation pour mes voyages d'études. Unni Drougge m'a lu très tôt et
m'a fait croire au livre. Ulf Bergman, mon beau-père, a très subti-
lement attiré mon attention sur certaines répétitions et bizarreries.
Allan Brown, qui a lui-même vécu dans l'Angleterre de cette époque,
m'a sauvé de quelques erreurs cuisantes. Jonas Axelsson et Kristof-
fer Leandoer, mon cher ami, m'ont chaleureusement accueilli aux
éditions Albert Bonniers Förlag.

Jenny Thor et Susanne Widén, de la Bonnier Group Agency, ont
très tôt exprimé leur enthousiasme pour la diffusion mondiale de
ce livre, et travailler avec elles a été un plaisir dès le premier instant.

Abbe Bonnier a été immédiatement pour moi l'éditeur de haut
vol dont je garde le souvenir. Il a aussi eu le bon goût de m'attribuer
Tina Rabén comme éditrice. Tina a tout de suite vu ce qu'il fallait
faire. Elle m'a fait recomposer le livre, améliorer la dramaturgie, accen-
tuer la vraisemblance et élever la qualité de l'ensemble et du détail. Je
lui en suis profondément reconnaissant. Elle a été très clairvoyante.

Et enfin, de tout mon cœur, merci à mon épouse, Anne, qui malgré sa grande charge de travail, a jour après jour lu, discuté, objecté,
loué, protesté, supporté, consolé et amélioré.

Pour en savoir plus sur la collection Actes noirs,
tous les livres, les nouveautés, les auteurs, les actualités,
lire des extraits en avant-première :

actes-sud.fr
facebook/actes noirs

OUVRAGE RÉALISÉ
PAR L'ATELIER GRAPHIQUE ACTES SUD
REPRODUIT ET ACHEVÉ D'IMPRIMER
EN FÉVRIER 2016
PAR NORMANDIE ROTO IMPRESSION S.A.S.
À LONRAI
POUR LE COMPTE DES ÉDITIONS
ACTES SUD
LE MÉJAN
PLACE NINA-BERBEROVA
13200 ARLES

DÉPÔT LÉGAL
1re ÉDITION : MARS 2016
N° impr. : 1601045
(Imprimé en France)